L'ATELIER D'ALAIN RESNAIS

Collection *Cinémas*

James AGEE, *L'Odyssée de l'*African Queen. – *La Nuit du chasseur*

Jean-Claude BONNET et Philippe ROGER (sous la direction de), *La Légende de la Révolution au* XX*e* *siècle. De Gance à Renoir.*

Federico FELLINI, *Intervista*

Katharine HEPBURN, *African Queen* ou *Comment je suis allée en Afrique avec Bogart, Bacall et Huston et faillis perdre la raison*

Fritz LANG, *Trois Lumières* (Textes réunis par Alfred Eibel)

Josef von STERNBERG, *De Vienne à Shanghai, les tribulations d'un cinéaste*

Le Cinéma selon François Truffaut (Textes réunis par Anne Gillain)

FRANÇOIS THOMAS

L'ATELIER D'ALAIN RESNAIS

Publié avec le concours
du Centre National des Lettres

FLAMMARION

ISBN : 2-08-211408-2

REMERCIEMENTS

Mes remerciements vont en premier lieu aux collaborateurs d'Alain Resnais dont les propos forment l'essentiel de ce livre. Jean Gruault et Sylvette Baudrot m'ont en outre largement ouvert leurs archives, et Albert Jurgenson l'accès à sa table de montage.

Mes remerciements s'adressent également à Bernard Évein, Marie-José Guissart, Gérard Lorin, Robert Manuel, Jacques Maumont, Guylène Péan, Jean Schwarz et particulièrement Hélène Sebillotte, qui m'ont accordé leur témoignage ou m'ont communiqué des documents complémentaires, ainsi qu'à Eva Simonet et à tous les comédiens et techniciens de *I Want to Go Home* dont les propos ont enrichi les pages consacrées à ce film.

Je remercie pour leur aide et leurs conseils Jamil Dakhlia, Jürgen Dennert, Jeannette de Poortere et Jocelyne, ainsi que Georges Sturm et la revue *CICIM* (Munich), qui a bien voulu autoriser la reproduction des textes parus dans ses colonnes.

Olivier Curchod s'est montré d'une amitié, d'une exigence et d'une rigueur qui ont accompagné chacune des étapes de l'élaboration de ce livre.

Alain Resnais a accordé à ce projet la confiance et le soutien sans lesquels il n'aurait pu être mené à bien. Il lui a consacré de nombreuses heures et en a constamment facilité la réalisation.

Quant à Florence Malraux, dont l'apport inappréciable ne saurait être résumé, son absence apparente de ces pages cache une présence attentive et régulière. Elle est la première lectrice de ce livre qui lui doit plus qu'à quiconque.

AVANT-PROPOS

L'entretien au magnétophone, « inventé », dans le domaine du cinéma, par François Truffaut et Jacques Rivette qui dès 1954 interrogèrent Jacques Becker puis Jean Renoir pour les *Cahiers du cinéma,* portait alors sur toute la carrière d'un réalisateur. C'était un regard jeté après coup sur une œuvre déjà en grande partie constituée, et qui était destiné à faire exprimer au metteur en scène sa philosophie du cinéma. C'était aussi une arme de combat, au service de la « politique des auteurs » et de sa sélectivité rigoureuse : il s'agissait de prouver que ces metteurs en scène ignorés ou méprisés, Alfred Hitchcock ou Howard Hawks, avaient quelque chose à dire. C'est ce même principe qui donnera naissance, dix ans plus tard, au premier livre d'entretiens au magnétophone avec un metteur en scène, genre littéraire inauguré lui aussi par François Truffaut. La pratique de l'entretien s'est alors généralisée et s'est progressivement étendue à des cinéastes de moindre envergure, à des cinématographies non occidentales et enfin à d'autres que le metteur en scène, si bien que les techniciens, et non plus seulement les scénaristes et comédiens, ont été mis de plus en plus à contribution par la presse cinématographique.

La vision des techniciens par la critique, parallèlement, s'est trouvée modifiée. Pendant longtemps, en effet, le réalisateur fut un génie infaillible entouré de facteurs d'incompréhension : les producteurs, les techniciens. Cette conception des choses ne pouvait qu'être confortée par l'axiome selon lequel ce n'est pas la technique qui fait la mise en scène, et par le fait que les techniciens, à Hollywood, étaient les employés d'un studio. Sans nier les conflits qui ne manquent pas de se produire encore, sans nier non plus la réussite de films dont les metteurs en scène préfèrent instaurer un climat de tension sur le plateau, nul doute que les techniciens de cinéma ne soient aujourd'hui considérés comme les alliés du metteur en scène. C'est pourquoi un nombre croissant de livres se présentent sous la forme d'une juxtaposition d'entretiens avec des scénaristes, des directeurs de la photographie, bientôt peut-être des décorateurs.

Le présent ouvrage souhaite pour sa part rendre compte de l'œuvre d'un metteur en scène au moyen d'une formule simple mais rarement explorée : retracer, à l'aide de longs entretiens avec les principaux collaborateurs d'Alain Resnais, la fabrication de ses films depuis l'élaboration du scénario jusqu'au montage et à la partition musicale. Une série de douze entretiens, à raison d'un interlocuteur par corps de métier (deux pour les comédiens), entend donc exposer les méthodes de travail d'Alain Resnais, dégager l'apport spécifique de chacun de ses collaborateurs à la création de ses films, et contribuer à l'analyse formelle de certains d'entre eux et plus particulièrement des plus récents, comme *La vie est un roman* et *L'Amour à mort.* Cette exploration de l'atelier du cinéaste se conclut par un entretien avec Resnais sur un domaine – la musique – qui se trouve au centre de ses préoccupations depuis de nombreuses années, et se prolonge dans un compte rendu de la genèse et du tournage de son dernier film, *I Want to Go Home.* Une première partie, au préalable, tente d'analyser la conception collective de la mise en scène selon Resnais et le travail spécifique du maître d'œuvre.

Première partie

Les jeux de l'artisan

DU CINÉMA SUR COMMANDE

Alain Resnais, sous prétexte qu'il réalisait autrefois des courts métrages documentaires, prétend aujourd'hui encore que tous ses films sont le résultat d'une commande. A l'en croire, sa carrière même de metteur en scène lui aurait été imposée par le producteur Pierre Braunberger, qui n'acceptait de lui donner du travail que comme réalisateur (sa vocation véritable serait celle de monteur, mais ne faut-il pas gagner son pain?). Autre provocation : les films d'Alain Resnais devraient le jour à des boutades. C'est par boutade qu'il aurait lancé le nom de Marguerite Duras devant les producteurs d'*Hiroshima mon amour*, par boutade qu'il aurait avancé l'idée de mettre en scène au cinéma une pièce d'Henry Bernstein devant son agent, lequel aurait aussitôt trouvé un producteur qui contraignît Resnais à s'exécuter et à réaliser *Mélo* : la boutade, on le voit, n'est rien d'autre que l'art de susciter la commande.

Une proposition concrète d'un producteur, assurément, est à l'origine de la moitié des films de Resnais. Mais en quoi consiste la commande que celui-ci acceptera ou, le plus souvent, refusera? Un sujet (la bombe atomique) ou un scénariste (Alain Robbe-Grillet, David Mercer), en voilà toute l'étendue : une fois passé l'accord sur l'un ou l'autre de ces deux points, le film devient entièrement l'œuvre de Resnais, qui est loin de se borner à exécuter un programme défini par d'autres. Un projet de moyen métrage, transformé de fond en comble, donne naissance à *Hiroshima mon amour*. Une vague commande d'un laboratoire pharmaceutique, adressée non pas à Resnais mais à Henri Laborit, et pour un court métrage, est l'origine lointaine de *Mon oncle d'Amérique*, mais c'est Resnais, par la suite, qui cherche un producteur qui la fasse aboutir. Lorsqu'elle n'est pas spécieuse, la théorie de la commande est purement et simplement fausse : Resnais contacte un écrivain, Jorge Semprun ou Jacques Sternberg, et, après s'être mis d'accord avec lui sur un sujet, se met en quête d'un producteur.

Apparaître, si peu que ce soit, comme un instrument au service d'un film voulu par d'autres est cependant d'une importance déterminante. Tout d'abord, il n'est pas inutile que le producteur qui s'apprête à vivre avec le film pendant des mois et même des années ait le sentiment d'être à l'origine de l'entreprise. En second lieu, et cela depuis ses premiers longs métrages, Resnais se fait souvent payer pour la préparation de son film. Enfin et surtout, selon une procédure qui est la norme aux États-Unis, Resnais obtient des crédits d'étude qui permettent au scénariste d'être entièrement disponible, d'être au service du film à venir : sur les rails de la commande, le film peut commencer.

UNE MAÏEUTIQUE DU SCÉNARIO

Contrairement à beaucoup de metteurs en scène de sa génération, Alain Resnais ne signe jamais, au générique, le scénario de ses films. D'où l'image de simple illustrateur de scénarios qu'on lui donne encore souvent, et qu'il n'a de cesse d'encourager. En réalité, dès le départ, Resnais collabore étroitement à l'écriture du scénario, lequel est toujours, à l'exception de *Mélo*, un scénario original.

Une fois le metteur en scène et le scénariste potentiel

mis en contact, le point de départ, surtout au début de la carrière de Resnais, est une conversation entre eux sur ce qui n'a jamais été fait au cinéma et qu'ils aimeraient être les premiers à faire. Resnais n'évoque alors jamais de thèmes, de sujets, mais d'emblée des idées de forme, de structure, de montage. Le scénariste, peu après, apporte un choix d'idées qui tiennent en quelques lignes ou quelques pages (quatre idées pour Robbe-Grillet et Jacques Sternberg, six idées pour Semprun), parmi lesquelles Resnais opère une sélection instantanée. L'ébauche de ce qui deviendra *L'Année dernière à Marienbad* naît dans les jours qui suivent la première conversation entre Resnais et Robbe-Grillet, et Jacques Sternberg a l'idée de départ de *Je t'aime je t'aime* le soir même de sa première discussion de travail avec Resnais. Robbe-Grillet travaille seul, au moins le temps de fournir un premier scénario que Resnais et lui retravailleront profondément. Sinon, ce seront des rencontres d'une périodicité variable, car Resnais alterne à dessein les périodes d'extrême présence et d'extrême distance. Resnais suggère beaucoup de dialogues (dans *Marienbad*, il est davantage intervenu sur les dialogues que sur la conception générale de l'image), et propose souvent des noms de personnages. Le titre, le plus souvent, vient de lui, et précède parfois la mise en route du scénario.

La durée d'écriture du scénario varie sensiblement selon les films, le cas le plus fréquent étant de huit à douze mois. Resnais a coutume de travailler à plusieurs scénarios en même temps (certains, pour différentes raisons, ne seront jamais réalisés), et de laisser reposer l'un d'eux pendant qu'un autre se matérialise. Il peut donc s'écouler plusieurs années entre les premières conversations et la rédaction de la mouture définitive : quatre ans pour *Je t'aime je t'aime*. En dehors de Marguerite Duras et de Robbe-Grillet, qui travaillèrent plus rapidement (neuf semaines pour la première, quatre mois pour le second), le scénariste écrit au moins trois versions successives, parfois différentes du tout au tout. Une même scène peut être retravaillée jusqu'à vingt fois. Le scénariste écrit des centaines de pages qui ne seront jamais utilisées. Une phrase revient souvent chez les scénaristes de Resnais : avec le matériau qu'ils ont fourni à celui-ci, il y avait de quoi bâtir plusieurs films.

Resnais, pendant ces mois de travail, n'écrit pas un mot, pas une virgule; mais il n'y a pas une seule virgule du scénario qui ne soit posée sans son assentiment et sans de nombreuses discussions préalables. De plus, affirment ses scénaristes, le simple contact, la simple présence de Resnais fait que les mots viennent à l'écrivain pour exprimer ce que Resnais veut dire : même le dialogue n'est plus l'œuvre du scénariste seul. L'image de l'accoucheur ne suffit pas ici : Resnais ne se contente pas d'accoucher ses scénaristes, il les féconde.

LA CONSTRUCTION DRAMATIQUE

Tous les scénarios de Resnais s'attachent à expérimenter de nouvelles formes de construction dramatique. Ce qui intéresse Resnais en premier lieu, ce ne sont en effet ni les personnages ni une histoire, mais une forme globale, une construction inédite.

Tous les films de Resnais naissent du chaos, instaurant dans leurs premières minutes une esthétique du bégaiement (voir, pour ne citer que cet exemple, la mosaïque de gros plans d'objets qui ouvre *Muriel ou le temps d'un retour*) avant de s'organiser progressivement et d'affirmer leur mode de fonctionnement; puis le mécanisme se désagrège, le ressort se détend, et le film s'achève « en suspens », tel *La vie est un roman* que conclut un « *Et caetera* » perpétuel chanté en canon. Cette obsession de la construction, du château de cartes que l'on bâtit et qui s'effondre, est indissociable de la thématique propre de Resnais : thématique de la décomposition physique, du pourrissement, de la dislocation, de la séparation d'entre les êtres. Les personnages de Resnais sont à son image : romancier de *Providence*, savants de *Je t'aime je t'aime*, fondateur de la cité du bonheur et organisateur du colloque de *La vie est un roman*, tous voient leur échapper ce qu'ils prétendaient maîtriser.

Or, à l'exception relative de *L'Année dernière à Marienbad*, c'est toujours Resnais qui fournit au scénariste ce qu'il appelle la « conception algébrique » ou la « forme abstraite » de l'œuvre, c'est-à-dire sa structure. C'est lui qui, dans *La guerre est finie*, apporte dès le début la composition d'ensemble (voyage, séjour, voyage), puis, en cours de route, l'idée déterminante des *flash-forwards*, des projections du futur qui font irruption dans le cerveau du personnage principal. C'est lui qui, dans *Stavisky...*, apporte l'idée de dédoubler l'histoire en ajoutant, en contrepoint au destin d'Alexandre Stavisky, celui d'un autre personnage public, quel qu'il soit, des années trente. C'est lui qui, dans *Hiroshima mon amour*, fournit un cadre à la scénariste, cadre en partie déterminé par les circonstances de la coproduction (deux lieux de tournage, deux personnages interprétés l'un par un comédien japonais et l'autre par une Française) et à l'intérieur duquel Marguerite Duras invente et développe l'histoire de Nevers et d'Hiroshima. Car une fois ce cadre initial déterminé, le scénariste dispose d'une liberté tout à coup confondante, celle de « remplir les cases » avec les matériaux qui l'intéressent : lorsque Resnais fait alterner deux histoires ou deux lignes dramatiques, ce n'est pas le contenu de l'action parallèle qui le préoccupe mais l'effet que cette collision aura sur le spectateur. C'est ce qui explique la tolérance, pour ne pas dire le laxisme, de Resnais autorisant Semprun à transvaser dans *Stavisky...* son intérêt pour Trotski en exil (à qui il avait consacré un roman) ou Jean Gruault à bâtir un épisode de *Mon oncle d'Amérique* avec les épaves de scénarios non tournés.

LA MISE EN ORDRE DU MATÉRIAU

Resnais ne se contente pas d'imposer la structure de l'œuvre, il intervient sur la construction de détail. Un scénario d'Alain Resnais est un scénario divisé en actes, dont les charnières apparaissent fortement, de façon à mieux faire ressortir les points de tension et les chutes.

La construction de détail de deux scénarios, ceux de *Je t'aime je t'aime* et *Providence*, appartient même presque entièrement à Resnais. Jacques Sternberg, pour désigner le matériau particulièrement abondant qu'il a remis à Resnais, parle d'une « montagne de spaghettis », et David Mercer d'un « cimetière de voitures » dans lequel Resnais a sélectionné les pièces détachées qui l'intéressaient afin de bâtir un nouvel assemblage. Dans *Je t'aime je t'aime*, dont le protagoniste, prisonnier d'une machine à remonter le temps, revit au hasard certains moments de sa vie passée, Jacques Sternberg écrit des scènes indépendantes les unes des autres et qui peuvent être combinées, du moins en apparence, dans n'importe quel ordre. Une fois les « cartes » battues (car chaque scène est mise en fiche), Resnais les classe, les distribue, puis Sternberg complète cette construction par un certain nombre de scènes écrites « sur mesure » à la demande de Resnais. Dans *Providence*, Resnais met en ordre les éléments épars d'un premier scénario, puis Mercer, sur ce squelette fourni par Resnais, reprend son scénario pour livrer un second travail entièrement différent du premier. Avec Jean Gruault, cependant, le jeu est tout autre. Les trois films dont Gruault a écrit le scénario sont ceux où Resnais se cache le moins derrière un écrivain, ceux où il a apporté le plus d'idées personnelles et même autobiographiques : Resnais propose, Gruault « dispose », arrange, adapte et réinjecte.

Même le matériau thématique apporté en propre par le scénariste est cependant infléchi par Resnais. Dans *Stavisky...*, où le sujet, commandé à Semprun, précède l'intervention de Resnais, celui-ci détourne vers sa thématique de la désagrégation le film historique, le film-dossier que Semprun s'apprête à écrire; deux ans plus tard, il recentre *Providence* sur les préoccupations mortuaires de *Stavisky...*, à tel point que l'idée initiale de Mercer, le soubassement du scénario qu'il comptait écrire (les vieillards parqués dans un stade), se retrouve en définitive à l'arrière-plan, dans les cauchemars du romancier Clive Langham.

Si Resnais ne signe jamais ses scénarios, on voit donc

que sans jamais tenir la plume il les écrit avec ses scénaristes.

UN ART DE LA CONFRONTATION

La construction, au dire même d'Alain Resnais, représente l'essentiel de son métier. Elle déborde largement le cadre du seul travail avec le scénariste : la construction, chez Resnais, n'est pas une construction de scénario mais une *construction de découpage.*

Il faut entendre deux choses par découpage : d'une part un objet existant, un document écrit dans lequel le scénario (auquel s'ajoutent les indications techniques) est fragmenté en plans numérotés, et sur lequel nous reviendrons; et d'autre part un ensemble de choix formels préalables au tournage et qui seront concrétisés au montage. Resnais n'attend pas l'achèvement du scénario, et encore moins le début du tournage, pour prendre ses décisions de découpage, celles-ci préexistent même au scénario. Dès le départ sont présentes un certain nombre d'idées de découpage, lorsque l'idée maîtresse qui donne naissance au film n'est pas dès l'origine un parti pris de découpage. C'est sur ce principe de construction, sur ces idées purement formelles que viendront se greffer une histoire et des personnages.

Les films d'Alain Resnais s'organisent tous selon un principe de confrontation, parfois sensible dès les titres eux-mêmes : *Hiroshima mon amour, L'Amour à mort.* Confrontation, on l'a vu, de deux histoires sans lien apparent (celles, dans *Stavisky...*, de Trotski et d'Alexandre aux mille noms), confrontation géométrique des personnages, d'autant plus nette lorsque ceux-ci ne portent aucun nom (sans parler des trois sommets du triangle de *Marienbad*, tout *Hiroshima mon amour* est tendu vers le déclic final où les protagonistes se baptisent réciproquement Hiroshima et Nevers-en-France), confrontation des idées et des doctrines (le colloque de *La vie est un roman*) transformant le dialogue en un réseau systématique d'antithèses et de renversements (la vie est et n'est pas un roman, Nevers a tout vu et n'a rien vu à Hiroshima), confrontation de deux rythmes... Mais, surtout, et l'on retrouve ici l'intérêt premier pour la forme, confrontation de différents types de séquences. Si *L'Amour à mort* en donne un exemple simple et provocant avec son alternance de fiction et d' « interludes », de dialogue et de musique, de figuration et de non-figuration, *Mon oncle d'Amérique* en offre au contraire un exemple singulièrement complexe. En vertu du principe selon lequel le cinéma sert à faire coexister des éléments qui ne sont pas faits pour aller ensemble (la bombe d'Hiroshima et une histoire d'amour), Resnais oppose, en les dissociant au lieu de les réunir, une thèse, celle d'Henri Laborit, et une fiction elle-même divisée en trois histoires qui finiront, comme toujours chez Resnais, par se rejoindre. Mais à l'intérieur de cette composition vont être disséminés d'autres atomes : des plans muets empruntés à des films de Jean Gabin, Danielle Darrieux et Jean Marais ; des plans de rats dans leur cage, puis de rats évoluant dans une maquette d'appartement à échelle réduite, et inversement des personnages grandeur nature à tête de rat ; des images fixes, pour ainsi dire des photos, dont certaines représentent des objets divers ou les lieux où se déroule l'action, mais dont la plupart sont des amorces discrètes de scènes que nous ne connaîtrons que plus tard ; sans oublier, à l'inverse, dispersés dans toute la fin du film, de brefs rappels de séquences antérieures, qui donnent l'illusion de simples citations alors que Resnais, pour intégrer ces plans dans un contexte dramatique différent, les a tournés une nouvelle fois en modifiant non seulement l'axe de la caméra mais aussi des éléments du décor.

Le scénario, sans doute, détermine le découpage, mais en réalité, chez Resnais, il n'est que le moyen d'accéder à ces jeux de contrastes qui vont se concrétiser au montage. Ce que Resnais, en dernière analyse, attend de ses scénaristes, c'est de susciter en lui de telles oppositions ; c'est, dans le cas de Robbe-Grillet, de les déterminer en grande partie lui-même ; c'est enfin, dans le cas du Gruault de *L'Amour à mort*, de développer les cadres inscrits dans ces confrontations. La collaboration répétée de Resnais avec Jean Gruault est en effet celle qui fait ressortir le plus explicitement ce principe de la confrontation : les scénarios de Gruault recourent délibérément, pour mieux mettre en relief les ressorts dramatiques du film, à un schématisme presque naïf (les controverses théologiques de *L'Amour à mort*, les trois personnages-archétypes de *Mon oncle d'Amérique*), schématisme inséparable du didactisme auto-ironique de ces scénarios et qui équivaut à mettre en lumière que tout cela n'est qu'un jeu formel – un jeu de construction.

OPPOSER DES IMAGES

Mais Alain Resnais est cinéaste, et non pas écrivain. Les procédés de construction ne recouvrent pas seulement une thématique (le jeu avec le temps, avec le réel et l'imaginaire) ou une structure abstraite, ils s'inscrivent à même la matière brute du cinéma. Loin d'être de simples instruments de la représentation, les matériaux sensibles du cinéma, qu'ils soient visuels ou sonores, sont les véritables protagonistes, l'enjeu véritable de cet art de la confrontation.

Décors et costumes, dans *Providence,* opposent selon le degré de réalité d'une scène couleurs chaudes et couleurs froides. Les décors et costumes en constante transformation de *L'Année dernière à Marienbad* permettent de se repérer tant bien que mal dans le labyrinthe du film, tandis que l'affrontement du noir et du blanc y est porté à son paroxysme lorsque Resnais alterne par un effet de clignotement les plans extrêmement sombres du thé dansant et ceux, diaphanes, translucides, de la chambre de Delphine Seyrig. Le jeu de contrastes permanent entre le rouge et le noir dans *L'Amour à mort,* amorcé dès le générique dont les lettres rouges s'inscrivent sur fond noir, régit tout le film, et jusqu'au matériel publicitaire. Les plans longs, « installés », du « troisième acte » de *Providence* (le retour à la réalité et au soleil) s'opposent à ceux, beaucoup plus courts, voire hachés, des deux premiers actes. On pourrait multiplier les exemples.

Cette esthétique de la collision repose sur le passage

sans transition d'un plan à l'autre, le montage *cut* : Resnais ne superpose pas les éléments, ne les fait pas se chevaucher, il les fait alterner, refusant dans la plupart de ses films fondus au noir et fondus enchaînés. D'où l'impression de mosaïque ou de puzzle que donnent des films comme *L'Année dernière à Marienbad* ou *Providence*, et qui disparaîtrait si l'on y ajoutait des fondus. La coupe franche renforce l'effet de « rencontre » entre deux plans, l'impression de déflagration, de morcellement, d'atomisation que donnent ses films et dont Resnais s'est plu à prendre lui-même le contrepied dans *Mélo*, film fait d'un seul jet, comme si la plume ne quittait jamais le papier, et qui repose nécessairement sur le plan long et le montage invisible. Conséquence des choix de structure et de découpage de Resnais, le montage *cut* résume métaphoriquement le principe de collision, de dialectique de son cinéma.

DÉCOUPAGE ET MONTAGE

Resnais, dès le début, pense le scénario en termes de montage. Le découpage technique est la matérialisation provisoire de cette conception du montage qui préexiste au tournage et même au scénario. Le goût de Resnais pour les mécanismes d'horlogerie implique un découpage soigneusement établi. Les courts métrages documentaires de Resnais, dans les années cinquante, étaient déjà entièrement écrits et découpés de façon très précise : l'équipe technique, avant de tourner un plan, savait exactement où il devait s'insérer, quelle était sa place dans le puzzle. Resnais s'impose cette même discipline dans les longs métrages, au point que certains films – en particulier *Marienbad* – sont montés pour ainsi dire tels que le découpage le prévoyait : à la fin du montage, on trouve exactement le film que Resnais avait en tête au stade du découpage. Resnais « jette » extrêmement peu de pellicule au montage, généralement quelques plans : tout le processus d'élimination a eu lieu avant. Le montage renforcera, accentuera, notamment sur le plan sonore, les options du découpage. Mais les variantes de montage sont d'autant plus réduites que Resnais ne tourne qu'avec une seule caméra, et sous un seul angle.

Cela ne signifie pas, bien au contraire, que l'opération du montage soit dénuée d'importance. La précision du découpage implique une précision identique au montage, mais qui portera sur des choix en apparence infinitésimaux. Henri Colpi, le monteur des deux premiers longs métrages de Resnais, a parfaitement exposé ce paradoxe, dans *Téléciné* n° 99, à propos du plan le plus important d'*Hiroshima mon amour*. Après le prologue incantatoire du film, alors que Nevers regarde Hiroshima dont la main remue dans son sommeil, surgit un plan très bref où l'on voit une autre main qui tremble elle aussi – celle, on le comprendra, du jeune soldat allemand –, puis la caméra remonte en panoramique sur le visage ensanglanté de l'Allemand que la jeune fille embrasse. C'est la première apparition, abrupte, sans aucune préparation, presque subliminale, de l'histoire seconde du film, celle de Nevers et de son amour de jeunesse. Si le plan est mal perçu, s'il n'a pas sa valeur exacte, le film devient incompréhensible. Par exception, Resnais a tourné quatre ou cinq plans différents. Une fois l'un d'eux retenu – faut-il s'étonner de ce que ce soit précisément celui que prévoyait le découpage? –, encore fallait-il trouver sa longueur juste. Ce furent d'interminables tâtonnements, d'innombrables combinaisons, la présence de la main sur l'écran avant le panoramique passant de dix secondes à une demi-seconde. Le montage d'*Hiroshima mon amour,* dont Colpi pensait, compte tenu de la précision du découpage, qu'il serait une opération mécanique, s'est révélé infiniment complexe. Dans un cinéma qui repose sur la combinaison, sur l'antagonisme des plans, chaque longueur de plan, chaque enchaînement revêt en fait une importance décisive.

La plupart des films de Resnais imposent des procédures de montage particulières, comme *Mon oncle d'Amérique* d'abord monté sans Laborit ou *L'Amour à mort* sans ses interludes : ce n'est que tout à la fin du processus de réalisation que Resnais pourra connaître l'effet réel de ces rencontres qu'il provoque. Le montage équivaut ainsi à une « vérification » du découpage. Qui plus est, Resnais a tenu à plusieurs reprises à éprouver la validité de son montage, et donc la rigueur, l'absence d'arbitraire de ces constructions destinées à ce qu'il soit impossible au spectateur de reconstituer la chronologie exacte du film. Il s'est en effet livré à diverses expériences au montage de ses films, modifiant l'ordonnancement des images de *Marienbad* ou donnant à *Je t'aime je t'aime* un ordre rigoureusement chronologique en supprimant le prologue avec les savants, construction d'avance vouée à l'échec. Dans *Hiroshima mon amour,* à la demande des distributeurs et en tenant compte des remarques les plus pertinentes qui lui avaient été faites, il s'est efforcé de raccourcir la version destinée aux salles de quartier et de province : or la version courte paraissait interminable, le film devenait incompréhensible et gratuit. Les objections, considérées isolément, paraissaient fondées, mais en fonction de l'ensemble elles s'effondraient. Resnais a donc remonté son film pour ainsi dire tel quel – tel qu'il l'avait conçu au stade du découpage.

LE CONTRAT DU DÉCOUPAGE

Le découpage, dans toute la fabrication du film, est la seule étape, chez Resnais, à appartenir en propre au metteur en scène – mais on a vu que cette étape déterminait tout le reste. Si Resnais ne signe pas ses scénarios, c'est sans doute aussi parce que sa véritable tâche est d'écrire cette pièce maîtresse du travail de réalisation qu'est le découpage. Tous les choix généraux étant prévus depuis longtemps, la rédaction en est très rapide : généralement cinq à six jours, et même deux jours et demi pour *Marienbad,* où tout avait été minutieusement préparé par Robbe-Grillet. Auparavant, Resnais, comme il l'a déjà fait à deux ou trois reprises pendant l'élaboration du scénario, s'est enfermé un ou plusieurs week-ends dans le noir pour écouter les dialogues qu'il a demandé au scénariste de lui enregistrer intégralement sur cassette en interprétant lui-même tous les rôles. Rien ne montre mieux chez Resnais le caractère déterminant du découpage que la réalisation du court métrage *Le Mystère de l'atelier quinze,* conçu comme une œuvre collective à la façon d'un atelier du Moyen Age : Resnais travaille à toute la préparation du film et en rédige le découpage, ne vient que deux ou trois fois sur le plateau et ne tourne lui-même que quelques plans, puis reprend le film en main au montage. Or le film, à l'évidence, porte sa marque de bout en bout.

L'architecture du film, on l'a vu, est quelque chose à quoi il ne faut pour ainsi dire rien changer. C'est là une autre fonction, pratique celle-là, du découpage. Le découpage est pour Resnais le moyen de « verrouiller » son film. Vis-à-vis des comédiens et techniciens d'abord : il ne peut être question de ne pas donner ce que le découpage demande. Vis-à-vis de lui-même sans doute : le découpage est un garde-fou qui permettra, le cas échéant, de trouver sur le plateau une meilleure solution à un problème de mise en scène. Mais aussi et surtout vis-à-vis du producteur. L'état final du découpage, en effet, est accepté par contrat. Il est l'expression d'un engagement mutuel : le metteur en scène s'engage à réaliser ce qui est dans le découpage (et donc à ne pas tourner de scènes qui n'y figurent pas), et le producteur s'engage à lui donner les moyens de réaliser son découpage. Toutes les discussions budgétaires ont eu lieu *avant,* ce qui n'empêche pas d'éventuelles négociations en cours de tournage (pour improviser une séquence, le metteur en scène devra renoncer à une autre). Sans doute Resnais a-t-il dû, au préalable, renoncer à des séquences ou des décors trop coûteux, du moins est-il assuré de parvenir à tourner son film tel qu'il l'entend en dépit de tout incident (atmosphérique en premier lieu) qui ne lui serait pas dû en propre. Resnais se protège ainsi de toute atteinte à l'encontre de sa conception du film, c'est-à-dire de sa structure. De plus, après les mésaventures du court métrage *Les statues meurent aussi* avec la censure, les contrats des films de Resnais comportent une clause selon laquelle le producteur s'engage à tirer et à remettre à Resnais une copie de son propre montage final. On l'aura compris : après le découpage, le contrat est la seconde pièce maîtresse d'Alain Resnais metteur en scène.

Dernière fonction du découpage : c'est lui qui permet aux techniciens de s'imprégner du film à venir et de connaître par avance les directions de recherche du maître d'œuvre. Resnais, en effet, est un metteur en scène qui distribue son découpage à toute l'équipe, électriciens et machinistes compris. Le découpage est la clé de voûte et de la conception du film pour le metteur en scène, et du dialogue avec l'équipe de tournage. On voit ici comment les méthodes de l'artiste Resnais ne font qu'un avec celles de l'artisan. Sous le metteur en scène « abstrait », presque mathématicien à force de rigueur, se cache un chef d'atelier au tour d'esprit concret, attaché aux modalités artisanales du cinéma. Plus grande est l'abstraction de départ, plus grand sera le sens du concret et de la matière, du grain de la voix à l'étoffe d'un costume. Le rôle des collaborateurs artistiques, dans ses films, est donc double. Les uns – le scénariste, le monteur, le musicien – ont pour tâche de participer à l'élaboration ou à la finition de la construction cinématographique qu'a imaginée Resnais, les autres – les comédiens et l'équipe de tournage – sont chargés de donner une forme sensible aux éléments constitutifs de cette construction dont seul le metteur en scène possède la clé. Il est vrai que Resnais, pour sa part, prétend voir les choses de façon différente : les véritables « auteurs » de ses films, à l'en croire, seraient le scénariste, les comédiens et le musicien, tandis que son rôle de metteur en scène n'excéderait pas celui d'un technicien parmi d'autres.

L'ALTERNANCE ET LA FIDÉLITÉ

Alors même qu'Alain Resnais répète sans cesse qu'il est partisan d'une certaine « alternance » et qu'il faut savoir renouveler ses techniciens d'un film à l'autre afin de ne pas se scléroser et de ne pas vivre sur des habitudes de travail, il a en réalité réuni autour de lui, au fil des années, une équipe fidèle dont certains membres paraissent même inamovibles. En effet, le chef opérateur Sacha Vierny depuis *Nuit et Brouillard* (1955), l'assistant Jean Léon et la scripte Sylvette Baudrot depuis *Hiroshima mon amour* (1959), le décorateur Jacques Saulnier, le cadreur Philippe Brun et l'assistante Florence Malraux depuis *L'Année dernière à Marienbad* (1961), le monteur Albert Jurgenson depuis *Je t'aime je t'aime* (1968), le mixeur Jacques Maumont depuis *Stavisky...* (1974) et la créatrice de costumes Catherine Leterrier depuis *Providence* (1976), une fois qu'ils ont rejoint l'équipe d'Alain Resnais, ont rarement sinon jamais interrompu leur collaboration avec lui. On assiste ainsi à la constitution progressive d'une équipe, d'un atelier, et qui ne s'achèvera qu'avec l'adoption définitive d'un ingénieur du son qui pourrait être Pierre Gamet. En dernier ressort, Resnais n'a réellement pratiqué l' « alternance » que dans le domaine de la direction de la photographie, bien que Sacha Vierny ait fait coup sur coup ses quatre premiers longs métrages, et maintenant dans celui de la scripte, puisque depuis 1980 et *Mon oncle d'Amérique* il a résolu de travailler tantôt avec Sylvette Baudrot, tantôt avec Hélène Sebillotte. S'il est certain que Resnais aime aussi, parfois, changer et disposer d'éléments neufs, il reste que rares sont les metteurs en scène à être demeurés aussi longtemps fidèles à une même équipe.

Une mobilité plus grande distingue cependant des différents membres de l'équipe technique ceux que Resnais, on l'a dit, appelle les « auteurs » de ses films : scénariste, comédiens et musiciens. Mais alors que sa filmographie des années soixante laissait entendre qu'il voulait changer d' « auteurs » à chaque film, Resnais, dans les années quatre-vingt, a temporairement cessé de respecter ce principe d'alternance, comme le montre son travail répété avec Jean Gruault et les quatre comédiens de *L'Amour à mort* et de *Mélo*. C'est qu'en réalité ce principe, même autrefois, n'avait rien de strict. En dehors du fait que Jorge Semprun et plusieurs musiciens aient travaillé deux fois avec lui, et que Stephen Sondheim, le compositeur de *Stavisky...*, ait dû refuser trois propositions ultérieures, il faut compter avec tous les projets abandonnés en cours de route : on l'ignore généralement, Duras, Robbe-Grillet, Cayrol, Jacques Sternberg, Mercer, bref tous les scénaristes de Resnais ont travaillé avec lui à d'autres projets, dont certains ont très vite tourné court, peut-être parce que le film déjà écrit en commun épuisait toutes les possibilités de collaboration. Resnais a tiré de ses romanciers l'œuvre unique qu'ils devaient donner, alors qu'il lui a été possible de retravailler avec un scénariste de cinéma comme Jean Gruault ou des écrivains-scénaristes comme Jorge Semprun ou David Mercer, dont seule la mort prématurée l'a empêché de faire d'autres films avec lui.

LES « AUTEURS » ET LE THÉÂTRE

La plupart des « auteurs » des films d'Alain Resnais ont ceci de particulier qu'il s'agit de scénaristes, de comédiens ou de compositeurs qui n'avaient jamais, ou peu s'en faut, travaillé pour le cinéma. Ce principe a même gouverné toute la première partie de la carrière de Resnais, jusqu'à *Je t'aime je t'aime.* Marguerite Duras, Jean Cayrol, Jorge Semprun, Jacques Sternberg écrivirent pour Resnais leur premier scénario de long métrage, de même que Resnais a demandé leur première partition de film à Hans Werner Henze ou à Stephen Sondheim. En outre, Resnais a été jusqu'à impulser un certain nombre de « carrières » cinématographiques, chez ses comédiens mais aussi ailleurs : Henze a composé d'autres musiques de film, Semprun, jusque-là romancier, s'est lancé dans une carrière de scénariste parallèle à celle d'écrivain, Duras, Robbe-Grillet, Cayrol et aujourd'hui Enki Bilal sont eux-mêmes passés à la mise en scène.

Mais le principe premier qui guide Resnais dans le choix de ses auteurs, et qui ne souffre pas d'exception, est leur goût pour le théâtre et le spectacle. La plupart des écrivains de Resnais ont écrit pour le théâtre, de même que ses compositeurs ont écrit des opéras, des ballets, des musiques de scène ou des comédies musicales. Pour Resnais, bien qu'il ait été taxé de cinéaste littéraire, le cinéma est un art dramatique et non un art narratif. Le spectacle, notion dans laquelle Resnais fait entrer certains tableaux, certaines œuvres musicales et la bande dessinée, s'oppose avant tout à la narration romanesque. Il y a donc un semblant de paradoxe à ce que Resnais se soit si souvent adressé à des romanciers ; mais c'est que les scénaristes sont aussi et peut-être même surtout des dialoguistes, et qu'il s'agit pour Resnais de faire passer la musicalité de leur écriture dans les dialogues (ou les commentaires *off*) et dans eux seuls.

Son goût du théâtre, mais aussi du music-hall ou du *musical,* est à plus forte raison déterminant dans son choix des comédiens. Les comédiens et comédiennes dont Resnais a lancé ou favorisé la carrière cinématographique étaient des acteurs de théâtre confirmés, mais dont le visage et la voix étaient neufs au cinéma. Il n'y a nulle exagération à affirmer que Resnais voyait en Jean-Paul Belmondo non la vedette mais l'ancien élève du Conservatoire. Dans *Je t'aime je t'aime,* Resnais, *a contrario,* a confié de petits rôles ou de la figuration à des amis et connaissances : le résultat, décevant, le renforcera définitivement dans sa conviction que le moindre petit rôle, la moindre voix *off* doivent être confiés à un comédien éprouvé.

Le théâtre, c'est aussi une troupe. La constitution d'une troupe de comédiens ne signifie pas, chez Resnais, l'emploi répété des mêmes comédiens d'un film à l'autre, mais la cohésion, l'homogénéité de l'interprétation d'un même film. Resnais fait ainsi appel, dans certains films, à une même génération d'élèves du Conservatoire, ou, dans *Stavisky...,* à d'anciens condisciples et professeurs de Jean-Paul Belmondo. Rien n'illustre mieux ces affinités préalables entre comédiens que la distribution de *Muriel* : le hasard veut qu'elle regroupe huit comédiens ayant travaillé à la Comédie de Saint-Étienne, troupe créée et dirigée par Jean Dasté, qui lui-même joue dans le film et que l'on retrouvera à plusieurs reprises chez Resnais. *Muriel, La guerre est finie* et *Je t'aime je t'aime* sont en partie interprétés par un noyau d'une douzaine de comédiens de théâtre qu'on a peu vus au cinéma et que Resnais n'emploiera plus dans les années soixante-dix et quatre-vingt, même si *Mon oncle d'Amérique* marque un retour inattendu à certains éléments de la distribution de *Muriel.*

Au lendemain de *Je t'aime je t'aime,* Resnais s'est en effet adressé à une autre génération de comédiens – relève des générations seulement partiellement nécessitée par le fait que ses héros, en dehors de l'écrivain de *Providence* et des protagonistes de *I Want to Go Home,* ne sont jamais ni vraiment jeunes ni réellement âgés – et a davantage mêlé les styles d'interprétation dans un même film. De même, ce n'est qu'après *Je t'aime je t'aime* que disparaît vraiment la réticence certaine que Resnais, à ses débuts, avait envers les vedettes, comédiens pourtant plus rapides et au registre, au clavier plus étendu, et plus généralement envers les acteurs de cinéma professionnels.

LA DISTRIBUTION DES RÔLES

Alain Resnais a renoncé à certains projets faute de pouvoir obtenir les comédiens souhaités : la distribution d'un film revêt en effet à ses yeux une importance capitale. Dans cet édifice hermétique et planifié qu'est la réalisation de ses films, le comédien est l'élément qui va intervenir en sens inverse, apportant une part d'imprévu et de surprise. Il y sera maintes fois fait allusion dans les entretiens qui composent ce livre : le premier plaisir de Resnais sur le plateau est bien de travailler avec les comédiens. C'est ce vers quoi convergent toutes les étapes du travail préparatoire, mais aussi toutes les « épreuves » qui aboutissent au choix et à l'engagement des comédiens.

Resnais se rend au théâtre avec un carnet noir dans lequel il inscrit le nom des comédiens avec lesquels il aimerait travailler. C'est à cette liste de quelques dizaines de noms qu'il se reporte au moment du choix des seconds rôles, distribution qui sera complétée en fonction des propositions du scénariste ou des assistants réalisateurs. C'est souvent, surtout pour les premiers rôles, après des années d'attente, après avoir suivi très attentivement un comédien, qu'il finit par lui trouver un rôle, d'autant plus qu'un comédien n'est jamais choisi pour lui seul mais pour la combinaison qu'il va former avec ses partenaires. Son choix repose au moins autant sur la voix, sur ses qualités musicales, son phrasé et son débit, que sur le visage et le jeu physique. Resnais ne se contente pas d'entendre le comédien au théâtre ou au cinéma, il se procure des enregistrements. Lorsque, par exception, il ne procède pas ainsi, il se trompe : le choix d'Olga Georges-Picot, qu'il a engagée sur la foi d'essais muets, affaiblit *Je t'aime je t'aime* et ne donne lieu à aucune véritable carrière ultérieure. Il est arrivé, à ses débuts, que Resnais fasse passer des essais filmés au comédien, davantage pour se conforter dans un choix déjà fixé avec une quasi-certitude que pour départager deux candidats. Resnais prend alors un grand nombre de photographies pour chercher des attitudes, des gestes; elles lui serviront aussi au moment de l'établissement du découpage. Quand Resnais a enfin (presque) définitivement fixé son choix, il le soumet encore à toute une série de contre-épreuves pour mieux en vérifier la validité. Mais une fois toutes ces étapes franchies, le comédien, de la même façon que le scénariste, dispose d'une grande liberté : Resnais en est sûr. Il faut donc donner tout son poids à la déclaration de Delphine Seyrig (*L'Arc* n° 31) lorsqu'elle affirme qu' « *à partir du moment où il a choisi un comédien, il lui accorde une confiance totale. Le comédien est infaillible à ses yeux, il l'accepte dans sa totalité* ».

AU SERVICE DU COMÉDIEN

Le comédien est cependant loin d'être l'affaire du seul metteur en scène : il se retrouve au centre du travail de toute l'équipe. Le scénariste crée en effet des personnages dans lesquels viennent s'inscrire – parfois très tôt – les comédiens à l'intention de qui il écrit des dialogues, le décorateur conçoit ses décors en fonction des personnages qu'ils vont incarner (pour Jacques Saulnier, les intérieurs d'un film seraient même différents selon les comédiens qui devront les habiter), la créatrice de costumes travaille en étroite collaboration avec eux, le directeur de la photographie module leur visage et leur silhouette par l'ombre et la lumière, le cadreur s'adapte avec souplesse et virtuosité à leurs déplacements, l'ingénieur du son a pour tâche principale de restituer toute l'intensité de leur interprétation, et le monteur, dans le choix des prises, se laisse guider en premier lieu par la qualité du jeu. Même le compositeur a partie liée avec le comédien puisque la conception de la musique et de son rôle dans le film est en grande partie déterminée par le personnage principal. Quant au « technicien-metteur en scène », on l'a vu, il n'attend qu'une chose : le plaisir de se retrouver en position de spectateur.

La qualité des relations qu'ils entretiennent avec les comédiens est par conséquent déterminante dans le choix des membres de l'équipe de tournage, de même que ceux-ci, s'ils sont choisis pour leurs qualités propres, le sont aussi en fonction les uns des autres (Resnais a précisément renoncé à travailler avec certains techniciens de valeur en raison de la tension que leur présence aurait pu apporter). C'est ce qui permet à l'harmonie de régner sur les plateaux de Resnais : le seul conflit réel qui ait eu lieu sur l'un de ses tournages a été soigneusement dissimulé par les protagonistes, au point qu'il semble bien que Resnais s'en soit à peine aperçu.

DES PROFESSIONNELS DU CINÉMA-SPECTACLE

Tous les membres de l'équipe technique d'Alain Resnais, qu'ils aient ou non fait leurs débuts avec lui, possèdent un point commun : ce sont des techniciens qui travaillent dans le cadre du cinéma « professionnel », avec des budgets « normaux », et non pas dans un cinéma plus marginal reposant sur de plus petites structures économiques; ils sont parfaitement intégrés dans l'industrie du cinéma, et capables de passer d'un registre à l'autre avec une grande souplesse. Par son choix même des techniciens, Resnais, qui aimerait tourner avec les moyens, et notamment les décors, d'un Fellini ou d'un Spielberg, privilégie le cinéma-spectacle sur le cinéma-écriture. Le travail répété du décorateur Jacques Saulnier avec Henri Verneuil, celui du monteur Albert Jurgenson avec Gérard

Oury n'ont donc rien d'étonnant : Alain Resnais lui-même ne dédaigne pas de vanter les mérites de metteurs en scène comme André Cayatte ou Pierre Granier-Deferre, un réalisateur dont les choix techniques (il a très souvent fait appel, notamment, à Jacques Saulnier, Philippe Brun et Hélène Sebillotte) sont particulièrement proches des siens. Jean Léon décrit suffisamment, dans son entretien, Resnais comme un metteur en scène « classique » dans sa façon d'aborder le travail sur le plateau pour qu'il soit nécessaire d'insister, sinon pour signaler qu'il faut voir aussi, dans ce choix des techniciens, la volonté de Resnais de s'intégrer naturellement, contrairement à un Godard, un Rivette ou même un Truffaut, dans le système de production, dans les normes courantes du cinéma français.

Resnais, du reste, à l'opposé de beaucoup de metteurs en scène, continue à voir des films en grand nombre, et en particulier une grande partie de la production française. La recommandation de confrères metteurs en scène a certes son importance, de même que l'avis de ses collaborateurs attitrés, en particulier celui d'Albert Jurgenson. Mais Resnais choisit toujours ses collaborateurs au vu de films précis (c'est un film de Jean-Paul Rappeneau par exemple qui attira son attention sur la créatrice de costumes Catherine Leterrier), et cela jusque dans les domaines, comme la prise de son, où les qualités d'un technicien sont moins apparentes lorsqu'on ne connaît pas les conditions de tournage. Ses contrats comportent une clause selon laquelle le producteur se déclare d'accord, dans cet ordre, sur les noms du ou des assistants, du directeur de la photographie, du cadreur, du décorateur et du monteur. Il reste que le recrutement d'un technicien se heurte parfois à de simples problèmes de disponibilité [1].

Il y a donc un paradoxe à ce que l'esthétique de Resnais impose de le confronter à de grands formalistes comme

---

1. Il faut préciser par ailleurs que certains films imposaient des choix spécifiques, en particulier la coproduction japonaise d'*Hiroshima mon amour* ou celle de *Providence*, dont plusieurs membres de l'équipe technique étaient des employés de la Société française de production. L'anglais, dans *Providence* et *I Want to Go Home*, a éliminé plusieurs fidèles de l'équipe Resnais, et il a pu arriver que des techniciens fassent l'objet d'un veto de la part de la production, pour des raisons allant de la superstition à des divergences d'ordre politique.

Murnau, Dreyer ou Eisenstein tandis que son approche du travail de collaboration est à rapprocher de celles de Costa-Gavras ou de Philippe de Broca. Une fois traduit en mots, le comportement d'Alain Resnais sur un plateau ne diffère pas sensiblement de celui d'autres metteurs en scène aussi exigeants et obsessionnels que lui, mais c'est, encore une fois, que tout se joue avant : c'est tout le travail de fécondation du scénariste, tout le travail d'imprégnation avec les comédiens et avec certains techniciens qui le caractérisent.

LE « CONDITIONNEMENT »

Resnais tient en effet à ce que rien ne reste dans l'ombre, à ce que ses collaborateurs sachent exactement ce qu'il entend obtenir. Il leur fait part très tôt de ses intentions, et cela le plus souvent par l'intermédiaire de documents et de références concrètes.

Après le découpage, les photos de repérages que Resnais – habitude acquise au temps des courts métrages – prend avant le tournage d'un film sont la seule autre étape du travail de préparation ou de réalisation qui appartienne en propre au metteur en scène. Leur nombre, pour les films en grande partie tournés en extérieurs, peut atteindre plusieurs centaines. En dehors de leur réelle valeur esthétique, ces photos répondent à des impératifs pratiques. Elles s'adressent en premier lieu au scénariste (Mercer et Gruault ont travaillé respectivement à *Providence* et à *Mon oncle d'Amérique* à partir d'une mosaïque de photos, en ayant sans cesse les lieux à l'esprit), mais aussi aux comédiens (l'une des sources d'inspiration de Sabine Azéma pour *L'Amour à mort* est les photos spectrales de l'album *Repérages* publié en 1974 aux éditions du Chêne [1]), aux membres de l'équipe de production et aux techniciens. Resnais, de plus, et cela depuis son premier long métrage, demande au scénariste (sauf à

1. On trouvera également des photos de repérages de *Providence* dans *Positif* n° 200-202, de *Mon oncle d'Amérique* dans *CICIM* n° 13-14, Munich, et du projet inabouti *Les Aventures d'Harry Dickson* dans *Zoom* n° 24.

Robbe-Grillet) de rédiger des fiches biographiques sur les personnages en fonction d'idées échangées lors des conversations de travail. Ces biographies souterraines, qui contiennent de nombreux détails en apparence totalement invisibles à l'écran, servent avant tout aux comédiens et au scénariste lui-même, en l'obligeant à justifier la moindre phrase, en lui permettant d'enrichir les dialogues, mais Resnais les communique également au décorateur, à la créatrice de costumes et à certains techniciens. Quant aux références esthétiques et documents divers dont Resnais imprègne ses collaborateurs, les entretiens qui composent ce livre en donnent de nombreux exemples et il est inutile d'y insister outre mesure, sinon pour signaler que cette mise en condition sert souvent à faire dévier le film de la conception initiale du scénariste à celle du metteur en scène : Lovecraft pour *Providence* ou Mandrake le magicien pour *L'Année dernière à Marienbad* étaient des références totalement étrangères à Mercer et à Robbe-Grillet.

LIBERTÉ SURVEILLÉE

Si Resnais souhaite la plus grande cohésion sur le plateau, si son souci de clarté l'amène à distribuer le scénario à tous les seconds rôles et à expliquer aux comédiens comment le choix de l'objectif ou les effets de montage vont nuancer leur interprétation, cela ne signifie cependant pas qu'il recherche une transparence totale, bien au contraire. Le travail de ses collaborateurs, en effet, surtout pendant la préparation, est extrêmement compartimenté : on en aura plusieurs exemples dans les entretiens qui suivent, Resnais n'autorise entre ses collaborateurs que les contacts qu'il juge nécessaires à son film (Alain Robbe-Grillet et Delphine Seyrig ne se sont rencontrés qu'après le tournage de *L'Année dernière à Marienbad*), le collaborateur ne doit rien savoir d'autre que ce que Resnais veut bien qu'il sache. De la même façon, si Resnais, à plusieurs reprises, a dédoublé des postes de création, ce dédoublement équivaut souvent à une autre forme de cloisonnement. Ainsi le compositeur de *Providence*, Miklós Rózsa, a-t-il dirigé sa musique symphonique en écoutant au casque les effets électroacoustiques créés par Jean Schwarz auxquels elle devait s'enchaîner. Mais le meilleur exemple est celui d'*Hiroshima mon amour* : à partir du moment où la coproduction franco-japonaise imposait de travailler avec un chef opérateur différent au Japon et à Nevers, Resnais a demandé à Sacha Vierny de ne pas prendre connaissance des images qu'avait composées Takahashi Michio, dans le dessein de renforcer le contraste, les dissonances entre les deux images. Comment mieux montrer que, y compris sur le plan strictement technique, la maîtrise de l'ensemble du film n'appartient qu'au metteur en scène? Le travail de réalisation, chez Resnais, est à l'image de ses films : atomisé.

D'un côté, donc, Resnais dévoile aisément certains de ses documents, de l'autre il se livre à tout un jeu de cache-cache. Entre liberté et barrières, la contradiction n'est qu'apparente : Resnais a l'habileté de laisser croire à ses collaborateurs qu'ils sont à l'origine de ses propres trouvailles, ou de leur demander, face à un problème technique, une solution qu'il connaît déjà. « *C'est très agréable* », dit Vittorio Gassman, à propos de Resnais, dans *Cinématographe* n° 88, « *de travailler avec lui : on éprouve l'illusion d'être tout à fait libre. Et puis, si on est suffisamment malin, on s'aperçoit qu'on participe à un jeu très précis, à une manœuvre (je ne dis pas un " calcul ") très réfléchie. Il ne force jamais les acteurs, il est d'un calme admirable, mais il sait toujours parfaitement ce qu'il veut. La marge de liberté de l'acteur est assez réduite, finalement.* » Frédéric de Towarnicki, le scénariste du projet *Harry Dickson*, a résumé la méthode d'Alain Resnais en une formule admirable (*L'Arc* n° 31) : « *Ce que Resnais veut, c'est à vous de le trouver. Mais vous ne trouverez rien d'autre que ce qu'il veut.* »

AU SERVICE DES COLLABORATEURS

Le film n'en est pas moins conçu, créé pour les collaborateurs, afin qu'ils viennent s'y inscrire et y inscrire leur travail : Resnais, affirme Dirk Bogarde, « *ne travaille pas* avec *nous, mais* pour *nous* ». Les collaborateurs sont les premiers destinataires de l'œuvre.

Le film, en premier lieu, est conçu pour le scénariste. Resnais réalise un film pour connaître la réaction de l'écrivain devant le résultat final, par une sorte d'ultime vérification de la validité de l'œuvre. Si, malgré l'entorse de *Mélo*, il a pour principe de ne pas adapter les œuvres d'écrivains morts, c'est parce que cette contre-épreuve n'existerait pas. Le film, ensuite, est conçu pour les comédiens. Sans même parler de rôles spécifiquement écrits en vue d'un comédien précis (Dirk Bogarde a signé le contrat de *Providence* sans qu'il y ait un scénario ni même une ébauche d'histoire), l'œuvre ne prend véritablement corps aux yeux du metteur en scène qu'une fois la distribution établie. Le film est fait, parfois, pour les techniciens, lorsqu'il s'agit de leur donner un défi à relever. Le film, enfin et surtout, est conçu pour le musicien qui, en toute fin de parcours, va lui donner sa véritable structure. Le film, en quelque sorte, n'est que le support d'une musique de Stephen Sondheim, de Hans Werner Henze ou de M. Philippe-Gérard.

Lorsque Semprun considère que la seule chose qui intéressait Resnais dans *Stavisky...* était de faire un film avec Jean-Paul Belmondo, Charles Boyer et une musique de Sondheim, il ne faut donc pas y voir qu'une boutade mais l'expression d'une réalité : les motivations qui entrent en jeu dans la mise en chantier et la réalisation d'un film tiennent aussi à cette réunion des talents. La tâche première du metteur en scène, quitte par ailleurs à cloisonner leur travail, est de rassembler ses collaborateurs, ceux qui lui paraissent le mieux convenir au style de l'œuvre, et de les harmoniser entre eux : ce n'est pas lui qui crée, mais eux, ou plutôt il crée à travers eux. La constitution d'une distribution puis d'une équipe, l'émergence, au bout de quelques heures ou quelques jours, d'une atmosphère de plateau s'apparentent du reste à la genèse du film lui-même. Si Resnais, contrairement à Fellini ou Truffaut, et malgré quelques personnages de comédiennes, n'a jamais pratiqué la mise en abyme que de façon très indirecte, c'est une métaphore de cette création collective qu'il a développée tout au long de *La vie est un roman* : Michel Forbek qui voit le monde comme un orchestre dont il serait le chef, l'organisateur du colloque Georges Leroux qui cherche à mener à terme son programme de travail tout en évitant les conflits, l'institutrice Élisabeth Rousseau qui fait construire à ses élèves une maquette dont les fragments sont permutables à l'infini, tous ces personnages qui n'ont que le mot d'harmonie à la bouche sont autant de projections du maître de l'atelier.

LE PREMIER SPECTATEUR

Alain Resnais – *Providence* le laisse aussi entendre – éprouve en effet une véritable fascination à l'égard des mécanismes de la création artistique, au point qu'il n'a pas craint de déranger sous des prétextes divers un certain nombre de créateurs et de leur poser une batterie de questions extrêmement précises et techniques sur leur métier. Seules traces visibles de ces enquêtes : la série de films en 16 mm que Resnais réalise dès 1947 dans l'atelier de peintres comme Hans Hartung ou Henri Goetz et les entretiens au magnétophone avec des auteurs de bande dessinée publiés partiellement dans les années soixante par la revue *Giff-Wiff*. Mais un nombre insoupçonnable de peintres, d'écrivains, de compositeurs, de dessinateurs et scénaristes de bande dessinée (à l'exclusion, ou peu s'en faut, des metteurs en scène de cinéma) se sont vus ainsi dépouillés de tout leur vocabulaire technique en l'espace d'une visite.

Cette dissection des mécanismes de la création témoigne du pillage auquel Resnais n'hésite pas à se livrer à l'égard des autres arts, leur empruntant terminologie et procédés – il faudrait montrer comment la structure de ses films doit à la musique et les principes de découpage à la bande dessinée –, mais elle révèle aussi sa recherche d'un cinéma qui fasse participer les autres arts, pour ne pas dire d'un art total. D'où son analyse systématique de la bande dessinée en tant qu'art graphique et, depuis avril

1974 avec les quatuors de l'opus 1 de Haydn, de l'évolution de la musique dite classique. D'où aussi, encore une fois, le recours à des écrivains ou des compositeurs qui n'avaient pas encore travaillé pour le cinéma.

Ce qui intéresse Resnais metteur en scène, c'est de voir se créer devant lui, et presque pour lui seul, un texte, une musique, une architecture, et de participer à cette création – pour ne pas dire de la dicter et de la déterminer – dans des domaines dont il prétend se sentir exclu (à l'en croire, s'il s'intéresse à la musique, c'est précisément par un phénomène de compensation, pour tenter de comprendre ce qu'il ne maîtrise pas). En définitive, ce n'est pas uniquement devant ses comédiens que Resnais cherche à se placer en position d'observateur, mais, et à tous les stades de la fabrication du film, devant le groupe entier de ses collaborateurs. Si le metteur en scène est, selon le mot de Marcel L'Herbier, le « premier spectateur » de son film, il est aussi le spectateur privilégié, sinon le seul, du travail de sa propre équipe. Resnais réalise des films pour voir l'œuvre sortir du chaos et se construire, pour la voir naître des mains de ses collaborateurs, pour faire semblant de redécouvrir à chaque fois comment se fait un film : le spectacle de la création compte autant pour lui que la création d'un spectacle.

Deuxième partie

L'arbre de la création : entretiens

	Scénario	Décor Costumes	Assistant Scripte
Hiroshima mon amour	Duras	Esaka/Mayo/ Petri	Léon Baudrot
L'Année dernière à Marienbad	Robbe-Grillet	Saulnier Chanel/Évein	Léon Baudrot
Muriel	Cayrol	Saulnier	Léon Baudrot
La guerre est finie	Semprun	Saulnier	Léon/Malraux Baudrot
Je t'aime je t'aime	Sternberg	Pace/Dugied	Malraux/Lefèvre Baudrot
Stavisky...	Semprun	Saulnier Moreau/ Saint Laurent	Malraux/Léon Baudrot
Providence	Mercer	Saulnier Leterrier	Malraux/ Lampert Guissart
Mon oncle d'Amérique	Gruault	Saulnier Leterrier	Malraux/Léon Sebillotte
La vie est un roman	Gruault	Saulnier/Bilal Leterrier	Malraux/Léon Baudrot
L'Amour à mort	Gruault	Saulnier Leterrier	Malraux Sebillotte
Mélo	d'après Bernstein	Saulnier Leterrier	Malraux Baudrot
I Want to Go Home	Feiffer	Saulnier Leterrier	Malraux/Gilbert Baudrot

Lumière Cadre	Son Mixage	Montage	Musique
Takahashi/ Vierny Watanabe/Ioda/ Vierny	Yamamoto/ Calvet Renault	Colpi	Fusco
Vierny Brun	Villette Neny	Colpi	Seyrig
Vierny Brun	Bonfanti Neny	Peltier	Henze
Vierny Brun	Bonfanti Bonfanti	Pluet	Fusco
Boffety Guillouet	Bonfanti Neny	Jurgenson/ Leloup	Penderecki
Vierny Brun	Ruh/Bats Maumont	Jurgenson	Sondheim
Aronovich Brun	Magnol Maumont	Jurgenson	Rózsa
Vierny Brun	Ruh Maumont	Jurgenson	Dzierlatka
Nuytten Brun	Lenoir Maumont	Jurgenson	Philippe-Gérard
Vierny Brun	Gamet Maumont	Jurgenson	Henze
Van Damme Duhalde	Morelle Maumont	Jurgenson	Philippe-Gérard
Van Damme Duhalde	Laureux Loublier	Jurgenson	Kander

Ce livre donne à présent la parole aux techniciens qui ont travaillé le plus régulièrement avec Alain Resnais, et, parmi les scénaristes, comédiens et compositeurs – collaborateurs dont Resnais, on l'a vu, change plus volontiers d'un film à l'autre –, à ceux qui ont travaillé le plus longuement et le plus intensément avec lui. Quant à Pierre Gamet, l'ingénieur du son de *L'Amour à mort*, s'il n'a encore tourné qu'une fois avec Resnais (seuls d'autres engagements l'ont contraint à refuser les autres films que celui-ci lui avait proposés), tout semble indiquer que par son exigence de la pureté et de la perfection il pourrait avoir dorénavant, si les circonstances le permettent, sa place à part entière dans son équipe. Au terme de cette enquête dont l'étape ultime est la partition musicale, un entretien avec Resnais permettra d'évoquer ses méthodes de travail avec les compositeurs et la place prépondérante qu'occupe la musique dans son œuvre.

Le lecteur s'apercevra d'une certaine disproportion dans la place accordée aux différents films d'Alain Resnais. Il n'était pas toujours utile de revenir sur certains aspects de ses quatre premiers longs métrages puisque *L'Arc* a publié en 1967 un remarquable numéro spécial, aujourd'hui introuvable, où Bernard Pingaud et Pierre Samson, dans une forme à la fois proche et différente de la nôtre, approchaient eux aussi pas à pas les méthodes de travail d'Alain Resnais. D'autre part, le parti pris de s'adresser aux collaborateurs les plus réguliers du cinéaste impliquait en lui-même cette inégalité : des douze personnes rencontrées, dix ont travaillé sur *La vie est un roman*, et deux sur *Je t'aime je t'aime*. De même, ce livre ne pouvait, sous peine de s'y perdre, prendre en compte les courts métrages d'Alain Resnais, qui impliquaient de tout autres méthodes de tournage.

Les douze entretiens qui composent cette enquête ont été enregistrés de juin 1985 à juin 1987 et ont tous été relus et corrigés par les personnes rencontrées, de même que les propos d'Alain Resnais qui datent de juin 1986.

JEAN GRUAULT

Scénariste

Lorsque Alain Resnais lui a demandé d'écrire le scénario de *Mon oncle d'Amérique*, Jean Gruault avait notamment travaillé avec Jacques Rivette (*Paris nous appartient* et *La Religieuse*), François Truffaut (*Jules et Jim, L'Enfant sauvage, Les Deux Anglaises et le Continent, L'Histoire d'Adèle H.*), Jean-Luc Godard (*Les Carabiniers*) et Roberto Rossellini (*Vanina Vanini* et *La Prise de pouvoir par Louis XIV*). Il est également l'auteur de plusieurs pièces dont *Crucifixion dans un boudoir turc*, écrite en 1957 et montée trente ans plus tard au Petit Odéon. Hormis Jorge Semprun qui écrivit *La guerre est finie* puis *Stavisky*..., Jean Gruault est le seul scénariste avec qui Resnais ait pu mener à bien plusieurs projets.

Vous avez écrit successivement trois films pour Alain Resnais : Mon oncle d'Amérique, La vie est un roman *et* L'Amour à mort. *Pourriez-vous, pour chacun de ces films, préciser d'une part quels étaient les éléments que Resnais avait déjà en tête lorsqu'il est venu vous proposer d'en écrire le scénario...*

Vous verrez que ces éléments étaient d'ordre complètement différent selon les films...

... et d'autre part comment, à partir de ces éléments, s'est déroulée la naissance du scénario?

Très bien. Allons-y systématiquement : *Mon oncle d'Amérique* !

MON ONCLE D'AMÉRIQUE

Resnais n'avait que très peu d'éléments en tête pour *Mon oncle d'Amérique*, à savoir l'idée qu'on pouvait faire un film à partir des théories de Laborit, l'idée que les explications scientifiques, que les commentaires devaient être séparés du dialogue, et l'idée que certaines choses pouvaient être illustrées par des extraits de films, en particulier de films français des années trente avec des acteurs que nous aimons, qui étaient tous ces grands seconds rôles des années trente – je pense à Alerme, Aimos, Gaston Modot, Carette, Armand Bernard, Jacques Baumer, Bach et Laverne, à toute la bande de Pagnol, à tous ces acteurs qui faisaient du théâtre de boulevard et du music-hall et qui nous ont enchantés. Resnais et moi sommes approximativement de la même génération (Resnais est de 22, moi de 24), donc il m'est beaucoup plus facile de dialoguer sur ce « fonds culturel » avec lui qu'avec par exemple Truffaut qui était plus jeune. Et puis nous avons eu un peu la même formation, la formation de deux cancres des années trente qui ne s'intéressaient qu'à ce dont on ne parlait pas en classe.

Donc ça se réduisait à peu près à ça, il n'y avait pas grand-chose d'autre au départ. Resnais m'avait apporté un certain nombre de bouquins de Laborit, à lire dans l'ordre décroissant de difficulté : *L'Agressivité détournée, L'Homme et la Ville, L'Homme imaginant*. Des cassettes Laborit, aussi. Des articles qu'il avait découpés. Et la consigne de regarder Laborit quand il passait à la télévision, parce qu'il pensait déjà le mettre en scène. Mon premier travail a consisté à assimiler tout Laborit. J'ai lu ses livres, non seulement ces trois-là mais tous ceux qui étaient parus à ce moment-là, et j'en ai regroupé tous les thèmes sous différentes rubriques, en ne retenant que ce qui était essentiel. Ensuite il y a eu un deuxième stade où j'ai encore plus résumé, et un troisième stade, un troisième

« cahier Laborit » où je n'ai pris que ce qui pouvait se transformer en action.

Que devions-nous illustrer, et comment l'illustrer? Que devions-nous montrer là-dedans? On a pensé à un moment montrer l'apparition de la vie sur terre, on ne savait pas comment. Utiliser la microphotographie, cela risquait d'être extrêmement banal, il fallait trouver d'autres biais. Alors on a pensé assez rapidement à des personnages. Mais je ne savais pas si ça devait être des personnages célèbres, des personnages historiques. Ça aurait pu être Napoléon. J'avais pensé à Julien l'Apostat parce que j'avais la nostalgie des péplums (Resnais déteste ça, tandis que moi j'adore les films de Cottafavi ou *La Couronne de fer*). Mais ça ne lui disait pas grand-chose. J'avais pensé à un autre personnage qui était Julie de Lespinasse (vous verrez qu'il est resté quelque chose de ces deux personnages). J'avais fait des recherches sur d'Alembert à une époque où Truffaut travaillait à un projet sur les enfants abandonnés qu'on adoptait, d'Alembert m'avait conduit vers Julie de Lespinasse, et je l'avais gardée dans un coin de ma tête.

Et puis, au bout de quelques mois, je me suis aperçu que j'avais dans mon stock de scénarios non tournés un projet de série pour la télévision que j'avais fait au début des années soixante-dix, et qui aurait traité des transformations dans l'industrie : les mineurs dont on ferme la mine et qui sont obligés de travailler sur les chantiers navals, les regroupements dans l'industrie textile... Les transformations de l'agriculture, aussi : le remembrement, la spécialisation des agriculteurs, le passage de la polyculture et du système autarcique des petites entreprises agricoles à la monoculture. J'avais fait des enquêtes sur ces questions-là, et il y avait d'autres scénaristes qui travaillaient sur cette série que devait réaliser François Villiers. Or parmi ces scénarios il y en avait deux qui étaient relatifs l'un aux agriculteurs, et l'autre au textile. En mélangeant les deux, je me suis aperçu qu'à partir de mes enquêtes j'avais abordé le problème de la compétition à l'intérieur de l'entreprise, le problème de la « dominance » du chef d'une unité de production vis-à-vis du petit ouvrier... Tous nos thèmes y étaient déjà. Il suffisait d'élaguer, d'accentuer un peu la dramatisation ou même la caricature de certaines de ces scènes. Par exemple, les deux types en compétition dans le même bureau et qui se disputent l'utilisation du téléphone, c'était déjà dans les scénarios primitifs. Évidemment, pour actualiser ces histoires qui étaient typiques du début des années soixante-dix, j'ai recontacté mes informateurs, et de cette actualisation est venue l'idée de la cuisine : ce sont mes amis du textile qui m'ont dit que leur société investissait maintenant dans l'alimentaire. Donc tout ça, ça nous donnait l'épisode Depardieu. Le deuxième élément, c'était la comédienne. Là, pour Nicole Garcia, je me suis basé sur des souvenirs assez personnels, puisque j'ai moi-même été comédien, et sur ma connaissance des milieux du PC, avec l'atmosphère qui y régnait dans les années cinquante, et des familles communistes. Quant à Roger Pierre, le type de la radio, ce sont des éléments pris à nos propres biographies. C'est au fond ce que nous aurions été, Resnais et moi, si nous avions été de bons élèves, si nous avions fait Normale ou l'ENA, en fils agréables à leurs parents, ce que nous n'avons pas été.

Mais il y avait d'autres éléments. Il y avait cette idée de l'île, à laquelle Resnais tenait beaucoup. A un moment nous pensions même peupler notre île de monstres préhistoriques (on partait vraiment dans toutes les directions!), car cette île, c'était l'île de Logoden en Bretagne où Resnais jouait étant enfant, mais c'était aussi l'île de King Kong. Or celle-ci est une figure assez exacte du cerveau. Vous avez une partie humaine, et puis, de l'autre côté de ce mur, la partie la plus grosse de l'île, c'est en quelque sorte l'inconscient, le cerveau reptilien, avec tous ces monstres qui sont à l'intérieur, et ces espèces de ravins infranchissables, ce marécage, cette montagne dans laquelle habite King Kong. Une des preuves de la splendeur de *King Kong*, c'est que vous pouvez très bien dessiner le plan de l'île simplement après avoir vu le film, car tout est parfaitement localisé. Je trouve ça extraordinaire, au cinéma, d'arriver à évoquer un lieu que vous pouvez reconstituer dans votre cerveau très facilement. C'est un tour de force.

On a eu aussi un peu une envie genre *5 000 Doigts du Dr T.*, toujours à cause du cerveau [1]. Peut-être qu'on aurait fait un ballet, une comédie-ballet où des cellules nerveuses auraient dansé à l'intérieur d'un gigantesque cerveau. Mais ça ne résistait pas à l'examen. On ne savait pas dans quelle direction aller, on était complètement cafouilleux. Inutile de vous dire que toutes ces discussions se déroulaient dans la bonne humeur et dans la rigolade. On regardait des photos, des images... Un dessin de schizophrène sur son propre cerveau...

Pendant ce temps-là les lectures continuaient. Je complétais ma connaissance de Laborit, car entre-temps d'autres livres étaient parus, à commencer par *La Nouvelle Grille*, mais aussi ces deux gros volumes, *Le Comportement* et *Inhibition*, qui sont des ouvrages strictement scientifiques. Tout ça a été interrompu par mon travail sur *La Chambre verte*, qui était un scénario que je reprenais. Il faut vous dire que pour *Mon oncle d'Amérique* nous avons eu de grosses difficultés de montage financier : c'était un projet très difficile à faire avaler à un producteur quelconque, et si nous n'avions pas eu un agent comme Gérard Lebovici, extrêmement dynamique, je ne sais pas si nous y serions arrivés un jour. Nous avons mis quatre ans et demi à peu près pour écrire ce scénario, mais il faut compter là-dedans une période d'« information » qui a été évidemment très longue. Lire tout Laborit, le résumer, etc., ça m'a pris à peu près la première année. Donc j'ai mené à bien mon travail sur *La Chambre verte* avec Truffaut. Resnais, pendant ce temps-là, avait tout son travail sur *Providence* (combien de fois il partait en Angleterre pour voir Mercer !), et en plus vers la fin j'ai démarré une *Chartreuse de Parme*-Comencini qui est devenue d'ailleurs une *Chartreuse de Parme*-Bolognini en cours de route. Comme j'allais très souvent à la Maison de la Radio et à la télé pour cette *Chartreuse de Parme*, ça m'a servi d'enquête pour les scènes Maison de la Radio de *Mon oncle d'Amérique*, pour les rapports entre les gens, et

1. *The 5,000 Fingers of Dr. T.* de Roy Rowland (1953), écrit par l'auteur de livres pour enfants Theodore Geisel, est une comédie musicale inclassable dont les ballets sont rêvés par un enfant qui s'endort pendant ses exercices de piano.

je me suis servi de ce qui m'arrivait pour le mettre immédiatement dans le scénario. L'histoire des cadres mis à la porte de la télé du jour au lendemain et qui trouvent leur bureau fermé en arrivant le matin, cette histoire est arrivée à des personnes que j'ai connues. Au moment où on tournait le film ça se produisait encore. Beaucoup de choses dans le film sont la transposition de situations réelles. L'histoire des gosses qui cachent leurs livres et du père qui dévisse la lampe, ça m'a été raconté par un paysan du pays des Mauges en Anjou que je connais bien et qui m'avait expliqué comment son père l'empêchait d'étudier et comment il avait fait, lui, pour étudier.

On s'est aperçus qu'on ne pouvait s'en sortir qu'en réduisant énormément. Beaucoup de choses, vous vous en doutez, ont disparu. On avait pensé en particulier à un personnage de petite fille qui aurait appris la théorie des ensembles à des vieillards. Car il est regrettable, et c'est ce qui fait que souvent le film n'est pas compris – mais ça m'apprendra, ça montre absolument les limites du didactisme par l'audiovisuel et surtout par le cinéma –, il est regrettable donc que dans le film on ne parle pas du tout de la théorie des ensembles, qui est si importante pour comprendre le fonctionnement de l'organisme humain, ni de la cybernétique et de son application à la biologie. On n'explique nulle part dans le film ce qu'est un système, or c'est essentiel. Tout l'univers, vous le savez, est composé d'un emboîtement de systèmes les uns dans les autres – d'où la présence de poupées russes dans les décors du film –, chacun de ces systèmes a plusieurs causes, il déclenche un effet, et l'effet réagit sur les causes et modifie le système à l'intérieur duquel il a été déclenché. Il y a une rétroactivité sur les causes, continuelle, et de plus la boucle rétroactive est en quelque sorte régulée par le système à l'intérieur duquel se trouve chaque système. Mais ça, on ne pouvait pas le faire. Il y avait déjà des spectateurs qui foutaient le camp au bout de dix minutes de film, là ils seraient sortis de la salle au bout de cinq minutes... Mais c'est un peu embêtant parce qu'ensuite vous avez des gens qui vous sortent des arguments du genre : « *Les hommes ne sont pas des rats* », tout ça parce qu'on a mis des bonshommes à tête de rat. C'est que nous nous sommes mal expliqués, aussi. Notre histoire de tête de rat, en réalité, ça nous était utile pour la démonstration scientifique, mais ce qui nous intéressait aussi là-dedans, c'est notre goût pour le cinéma fantastique un peu mal foutu, un peu primitif des années cinquante. Car nous aimons beaucoup les monstres, Resnais et moi. *Famous Monsters, Monsters' Parade*, il est abonné à toutes ces revues-là. Nos bonshommes, on voulait leur mettre aussi des têtes de reptiles à un autre moment. Mais ça posait des problèmes. Vous savez qu'une tête de rat coûte un million de centimes, alors une tête d'ichtyosaure, vous vous rendez compte!

Donc en définitive on s'en est tenus à l'illustration par des biographies de plusieurs personnages (il restait aussi de la première idée les citations de films anciens à propos des réactions des individus), et alors on a pensé justement à des personnages contemporains, quotidiens, assez médiocres, afin que les gens se sentent concernés. De cinq personnages nous sommes donc passés à trois, mais Julien l'Apostat est resté dans l'arrière-plan du personnage de Roger Pierre qui écrit un livre sur le soleil, et la pièce que joue Nicole Garcia était composée, vous vous en souvenez, à partir des lettres de Julie de Lespinasse. On s'était dit que si on leur flanquait des personnages trop extraordinaires, les gens ne se sentiraient pas concernés, n'y croiraient pas. Vous parlez de la dominance et vous prenez Napoléon ou César, les gens disent : « *Oui, oui, d'accord* », mais ce qui est intéressant, c'est la dominance à l'intérieur d'une famille ou d'un petit groupe. Il n'y a d'ailleurs aucune nuance de morale dans cette histoire de dominance, puisqu'on peut dire en gros qu'il n'y a eu hominisation ou progrès qu'à travers l'exploitation de l'homme par l'homme, et qu'il n'y a pas de civilisation sans exploitation.

Au bout d'un certain temps on a fini par faire des essais avec Laborit, pour voir ce que ça donnerait. J'avais fait un résumé de ce qu'il devait dire (j'étais arrivé à résumer tout Laborit en très peu de chose), j'avais un certain nombre de questions que je lui posais, et on s'est aperçus qu'il n'y avait plus moyen de l'arrêter. Resnais voulait quand même savoir où il allait... A ce stade, nous en étions arrivés à diviser notre scénario en quatre actes.

Premier acte : Laborit donnait des généralités, expliquait la formation de la vie, les notions les plus élémentaires, on démarrait sur toute cette histoire des trois cerveaux (le cerveau reptilien, le cerveau de la mémoire et le cortex associatif), et en même temps on voyait la formation de nos personnages, leur autobiographie qu'ils racontaient en voix *off*. Une fois que nos trois personnages étaient bien établis, alors c'était une courbe, une montée vers la dominance. De son côté, Laborit définissait les quatre grands types de comportements (les comportements de lutte, de dominance, de fuite et d'inhibition), et à la fin de ce premier acte nos personnages arrivaient à la dominance, ils étaient tout contents d'eux.

Ensuite – et c'est là où Resnais intervient vraiment en homme de structure, en constructeur –, Resnais m'avait dit que le deuxième acte devait se dérouler en courtes scènes où on aurait alterné nos trois histoires, ou plutôt nos deux histoires puisqu'à la fin de la première partie vous avez Nicole Garcia qui rejoint Roger Pierre. Nous avons donc deux groupes de personnages, et en courtes scènes nous montrons le commencement de la dégringolade, de la destruction progressive, et de dominants ils deviennent dominés, ou inhibés. Selon l'intention de Resnais, chaque scène devait constituer un petit tout. C'était un petit sketch, un petit film : la scène des téléphones, la scène où Depardieu invite Darrieu à dîner (on leur avait fait absolument le même costume...), ou bien l'histoire de Médina, le type qui se fait sucrer son émission (Roger Pierre domine, il envoie promener Médina, et ensuite il est dominé, il trouve son bureau fermé à clé...). Et entre chacun de ces petits blocs – il fallait qu'ils constituent des unités de temps et de lieu pour que les gens s'y retrouvent dans ce petit jeu –, entre chacun de ces petits blocs, donc, il y avait une image fixe qui indiquait le lieu. C'est un petit hommage à Ozu puisque vous avez remarqué que dans les films d'Ozu on voit ou la cour de l'école ou l'enseigne du restaurant à chaque fois qu'on change de lieu. Cela, donc, jusqu'à la rupture entre Nicole Garcia et Roger Pierre, et le départ pour Cholet de notre ami Depardieu.

Le troisième acte était une sorte de parodie de *L'avventura.* On retrouve Garcia et Roger Pierre dans l'île – c'est centré sur les deux amants –, et en même temps on retrouve Laborit puisque nous l'avions perdu de vue tout au long du deuxième acte. Et là, c'est au contraire un temps dilaté absolument formidable, avec des interventions continuelles de Laborit où il explique le comportement des rats dans leur cage à qui on envoie du courant électrique dans les pattes, où il explique toute l'inhibition, avec rappel des éléments de la première et de la deuxième parties : rappels de l'enfance, de la carrière, etc. Roger Pierre et Nicole Garcia repartent chacun de leur côté : fin du troisième acte.

Ensuite, quatrième et dernier acte où nous nous retrouvons avec nos héros dans un film si j'ose dire normal, avec Nicole Garcia qui rejoint Depardieu, le suicide de Depardieu et les retrouvailles entre Garcia et Roger Pierre, avec cette magnifique explication justificative de Roger Pierre, que j'adore, et qui est une idée d'Alain. On savait qu'ils allaient se battre mais il fallait d'abord qu'il y ait une explication entre eux, et c'est lui qui m'a donné l'idée de cette tirade où Roger Pierre dit à Nicole : « *Mais Arlette a été merveilleuse, elle aussi. Avoir le courage de faire un tel mensonge!* » et où Nicole lui tape dessus. C'est d'ailleurs là ce qui justifie le choix de Roger Pierre. Vous savez qu'Alain a été très critiqué – à commencer par moi – pour avoir pris Roger Pierre (je m'y suis fait, évidemment). Quand on voit Roger Pierre dans un personnage pareil, il y a des moments où on est inquiet. Mais cette tirade finale dite par Delon (tout le monde nous parlait de Delon...) ou par je ne sais qui, les gens y auraient cru, tandis que là il y a la duplicité qui apparaît. Roger Pierre, qui a un talent extraordinaire de fantaisiste, a un mal fou à dire un texte comme ça, donc la mauvaise foi, la mauvaise foi sincère d'ailleurs, apparaît beaucoup plus.

Et puis enfin, dernier passage lyrique, fugue finale : on repart sur Laborit, on repart sur les rats dans la maquette, la tortue qui se débat, la bagarre entre les êtres – et c'est la coda, la toute fin qui est purement musicale, où il n'y a plus rien, simplement cet arbre gigantesque dont on se rapproche de plus en plus.

Revenons en arrière. Je vous ai dit que Resnais m'avait donné l'idée du discours final, mais il m'a donné aussi des idées d'accentuation de situations. J'avais tendance, en particulier, à traiter l'histoire Roger Pierre-Nicole Garcia de façon un peu... Rossellini aurait dit à faire de l'antonionisme, c'est-à-dire à faire ça assez mou. Sous prétexte de réalisme, sous prétexte d'être vrai, on fait des trucs mous, j'en arrive à me demander si ce n'est pas par paresse. Les gens se séparent, on ne sait pas pourquoi. Et effectivement la séparation entre Roger Pierre et Nicole Garcia intervenait sans cause vraiment apparente, par une espèce de lassitude. Or Alain disait qu'on devait d'autant plus être assez « énorme » dans la dramatisation, dans le côté dramaturgique, qu'il fallait absolument accrocher très fort l'attention des gens étant donné qu'ils auraient à subir les discours de Laborit pendant lesquels ils risquaient de décrocher. Donc il fallait les reprendre en main, et pour les reprendre en main il fallait des situations très fortes. On a réfléchi très longtemps, on a eu beaucoup de mal à savoir pourquoi elle le quitterait, et Resnais s'est souvenu d'une histoire réelle qui était arrivée à quelqu'un qu'il connaissait. Ce quelqu'un avait quitté sa femme, sa femme est tombée malade, a eu un cancer, et il a senti de son devoir de dire à sa maîtresse : « *Il faut quand même que j'aille m'occuper de ma femme. De toute façon, la pauvre, elle n'en a plus pour longtemps.* » Peu de temps après la femme était guérie, et il n'est jamais revenu avec sa maîtresse. Nous avons évidemment épicé la chose – je ne sais pas lequel de nous deux a eu cette idée perverse – en faisant du cancer un faux cancer, un chantage au cancer. Ça avait des conséquences aussi sur la scène d'inhibition à la fin du troisième acte, ça nous a permis de faire cette scène où ils sont les pieds dans l'eau, leurs chaussures à la main, et où il lui dit qu'il a rendez-vous dans une heure avec sa femme : «*Alors ta femme elle est en état de se déplacer? Sa maladie lui permet de bouger?* » Ce sont des idées à la Henry Bernstein, ça. Cette façon dont Resnais m'a obligé à forcer, à pousser la situation, c'est typiquement bernsteinien. Depardieu est tout à fait un personnage de Bernstein, l'ambiguïté du personnage de Nicole Garcia est aussi très bernsteinienne. La grande confrontation entre les deux femmes... Et puis Resnais à dû vous dire pourquoi Arditi s'appelait Zambeaux dans *Mon oncle d'Amérique* [1]. Donc à partir de ce moment-là je me suis mis à relire du Bataille, à relire du Bernstein. Mais j'en ai toujours lu dans ma jeunesse. Mon goût du théâtre est venu de la lecture de *La Petite Illustration*, et pour Resnais aussi (*La Petite Illustration* a fait beaucoup de vocations de comédiens, dans nos générations du moins). Et puis ce côté Bernstein allait de pair avec ce côté franchouillard qu'on a parfois reproché au film, et qui est évidemment voulu. C'est l'image que les Français ont d'eux, mais montrée de façon critique. C'est ce qui fait qu'Aurenche, quand il a vu le film, a trouvé que c'était vraiment épatant, qu'il y avait longtemps qu'il n'avait pas vu un film français comme ça – à condition qu'on enlève Laborit ! Pour lui, ça ressemblait à ses films, aux films qu'il écrivait pour Autant-Lara ou Delannoy.

Alors vous allez me demander ce que vient faire là-dedans notre oncle d'Amérique. Tout simplement, *Mon oncle d'Amérique* était un titre qu'avait Resnais. Il a des répertoires de titres. Ça n'avait strictement aucun rapport avec notre histoire. On se demandait aussi si on n'appellerait pas ça *Les Somnambules*, mais c'était déjà le titre d'un livre de Koestler. Ce *Mon oncle d'Amérique* nous plaisait bien, mais on ne savait pas quoi en faire. Alors j'ai ajouté des répliques chez chacun de nos personnages sur

---

1. En réalité le nom de Zambeaux n'est prononcé à aucun moment dans *Mon oncle d'Amérique*, mais il figure dans *Muriel*, *Stavisky...*, *Mélo* et *I Want to Go Home* : Zambeaux était le nom fétiche qu'Henry Bernstein, pour se porter chance, utilisait dans toutes ses pièces en le donnant généralement à un personnage qui n'apparaissait pas sur la scène. Dans *Stavisky...* Resnais s'en était servi afin d'observer la réaction de Charles Boyer, qui avait été très souvent l'interprète de Bernstein, et d'engager avec lui une longue conversation à propos du dramaturge (cf. *Positif* n° 307). Le nom de Zambeaux apparaissait également dans le découpage de *L'Amour à mort*, tandis qu'un inquiétant personnage féminin nommé Zambo jouait un rôle important dans les premières ébauches de *La vie est un roman*.

l'oncle d'Amérique, et on s'est aperçus qu'on arrivait à donner à ce titre un rapport avec notre histoire.

Zambeaux a droit aussi à sa réplique : « L'Amérique, ça n'existe pas. Je le sais : j'y ai vécu. »

Ça, c'est une réplique de Resnais. Il n'a jamais voulu l'admettre. Il me dit toujours : « *Mais non, c'est vous ! Je n'ai jamais dit ça !* », et je lui dis : « *Si, c'est vous ! C'est vous !* » On a des disputes... Je suis parfaitement sûr que c'est lui qui m'a dit ça : l'Amérique, ça n'existe pas. Ce n'est pas qu'il le pense, au contraire il est très américanophile.

Voilà pour *Mon oncle d'Amérique*, allons-y pour *La vie est un roman* !

LA VIE N'EST PAS UN ROMAN...

Origine de *La vie est un roman* : *Mon oncle d'Amérique* a bien marché. Gérard Lebovici, qui entre-temps était devenu producteur, a dit à Resnais : «*Allez voir Gruault et débrouillez-vous, mais refaites un film ensemble.* » Et donc un jour Resnais arrive et me dit : « *Voilà, il faut faire un autre film.* » Cette fois, il n'avait aucune idée en tête *a priori*. Nous nous sommes dit : nous avons un certain nombre d'obsessions, de fantasmes qui nous traînent dans la tête, essayons de faire un film à partir de là. Et nous sommes partis à l'aventure.

Lui, je crois, son idée de départ, c'était une espèce de château, de fausses ruines gothiques, de ces châteaux extravagants comme en construisaient certains riches Anglais à la fin du XVIIIe, au début du XIXe. Et, chose extrêmement amusante, il pensait tout particulièrement à un architecte anglais qui avait construit un château moyenâgeux pour Beckford, l'auteur de *Vathek*. Mais il ne connaissait pas particulièrement Beckford. Il me parlait donc de cet architecte, William Wyatt, et au bout d'un moment je lui ai dit : « *Mais ce que vous me racontez là me rappelle quelque chose !* » C'est-à-dire que moi, je connaissais l'autre bout de la chose, je connaissais Beckford – et c'est d'ailleurs pour ça que notre héros s'appelle Forbek. Je lui ai sorti le bouquin, qui est la réédition de *Vathek* chez Stock au lendemain de la Libération dans la collection Les Voyages imaginaires, avec l'introduction de Brunius et la préface de Mallarmé. Cette préface et cette introduction nous ont même servi et donné des idées, en tout cas pour tout ce qui tourne autour de Forbek. Voici par exemple ce que j'y ai trouvé : « *Emmurés nous fûmes au pied de la lettre pendant trois jours d'affilée. Portes et fenêtres si strictement closes que ni la lumière banale du jour ni le visiteur banal ne pouvaient entrer même furtivement...* » C'est Beckford qui décrit lui-même, cinquante-huit ans plus tard, les fêtes de Noël 1781 à Fonthill Mansion. Il avait fait une fête où il avait enfermé les gens en leur interdisant de sortir, et c'est de là qu'est partie l'idée de ce type qui enferme les gens, mais pour les rendre heureux [1].

De mon côté, j'avais l'idée d'un personnage très médiocre, d'un personnage qui aurait une vie quotidienne très ordinaire, où il ne se passe rien, et une vie imaginaire complètement intense. (Notre idée, c'était aussi de faire un film qui complète en quelque sorte les idées que nous avions développées dans le film précédent, c'est-à-dire, au-delà des comportements un peu pavloviens de *Mon oncle d'Amérique*, de parler un peu de l'imaginaire.) Donc je pensais à une vieille institutrice qui avait construit en cachette, à l'intérieur de son garage, une espèce de maquette. La vieille institutrice a rajeuni en cours de route... Je pensais aussi aux sœurs Brontë, avec tout leur univers qui s'est bâti à partir d'une boîte de soldats de plomb que leur avait apportée leur père. Elles écrivaient des bouquins étant petites, avec leur frère aîné. Je faisais ça aussi, étant enfant. Je fabriquais des livres, je les reliais, c'était l'histoire d'un pays imaginaire.

Et j'avais aussi, au départ, l'idée qu'il fallait adapter *La*

1. De plus, Forbek s'adresse à ses invités dans les termes mêmes qu'employait Beckford : « *Si vous restez, il vous faudra demeurer ici pendant de longues semaines. Sans communication avec l'extérieur. Comme la chenille dans son cocon. Littéralement emmurés. Portes et fenêtres si strictement closes que ni lumière ni visiteurs ne pourront entrer.* »

Nef d'Ishtar d'Abraham Merritt. Comme Resnais m'avait fait connaître cet écrivain (car je connaissais Edgar Rice Burroughs, Lovecraft évidemment, et bien d'autres auteurs de science-fiction ancienne, mais bizarrement je ne connaissais pas Abraham Merritt), j'avais lu ce livre que je trouve extraordinaire, *La Nef d'Ishtar*, que d'ailleurs Resnais ne connaissait pas. C'est formidable. Tout Merritt est formidable. C'est un archéologue à qui un ami apporte un de ces petits vaisseaux comme on en trouve dans les tombes égyptiennes, ces maquettes de galères avec des petits personnages. Donc cette espèce de maquette, il l'a dans son bureau à New York, et à plusieurs reprises il s'aperçoit que sans que personne ait pénétré dans son bureau les petits personnages se sont déplacés comme s'il se déroulait un drame entre eux. Et puis à un moment, plouff, il se trouve transporté à l'intérieur de la maquette, et il devient un des personnages du drame qui se déroule dans ce bateau perdu au milieu de la mer, à savoir une espèce de combat mystique entre les partisans de la déesse Ishtar et les partisans de Nergal, un dieu ennemi de la déesse Ishtar. D'ailleurs la déesse Ishtar, vous la connaissez, puisque vous l'avez vue dans *Intolérance* où il y a sa statue. Les références à *Intolérance* étaient très fréquentes, inutile de vous le dire, entre Alain et moi. J'y ai toujours pensé. D'ailleurs *Intolérance* est là, dans cette armoire [1]. Pour revenir à *La Nef d'Ishtar*, il y avait toute une partie qui se déroulait à terre, mais moi j'aurais fait une version de cette histoire qui se serait déroulée à l'intérieur d'un décor-bateau, d'un décor qui aurait représenté ce bateau. Et puis l'idée de maquette à l'intérieur de laquelle on se balade, cette idée m'intéressait.

Nous sommes donc partis de tous ces éléments plastiques que nous n'avions pas pu développer dans *Mon oncle d'Amérique.* C'est-à-dire qu'avant même de savoir quels personnages il y aurait dans cette histoire, on avait envie de montrer un château fantastique, une de ces folies

1. Jean Gruault possède une collection de films muets en Super 8 (Borzage, Stroheim, Murnau...) qu'il montre souvent aux metteurs en scène avec lesquels il travaille.

que construisaient les Anglais au XVIIIe siècle, et on avait envie de mettre des maquettes. Au moment de *La Chartreuse* je cherchais un château réel, et Enrico Medioli avec qui je travaillais (c'était le scénariste de Visconti) m'a dit qu'il y avait en Italie, sur la côte ligure, un château conçu par une espèce d'émule de D'Annunzio. Mais vous en avez plein sur la côte ligure, sur des pitons rocheux. A Rome aussi : si vous allez dans les quartiers un peu excentriques, vous avez toutes ces villas démentes qui ont été construites vers 1880-1900. C'est ça qui nous excitait. On a des goûts très kitsch, vous voyez! On pensait aussi à ces cartes de géographie en relief qu'il y avait autrefois à l'école communale et où toutes les possibilités géologiques, tous les accidents de terrain possibles étaient rassemblés sur un petit espace. Mais il y a eu des avatars nombreux. La maquette n'était d'abord pas celle de l'institutrice mais celle de Forbek, puis en définitive ils ont eu chacun la leur. En fin de compte cette maquette devait être une synthèse de l'univers, et la base de tout ça, c'était le *Petit Larousse* édition 1931, page 450, à l'article Géographie, où vous avez en tout cas toute la maquette de Sabine.

On a commencé à chercher des thèmes à travers des bouquins, à travers des albums, en rêvant devant des images. Moi, j'avais toute ma mythologie d'Oz, et Prince Vaillant, mon héros favori. Resnais, lui, avait Howard, mais dans Howard je pensais particulièrement à l'aventure de Conan qui s'appelle *Les Clous rouges*, qui est probablement une des plus belles, avec une espèce de château perdu dans le désert et à l'intérieur duquel les couloirs forment des rues, et où les pièces sont des maisons. Mais Conan, il me l'avait fait lire avant. C'est d'ailleurs grâce à Conan que j'ai réussi à lire *Salammbô*, car Resnais m'avait dit de le lire comme si je lisais du Howard [1]. Nous avions aussi un livre d'Emil Kaufman qui nous inspirait, *Trois Architectes révolutionnaires*, avec des bordels sphériques. Le Goetheanum de Rudolf Steiner. Tous ces palais

1. Une scène de *La vie est un roman* supprimée au tournage montrait l'un des enfants en vacances en train de lire *Salammbô* aux trois autres autour d'un feu de camp.

invraisemblables : la maison du Facteur Cheval, les structures de glace du Canada... Nous avons aussi pas mal rêvé devant les peintures de Patinir, qui a d'ailleurs donné son nom à l'architecte de Forbek, Alexandre Patinier.

Donc tout ça ce sont les sources, les différentes sources. Au fond c'est une espèce de marmite, une espèce de chapeau dans lequel on a mis des petits papiers et d'où on tirait tout ce qui nous intéressait. En même temps, Resnais avait quand même dès le départ, dans les choses précises, une idée de forme qui était de faire chanter les personnages à certains moments. Il a commencé à m'inonder d'opéras, en particulier de Verdi. Il m'a apporté d'abord *La Traviata*, et j'ai commencé à écouter des opéras pour me mettre un peu la technique dans la tête. D'ailleurs ça m'est resté puisqu'en ce moment je suis en train d'écrire un livret d'opéra pour Prodromides.

Il y avait encore bien d'autres éléments (toute cette recherche, c'était extrêmement touffu, vous vous en rendez compte), et puis un jour Resnais m'a apporté un livre de Claude Roy qui amenait le contenu idéologique, et qui est un livre sur *Les Chercheurs de dieux*. C'est un livre extraordinaire, une sorte d'étude sur les formes modernes que prend la foi aveugle, et qui a eu peu de diffusion à mon avis parce qu'il appelle trop les choses par leur nom. Toute notre vie, celle des gens de notre génération, surtout dans la gauche, a consisté à croire en des quantités de trucs. La Révolution soviétique, l'Italie fasciste, Hitler, la Russie stalinienne, à chaque fois on croyait que c'était merveilleux avant de s'apercevoir que c'était monstrueux. Ensuite on a cherché un « modèle de socialisme », on a cru le trouver à Cuba, chez Tito, chez les Chinois... Donc *La vie est un roman* est devenu un film aussi sur la foi qui ne s'incline pas devant les faits, sur ce besoin de croire qui nous vient de notre enfance. J'ai relevé tous les cas d'erreurs scientifiques voulues, volontaires, où le type savait qu'il avait tort mais maintenait sa théorie parce qu'il avait la foi. On s'inspirait aussi de Fourier, de Condillac avec sa hiérarchie des sens liée à une hiérarchie des concepts. Resnais pensait aux théories sur le bonheur, à tous ces gens qui veulent faire le bonheur des autres, et qui veulent le faire par force. Il me donnait des citations de Novalis, de Verdi, des *Vêpres siciliennes*... Je recopiais tout un tas de citations. On pensait à *L'Œuvre des athlètes* de Duhamel, cette pièce avec des athlètes intellectuels, à des tas d'autres choses. J'y réfléchissais sans arrêt, sans arrêt, et Alain venait me voir, je lui lisais le fruit de mes réflexions, il me faisait des suggestions, et je repartais sur ce qu'il me suggérait. Et au départ nous avons assez vite trouvé le titre qui devait être *La vie n'est pas un roman*, parce que c'est une phrase que le père de Resnais lui disait toujours : « *La vie n'est pas un roman.* »

Ensuite, à partir de toutes ces réflexions, nous sommes tout de même arrivés à un premier schéma, une première esquisse. Il y avait déjà l'idée que l'on ferait alterner nos trois époques, et les personnages d'une époque étaient à peine sortis d'une pièce que ceux d'une autre époque y entraient à leur tour, dans le même plan, par une autre porte. Le début se passait au bord de la mer, et c'était inspiré de quelqu'un que vous connaissez déjà : c'était inspiré de Julien l'Apostat que je n'avais toujours pas utilisé et que j'essayais toujours de lui fourguer ! Ça commençait par une scène de massacre dans les couloirs du château dont il n'est pas resté grand-chose, et ça se terminait par le héros légendaire qui massacrait l'usurpateur et son entourage et par tous les couples de toutes les époques qui se retrouvaient dans les souterrains du château, un peu à la façon du *Songe d'une nuit d'été*. Ce qu'il est important de remarquer, c'est que dans les deux films extrêmes, c'est-à-dire dans *Mon oncle d'Amérique* et dans *L'Amour à mort*, il y avait une volonté de construction précise au départ. Dans *La vie est un roman*, pas du tout. Ça ne veut pas dire que ce n'est pas construit, mais on ne s'est jamais dit : « *Il y aura tant d'actes* », c'est venu au fur et à mesure qu'on avançait, de manière entièrement instinctive. Mais j'ai toujours eu l'idée au départ de montrer l'imaginaire ou le passé avant la chose présente et réelle. Et c'est ce qu'on a reproché au film. Les gens qui critiquent le film lui reprochent de ne pas avoir de perspective. Mais c'était entièrement voulu. Évidemment on aurait pu commencer par le colloque, puis faire des *flash-backs* sur Forbek et des trucs beaucoup plus entre parenthèses, par un artifice quelconque, sur l'imagination des enfants, par exemple en marionnettes ou en dessin animé. Mais ç'aurait été un film très banal. Dans le sens inverse, c'est plus rigolo. Mais il y a des gens qui ne s'y retrouvent absolument pas. Il y a beaucoup de gens qui aiment *L'Amour à mort* et *Mon oncle d'Amérique* et qui ne supportent pas *La vie est un roman*, et contrairement à ce qu'on peut croire ça irrite surtout les intellectuels.

On avait pensé aussi, pour les épisodes légendaires, aux rêves des enfants, à l'imagination enfantine. On a répertorié les archétypes de l'imaginaire, les grands mythes enfantins, les thèmes les plus universellement répandus. J'ai fait une liste de tout ce qui m'avait frappé étant enfant, de mes thèmes de jeu vers 1935. C'était un véritable inventaire, il y en avait six ou sept pages. L'histoire des casquettes à ressort, des « casquettes tamponneuses », c'est un rêve qu'avait fait Resnais. Il s'était endormi quelques secondes et juste au réveil il avait entendu : « *Ce sont les casquettes tamponneuses.* » Et ce qui est rigolo, c'est que vous avez à peu près la même chose dans cet ouvrage qui m'inspire beaucoup, qui est l'une des bases de ma culture, *The Wonderful Wizard of Oz*, et non seulement celui-là, mais toutes les œuvres de Frank Baum. Là, c'étaient des personnages dont le cou se développait, et ils donnaient des coups dans l'estomac de leurs ennemis. J'avais aussi mes vieilles éditions de Rider Haggard, mais elles ont servi plutôt pour la décoration. Si vous les ouvrez, vous allez retrouver les costumes, les drapés. Catherine Leterrier s'en est servi parce que je lui avais prêté l'un de ces livres, ou plutôt je l'ai prêté à Resnais qui le lui a prêté, puisque Resnais maintient des murailles étanches entre nous tous. Vous savez qu'il m'avait absolument interdit de voir Philippe-Gérard, je n'ai jamais travaillé avec lui. En réalité je n'ai pas cessé de travailler avec lui, je n'ai pas cessé de travailler avec les comédiens : il y a eu des scènes qui ont été revues par Sabine Azéma et pour lesquelles elle m'a donné l'idée de déplacer des répliques, mais elle ne me le disait pas directement, c'est Alain qui faisait la navette. Saulnier, je le vois le jour des projections, je le connais à peine. Je n'ai jamais vu Catherine Leterrier, et pourtant Dieu sait si elle a de l'importance. Et la première fois que j'ai rencontré Philippe-Gérard, c'est tout à fait par hasard en allant prendre le café chez Jeanne Moreau. Ils étaient en train de préparer une émission avec Jean-Christophe Averty. Je dis bonjour à Averty, je vois ce type, on nous présente : « *Philippe-Gérard, Jean Gruault.* » On s'est marrés comme des baleines ! On a parlé de tout sauf du film, et on s'est bien gardé d'en toucher mot à Resnais.

Donc peu à peu nous avons dégagé l'histoire, mais ce que nous ne savions pas encore très bien, c'est pour quelles raisons les gens étaient réunis dans ce château. Nous nous sommes dit assez vite, je crois, qu'il y aurait un colloque, mais nous avons d'abord pensé que ce serait un colloque sur Forbek, sur le château lui-même, et que ce seraient des amateurs d'architecture mystérieuse qui se réuniraient. Ils étudiaient la doctrine de Forbek, et en même temps ils essayaient de découvrir un souterrain mystérieux qui jouait un grand rôle dans notre histoire. Et puis à je ne sais pas quel moment nous avons pensé à un colloque sur l'éducation, et sur l'« éducation de l'imagination ». Alors à ce moment-là, pour les intrigues à l'intérieur du colloque, autres sources : je me suis servi du *Falstaff* de Verdi et surtout du *Mariage de Figaro*, que j'ai relu attentivement pour me remettre dans le bain. Dans *Mon oncle d'Amérique* vous aviez Bernstein, et là vous avez Beaumarchais. Mozart, aussi, et dans Mozart pas seulement *Les Noces de Figaro*, mais aussi Sarastro, *La Flûte enchantée*. Il y a même des répliques de *Parsifal* : « *Le temps devient espace* » (*Zum Raum wird hier die Zeit*), à un moment il y a un personnage qui dit ça. Mais vous avez plein de citations de tout un tas d'autres choses. Le personnage du curé qui dit : « *Appelez-moi Jean* », c'est le père Mambrino, le conseiller ecclésiastique des films de Truffaut, disant ça à Régine Deforges dans une émission sur Simenon.

De fil en aiguille, nous en sommes arrivés au film que vous connaissez. Cette fois nous avons mis environ deux ans : nous avons commencé à travailler en novembre 1980 et le tournage a commencé en août 1982. Et si ça s'est appelé *La vie est un roman*, c'est simplement qu'on nous a dit : « *Il ne doit pas y avoir de négation à l'intérieur d'un titre de film.* » Donc on l'a appelé *La vie est un roman*, ce qui finalement n'est pas plus mal. Ça m'a permis quelques petites répliques à la fin, quelques mots d'auteur...

Et ça vous a permis de placer une réplique de Napoléon dans la bouche de Gassman : « Je pense que Napoléon avait bien raison : la vie est un roman. » *Je crois que vous pouvez passer à* L'Amour à mort...

L'AMOUR À MORT

L'Amour à mort, c'est beaucoup plus simple. Ça a été très vite, on a mis juste un an. Il faut dire qu'on n'a pas été interrompus, on était sûrs de le faire puisque Gérard Lebovici nous soutenait aveuglément et qu'il avait une confiance absolue en notre équipe. Comme nous avions acquis, Resnais et moi, une sorte d'habitude de travail ensemble, nous nous comprenions beaucoup plus vite. En gros, il y a eu trois rédactions complètes. Il y en avait eu bien plus pour *Mon oncle d'Amérique*.

Cette fois – je vous avais dit que c'était très différent d'un film à l'autre –, cette fois Resnais est venu me voir avec une idée de départ extrêmement précise. C'est une image qu'il avait dans la tête depuis longtemps, très précisément, et qui correspond à la première séquence du film. Il avait eu une espèce d'imagination à la limite du rêve. Il rêvait à cette femme dont le mari mourait, qui était sur le bord de la route à attendre le médecin (il voyait ça d'abord dans un quartier de Nice), et brusquement, au moment où elle s'y attend le moins, le type se relève : il n'est pas mort. Ensuite, à partir d'un certain moment, c'est l'angoisse de la séparation prochaine, puis la séparation, comment vit-on cette séparation, et finalement le suicide. Resnais avait tout ça dans la tête depuis certainement très longtemps. Ça devait être son dossier sur la séparation, puisque vous savez qu'il a des piles de dossiers.

En même temps que cette première séquence, Resnais m'avait apporté aussi tout un ensemble de postulats. Il voulait que ce soit un film très simple, avec quatre personnages, et il voulait les quatre comédiens : Sabine, Dussollier, Arditi et Fanny. Il voulait un personnage de pasteur. Il savait que le film serait en scope, malgré la difficulté de la chose actuellement pour les coproductions télé, il savait qu'il serait en rouge et noir, et que la musique serait séparée des scènes, c'est-à-dire qu'il y aurait des interludes musicaux. Je suis en train de lire d'ailleurs dans Noël Burch [1], à propos du théâtre japonais et de la façon dont on projetait les films muets au Japon, que cette séparation des éléments était un principe de l'art du spectacle au Japon. Tous les éléments étaient séparés, on séparait même les dialogues de la pantomime, de la musique et du commentaire. C'étaient des fonctions différentes assumées par des gens différents. Donc dans *L'Amour à mort* ce ne devait pas être une musique qui soutient l'action, mais une musique qui prolonge l'action, qui la commente. La fonction de la musique dans *L'Amour à mort* est en quelque sorte la même que celle de Laborit dans *Mon oncle d'Amérique*, elle devait être indépendante de l'action proprement dramatique. Donc on écoutait de la musique. Ce n'était plus Verdi, c'était Berg, Schönberg, etc., mais Sabine et Arditi vous raconteront ça mieux que moi. On marchait tous à la même musique.

Il était bien entendu, aussi, que le film devait être linéaire. Il est même très probable qu'il aurait été strictement impossible de faire ce jeu avec la musique si le film n'avait pas été linéaire, parce que là les gens auraient été perdus (ils l'étaient déjà, me direz-vous). Et puis ça devait se dérouler en scènes très courtes, très elliptiques, il devait y avoir très peu de dialogue. C'est un peu le même genre de contrainte – si on peut appeler ça une contrainte –, le même genre de cadre, si vous préférez, que pour le deuxième acte de *Mon oncle d'Amérique*. Il fallait faire des petits concentrés de scène. Ces scènes, dans notre

1. Noël Burch, *Pour un observateur lointain : forme et signification dans le cinéma japonais*, Cahiers du cinéma/Gallimard, 1982.

idée, ça pouvait être simplement un cri, ça pouvait être simplement une image furtive.

Et, j'oubliais, le titre aussi existait.

Autrement dit, la quasi-totalité des idées motrices venaient de Resnais, même dans le détail (tout ce qui touche au torrent, par exemple). Mon apport là-dedans a été un apport de « carcassier », de constructeur. Il me donnait des idées, je les développais. J'ai apporté aussi tout ce qui concernait les personnages de Judith et Jérôme, la pensée des deux pasteurs. Ce qui est rigolo dans ce film, c'est que les problèmes religieux n'ont jamais beaucoup passionné Resnais – il y est même plutôt allergique –, donc j'étais complètement libre de leur faire dire ce que je voulais. Resnais, lui, a été élevé par des parents très calotins, alors que mon père était tout à fait opposé à ça, et mon grand-père n'en parlons pas. On a attendu la mort de mon grand-père pour me baptiser, j'ai fait ma première communion à vingt et un ans. Je m'intéresse aux problèmes religieux par réaction contre mes parents, et Resnais ne s'y intéresse pas par réaction contre les siens.

Le film est construit très simplement. Ça a été un travail très méthodique, presque à l'ordinateur. Comme Truffaut m'avait offert ce beau fichier, j'ai travaillé avec des fiches. J'ai fait une série de scènes où on les voyait ensemble, mais avec une inquiétude croissante d'Élisabeth – qui ne s'appelait pas Élisabeth, qui s'est appelée Diane, qui s'est appelée Claire – quant au fait que Simon avait de plus en plus la nostalgie de l'autre monde. Donc je faisais la « montée », jusqu'à la mort de Simon, et – système musical – je reprenais à l'envers, je reprenais toutes mes fiches et je faisais les mêmes scènes, mais dans l'ordre inverse et avec un personnage en moins. C'est la composition « en V renversé », ça existe en musique. *Lulu* de Berg, du point de vue à la fois dramatique et musical, est composé comme ça, de même que d'autres œuvres de Berg comme le *Concerto de chambre*, qui se renverse exactement au milieu du mouvement central, lorsque vous entendez sonner au piano les douze coups de minuit. J'ai fait ça de façon très systématique. Vous avez une série de scènes où ils sont tous les deux; il meurt : sommet du V;

deuxième phase, il n'y a plus qu'un personnage tout seul. Vous avez par exemple la scène où ils se baladent tous les deux en forêt, où il fait semblant de disparaître et où elle le retrouve au bord de l'eau, et vous retrouvez cette même scène, Élisabeth cherche Simon et elle se retrouve toute seule au bord du torrent. Vous avez la scène du chantier avec lui, sans lui, le repas au presbytère, etc. Mais il est évident que dans la rédaction finale et dans le découpage de Resnais cette symétrie n'est pas absolument respectée. Il y a eu des assouplissements. Un échafaudage, c'est toujours utile, à condition de le démolir.

Tout ça était un travail relativement simple. Documentation très modeste : ma petite bibliothèque de théologie, et les vieilles notes que j'avais prises au séminaire en 47 (j'ai fait trois ans de séminaire dans mon jeune temps) sur des bouquins que malheureusement je ne pouvais plus retrouver parce qu'ils étaient épuisés, comme celui d'Anders Nygren sur *Érôs et Agapè*. Tout le discours de la fin, au presbytère, est inspiré du *Christianisme primitif dans le cadre des religions antiques* de Rudolph Bultmann, l'inventeur de la démythologisation du christianisme. Mon seul apport vraiment original – j'allais dire la seule idée que j'aie eue – et qui a déclenché bien des choses est venu à un moment où je m'étais enfermé à l'hôtel Montalembert dans le VIIe arrondissement pour que le travail aille plus vite. En allant chercher des documents dans le quartier à la Librairie protestante, boulevard Saint-Germain, je discute avec le jeune pasteur qui s'occupe de la librairie, on bavarde, et tout d'un coup je lui dis : « *Mais au fait, vous avez des femmes pasteurs !* » Et j'ai eu l'idée de transformer Fanny, jusque-là femme de pasteur, en femme pasteur. J'ai pensé que la robe de pasteur, avec le rabat, lui conviendrait très bien, et j'avais envie de la voir prêcher. Et du coup les conflits à l'intérieur du second couple devenaient beaucoup plus intéressants. Je donnais mes petits cours de théologie à Dussollier et à Fanny, c'était très amusant. Fanny est catholique et j'ai été obligé de lui faire un commentaire de l'*Épître aux Romains* pour essayer de lui faire comprendre la différence qu'il y avait entre le salut par la grâce et le salut par les œuvres.

Je vous ai dit qu'Alain avait imaginé le début, mais il voyait également le finale, ou du moins il l'a vu en cours de route. Il avait imaginé ce finale, c'est-à-dire le couple qui regardait Élisabeth s'en aller et disparaître dans la nuit (il n'était pas question de montrer le suicide), et puis qui retournait vers la maison. Ça me turlupinait de finir comme ça, j'avais l'impression qu'il y aurait une espèce de malaise. Et c'est pour ça que je fais dire à Fanny « *Nous ressusciterons, nous ressusciterons* », tout simplement parce que par hasard j'écoute la *Deuxième Symphonie* de Mahler, et à la fin j'entends « *Tu ressusciteras* » (*Aufersteh'n wirst du*), et je me suis dit : « Mais c'est fantastique! » Évidemment c'est un peu gros, et Mahler n'y croyait probablement pas plus que moi, mais ça sonne bien. C'est ce que j'ai dit au cours d'une réunion de protestants à laquelle on m'avait invité : « *Il ne faut pas y attacher tellement d'importance; j'ai mis ça parce qu'esthétiquement c'était juste.* » C'est exactement comme quand en musique on finit sur un accord parfait, c'est pareil. Et puis les gens qui rentrent dans la maison et referment la porte derrière eux, c'est une fin de film, mystérieusement, que je trouve toujours superbe. Je pense toujours à la fin du *Kid*, quand vous avez Charlot qui rentre dans la maison, surtout avec le cadrage complètement dans l'axe.

Et voilà pour *L'Amour à mort* : j'en ai terminé avec nos trois films. Vous avez d'autres questions?

Une seule ou plutôt deux : à quel stade de l'écriture se fait le choix des comédiens, et dans quelle mesure y participez-vous?

Ce sont des cas d'espèce. Dans *L'Amour à mort*, vous le savez déjà, ils étaient là dès le départ. Il fallait donner un rôle plus important à Dussollier parce qu'il n'avait pas eu grand-chose à faire dans *La vie est un roman*. Il avait eu la gentillesse de faire sa petite participation, mais ce n'était pas très drôle. On finit par se connaître tous très bien. J'avais vu jouer Sabine dans *Le Scénario* d'Anouilh en 1977, j'avais bavardé avec elle. Resnais la suivait depuis plusieurs années. Fanny, je la connaissais par ailleurs, je la voyais chez Truffaut. Je l'ai vue pendant le tournage de *Benvenuta*, etc. Je la connais bien et je vois bien tout ce qu'elle peut faire.

Dans *Mon oncle d'Amérique*, le choix des comédiens est évidemment intervenu assez tard puisque le film a failli se faire plusieurs fois, et que nous avons eu plusieurs producteurs successifs. Roger Pierre, je vous l'ai dit, c'est une idée d'Alain. Il n'en a jamais démordu. Nicole Garcia, c'est une idée que j'ai eue. Je l'avais vue jouer au théâtre, et j'ai pensé que c'était une comédienne qui lui convenait. Je suis allé voir la pièce où elle jouait plusieurs dimanches de suite, et je me la suis bien mise en tête. Dans les rôles secondaires, je connaissais très bien certains comédiens pour avoir joué avec eux autrefois. Ça facilite énormément l'écriture, les dialogues deviennent plus justes.

Et dans *La vie est un roman*, c'est intervenu très tôt. Quand on a commencé à écrire, on savait déjà à peu près à qui on allait s'adresser pour les rôles principaux. C'était au point qu'on était très angoissés parce qu'on se demandait si on pourrait avoir Gassman. On ne le lui a jamais dit, mais à partir du moment où on n'avait pas Gassman le film était foutu. Il aurait fallu tout modifier. Gassman, c'est un vieux truc que j'avais dans la tête depuis vingt ans, depuis que j'avais fait les dialogues français d'*Anima nera* de Rossellini en 62 (on pensait qu'il y aurait une version française). J'avais tout de suite sympathisé avec lui, et je m'étais dit : « Il faudrait quand même qu'un jour... » J'avais d'abord voulu lui faire jouer Mosca dans *La Chartreuse de Parme*, Comencini poussait les hauts cris. Et puis finalement j'ai eu cette occasion, Resnais était d'accord. J'ai écrit ce rôle *pour* Gassman, c'est même la caricature de lui-même que je lui ai faite. Robert Manuel, c'est parce qu'on l'avait vu tous les deux dans le film de Chéreau, *Judith Therpauve*, où il est génial. On s'est tout de suite dit : « *On va le prendre.* » Il y a des comédiens qui apportent beaucoup, et là-dedans il y en a une qui a beaucoup apporté – on ne s'en rend pas compte parce qu'elle n'a pas un rôle très sympathique –, et c'est Geraldine Chaplin. Elle a apporté des tas d'idées (c'est Resnais qui avait pensé à elle). Du fait qu'elle a eu une éducation typiquement américaine beaucoup plus que ses frères et ses sœurs plus jeunes, elle nous a apporté tout un tas de détails typiquement américains, et en plus elle a eu une idée comique que je trouve très bonne : quand elle arrive au colloque et qu'elle s'avance vers la salle de réunion, elle dit à l'avance ce que va dire Gassman, son laïus qui est toujours le même. Ça fait dix ans qu'il répète le même laïus dans tous les colloques du monde...

Et puis le film était aussi pour Raimondi. Un jour Resnais avait dîné avec lui, et Raimondi lui avait dit : « *Et moi, qu'est-ce que je vais faire quand je ne pourrai plus chanter? Il faudrait que je commence à apprendre le métier de comédien...* » Ça a déclenché quelque chose. Dès la naissance du scénario il y a tout de suite eu l'idée que c'était Raimondi qui devait faire Forbek. Il fallait un rôle pour Raimondi, de même qu'il fallait un rôle pour le vieux Samson Fainsilber (il est mort depuis) parce que ça le déprimait un peu d'avoir joué un loup-garou dans *Providence*. Il y a aussi le côté canularesque, il faut bien le dire, d'utiliser Raimondi et de décider que ce serait le seul, pratiquement, qui ne chanterait pas, alors que c'est le seul chanteur. Vous pouvez interpréter ça comme une mauvaise plaisanterie de collégien. C'est un gag. Resnais est un farceur, ne l'oubliez pas. Surtout n'oubliez pas que c'est un farceur...

PIERRE ARDITI

Comédien

Hormis *Blaise Pascal* de Rossellini (1971), tourné pour la télévision en 35 mm et dont il tenait le rôle principal, Pierre Arditi, comédien à l'abondante carrière théâtrale, n'a abordé le cinéma qu'en 1978 avec *L'Amour violé* de Yannick Bellon avant de tourner sous la direction de Jacques Deray, Jacques Rouffio, Pierre Jolivet, Marguerite Duras *(Les Enfants)* ou Christopher Frank. Il a joué successivement dans quatre films d'Alain Resnais, interprétant « Zambeaux » dans *Mon oncle d'Amérique*, Robert Dufresne dans *La vie est un roman*, Simon dans *L'Amour à mort* et Pierre Belcroix dans *Mélo.*

Est-ce que les comédiens, avant le tournage d'un film de Resnais, peuvent intervenir sur l'état final du scénario?

Ils n'ont évidemment pas à intervenir dans le travail d'écriture proprement dit, mais effectivement, une fois que le scénario est établi et qu'il a une forme suffisamment structurée, les acteurs peuvent émettre des opinions, exprimer des satisfactions, des réticences ou des doutes, ils peuvent indiquer un certain nombre d'éléments qui leur semblent manquer par rapport aux mécanismes intérieurs du personnage. Resnais prend des notes, et, s'il est d'accord avec nos suggestions, il les retransmet au scénariste (nous n'avons jamais eu la moindre séance de travail avec Gruault, c'est toujours Resnais qui fait la liaison). Toutes ces discussions préliminaires ont lieu bien avant le tournage, mais dans le cas de *L'Amour à mort* il y a même eu des aménagements qui ont été faits pendant le tournage, essentiellement pour les longues scènes entre Dussollier, Ardant et Azéma après la mort de Simon Roche. Les dissertations religieuses et métaphysiques sur *érôs* et *agapè* ont été aussi un peu rétrécies. On trouvait que c'était trop étiré, trop didactique par moments. Nous avons fait deux ou trois séances tous ensemble, et nous avons fixé une version définitive.

Mais tout dépend évidemment du stade auquel vous êtes arrivé dans vos rapports avec Resnais. Dans mon cas, je n'ai fait ce travail qu'à partir de *La vie est un roman.* Dans ce film j'étais le premier acteur distribué (c'était bien sûr très agréable), alors que dans *Mon oncle d'Amérique* j'étais arrivé très tard puisque Resnais, pour le rôle de Zambeaux, avait d'abord pressenti Francis Huster. (Pour des raisons qui lui sont personnelles, Huster a refusé le rôle, et je ne le remercierai jamais assez puisque *Mon oncle d'Amérique* a été pour moi le début d'une longue collaboration avec Resnais.) J'ai donc lu les différentes moutures, les différents « monstres », comme les appelle Resnais, de *La vie est un roman*, et j'ai pu observer l'évolution du rôle et du personnage. Le premier état du scénario m'a paru extrêmement touffu, il fallait s'y reprendre à plusieurs fois pour bien suivre les différentes lignes parallèles et voir ce qui pouvait les relier les unes aux autres. Les « monstres » ont progressivement diminué de volume, au bout d'un moment je me suis plus particulièrement attaché à l'époque dans laquelle je devais évoluer, et pour finir je me suis concentré sur l'histoire de ce personnage, Robert Dufresne. Je me suis d'ailleurs longtemps demandé si ce personnage allait vraiment exister (il est tellement en filigrane) et s'il ne risquait pas de devenir ce qu'on appelle un « baladeur », c'est-à-dire un personnage qui traverse le film de temps en temps, qui dit quelques mots et qui repart. Autant les autres avaient d'assez longues scènes qui permettaient de bien les définir, autant Robert Dufresne était peint par petites touches, avec très peu de matériau pour s'exprimer. J'ai eu beaucoup de mal au départ – ma ligne directrice, mon fil conducteur étaient très petits –, et au bout du compte j'ai décidé de m'investir dans chaque plan, même quand il était très court, même quand j'étais dans un fond de plan, de m'investir comme si j'étais le personnage central du film et qu'on ne devait voir que moi. En règle générale on ne peut pas être « présent » partout, il faut laisser tomber des plans, laisser reposer le personnage, mais là ce n'était pas possible, sinon le personnage ne pouvait pas exister.

Quelle est l'utilité des fiches biographiques que Resnais vous communique pour chacun de vos personnages?

Quand on joue quelqu'un, qui est soi et qui n'est pas soi, il faut tout de même savoir d'où on vient. Les biographies nous donnent un certain nombre d'éléments d'information, dont on se servira ou non, mais qui resteront présents dans la mémoire. C'est la partie immergée de l'iceberg. Dans la biographie de Zambeaux [1], par exemple, on pouvait lire qu'il s'était fait enlever des varices. *A priori* ça a l'air tout à fait inutile puisqu'il n'y a aucune scène qui en fasse mention, mais en réalité, dans la scène où Zambeaux reçoit Depardieu, je m'étais dit qu'il avait une supériorité « institutionnelle », « de fonction », et que cette supériorité pouvait être mise en cause parce qu'au moment où il devait se lever il allait avoir mal. Les varices ne m'évoquaient pas grand-chose, mais par contre je connaissais l'arthrite, ça symbolisait quelque chose de physique et de reconnaissable, et donc je m'en suis servi – c'est de la mémoire sensorielle – pour avoir une espèce d'exaspération, une contrainte physique contre laquelle je devais lutter et qui m'obligeait à dominer mon corps d'une certaine manière. J'avais donc un comportement physique totalement différent, et que je n'aurais pas eu sans cette fameuse biographie.

Quand vous recevez Depardieu, vous vous levez, vous allez lui serrer la main et vous lui dites « Nous avons à

1. On trouvera cette fiche biographique dans *L'Avant-Scène cinéma* n° 263.

parler longuement », *mais vous ne levez même pas les yeux pour le regarder. Cette indication ne figurait pas dans le scénario.*

C'est une chose qui s'est produite au tournage. Je me suis souvenu d'une indication de Terzieff qui m'avait dit un jour : «*Au fond, la plus grande forme de mépris, c'est de regarder un homme ou une femme comme si ce n'était pas un être humain mais un objet.* » Quand vous regardez une lampe, ce n'est rien, c'est personne. Il n'est ni gentil ni méchant, Zambeaux. Simplement, c'est quelqu'un qui déplace les gens comme des pièces. Il a une logique à respecter, et donc il la respecte. Il n'y a pas d'âme là-dedans, le sentiment n'intervient pas. Je pouvais donc me balader en prenant de temps en temps conscience que Depardieu était là, sans trop le regarder, et quand par hasard je le regarderais, ce serait comme un objet qu'on doit changer de place. Il y a une lampe sur le bureau, seulement elle ne doit plus être sur le bureau mais sur la commode, et puis c'est tout. C'était ça, le conditionnement. J'ai décidé que j'étais en circuit fermé et qu'il n'y avait pas de réponse à attendre de la personne qui était assise en face de moi. Pendant que Depardieu répond, j'allume une cigarette, j'entends à peine la réponse, et puis à un moment donné je redresse la tête parce qu'il vient de demander « *Il faudra habiter Cholet?* », je réponds « *Bien sûr* » et je replonge, comme si était intervenue une chose qui fait du bruit, qui dérange l'ordonnance de la tête de ce monsieur, mais qui n'est pas une chose vivante. Ce n'était pas écrit dans le scénario : il y a quand même des choses qu'on trouve au moment où on tourne.

Le travail sur le scénario mis à part, quelles sont les étapes du travail de préparation?

Il se décompose en plusieurs étapes, en plusieurs cercles concentriques. On tourne autour, en ayant l'air quelquefois de parler de tout à fait autre chose, et petit à petit on se rapproche pour arriver au cœur des choses. Dans le cas de *L'Amour à mort*, nous y reviendrons peut-être, il y avait l'approche et la connaissance de la musique sérielle, dodécaphonique, d'une manière très approfondie. L'ont fait ceux qui l'ont voulu, ne l'ont pas fait ceux qui ne l'ont pas voulu : il n'y a pas d'obligation là-dedans. En ce qui concerne *Mélo*, lire d'autres pièces de Bernstein, se pénétrer de l'univers de Bernstein mais aussi de l'époque. Ça, c'est ce que j'appelle les « univers parallèles ». Ensuite, des rencontres avec Alain, chez lui ou chez les acteurs, un par un, pour définir d'abord les grandes lignes du personnage et les caractéristiques et comportements généraux, puis les caractéristiques et les comportements ponctuels à l'intérieur de chaque scène et même quelquefois de chaque réplique : analyse du comportement du personnage, analyse de son comportement par rapport à tel autre personnage, par rapport à des situations qu'il crée ou au contraire qui lui tombent dessus. Il faut qu'on soit bien d'accord sur ce qu'on va faire, qu'il n'y ait pas de mésentente entre nous. Ce qu'il nous demande ne peut pas aller contre ce qu'on veut, et inversement. C'est un travail très méticuleux, tout ça ne supprimant en aucun cas la liberté d'imagination de l'acteur. C'est une sorte de plate-forme sur laquelle on peut s'appuyer pour devenir créatif, et on n'est évidemment jamais aussi créatif que lorsqu'on a beaucoup travaillé. Ce n'est pas du tout un frein à l'instinct, à l'inattendu et au mystère, mais au contraire un formidable tremplin pour accéder à tout ça. C'est un travail à mon avis élémentaire, que tout le monde devrait faire. Tout le monde s'extasie devant l'Actors' Studio et les acteurs américains, mais les acteurs américains travaillent, passent leur temps à ça, tandis qu'ici, quand un comédien a l'air de comprendre ce qu'il dit, la suprême insulte est de dire qu'il fait de la psychologie ou qu'il est un acteur intellectuel. Ce que fait Resnais, ce n'est rien d'autre que de nous proposer des choix. Vivre c'est choisir, et donc jouer c'est choisir puisque jouer c'est vivre.

Ensuite, particulièrement en ce qui concerne *Mélo,* mais aussi en ce qui concerne *L'Amour à mort*, il y a des répétitions avec appareil, avec mouvement. Tous les intérieurs de *L'Amour à mort* ont été répétés, pas à plein rendement, pas à pleine émotion bien entendu, mais on a vraiment répété les scènes pour l'appareil, pour la manière dont les corps allaient bouger. C'est quelque chose que les metteurs en scène font quand même assez rarement. Sur le tournage le chef opérateur, le cadreur, la scripte interviennent entièrement, ils officient, si je puis dire, mais le travail de la technique a déjà pris sa place un peu avant, au plus tard lors des dernières répétitions. Un acteur va proposer quelque chose qui lui plaît dans le jeu, mais il faut que ce soit techniquement réalisable, et donc à un moment donné il faut accepter que la technique ait aussi des impératifs.

Je n'aime pas beaucoup les techniciens de cinéma, je le dis comme je le pense. C'est une catégorie de gens qui est souvent très professionnelle – je fais une parenthèse – et même en général trop professionnelle, au mauvais sens du terme. Souvent il y a des petits clans qui se forment parce qu'ils auraient eux aussi leur propre idée sur la manière dont il faudrait faire le film, et qui n'est pas forcément celle du metteur en scène. Resnais a une très jolie formule à cet égard : « *Dans une équipe il y a cinquante bonnes idées par plan, et il y a l'erreur du metteur en scène. La suite des erreurs du metteur en scène fait un film cohérent, les cinquante bonnes idées, mises bout à bout, des cinquante personnes qui l'entourent font un film incohérent, parce qu'elles n'ont pas de cohérence les unes par rapport aux autres.* » Et je crois qu'il a raison. Mais dans le cas de l'équipe de Resnais ça ne se passe pas du tout comme ça : tout le monde est en accord avec le metteur en scène et avec les acteurs, tout le monde regarde ce qui se passe avec un respect extrême, avec un œil qui n'est pas seulement un œil de technicien, mais un œil de spectateur qui peut se laisser toucher. L'osmose est telle que jamais la technique n'est venue contrecarrer ce qu'un acteur ou le metteur en scène avaient imaginé. Sur le tournage de *Mélo*, pour ne prendre que cet exemple, le regard des gens de l'équipe et en particulier de ce qu'on appelle les grands techniciens, c'est-à-dire le chef opérateur (Van Damme), le cadreur (Duhalde), la scripte (Sylvette Baudrot) et l'ingénieur du son (Henri Morelle), ce regard était un miroir très important pour nous.

Après on entre donc dans la seconde phase, qui est la concrétisation des discussions qu'on a eues, la matérialisation du travail préparatoire. Tout ce qu'on a décidé on le met en route, et puis tout d'un coup il y a de nouveaux éléments qui interviennent, et qui tiennent à ce qu'il y a un moteur de caméra qui tourne et que c'est une chose qui va être enregistrée. Les tensions, les humeurs ne sont plus les mêmes. Intervient le trac, interviennent des facteurs techniques beaucoup plus précis qu'on ne peut pas rencontrer dans le travail préliminaire. A partir du moment où on pousse sur le bouton de la caméra, nous ne savons pas nous-mêmes comment ces choses travaillées, étudiées et décidées vont sortir, et quelquefois elles sortent d'une manière très différente de ce qu'on avait imaginé. Je vous donne une anecdote parce que je la trouve belle. Dans *Mon oncle d'Amérique* il y a un moment où je sors de l'ascenseur avec Nicole Garcia et où je la ramène à sa chambre d'hôtel en lui parlant de spaghettis à la carbonara; elle ouvre la porte de sa chambre, et puis se passe ce qui arrive quelquefois dans la vie, c'est-à-dire qu'une seconde avant ce ne serait pas possible, une seconde après ce ne serait plus possible, mais dans la seconde même où elle ouvre la porte elle se retourne vers lui, il sent qu'il peut entrer... et on les retrouvera un peu plus tard au lit, après qu'ils ont fait l'amour. Donc on a répété la scène, on a répété cet instant où elle est lasse tandis que lui continue à être ailleurs, cet instant où elle se retourne vers lui, et où on sent qu'il peut entrer et qu'il en prend conscience. C'est un moment très bref mais quand même important. On tourne. Une prise, deux prises, trois prises... On arrête quelquefois pour un trajet de caméra encore un peu bringuebalant parce que c'est un plan techniquement compliqué à mettre au point. Quatre prises, cinq prises, six prises... et puis Alain dit « *Merci* », il va s'asseoir au bout du couloir, sur ses grandes jambes, et il reste silencieux. On se regarde avec Garcia en trouvant ça un peu bizarre, au bout d'un moment on finit par aller le voir et on lui demande : « *Mais Alain, vous voulez qu'on le refasse? Quelque chose ne vous convient pas?* » Il nous a regardés et nous a répondu : « *Non, non, pas du tout. Au contraire c'est très bien. C'est même mieux que bien, c'est tout à fait ça. Je veux simplement comprendre pourquoi, moi, je ne l'ai pas imaginé comme ça.* »

Je trouve que c'est une belle histoire parce qu'elle résume bien le mystère du tournage. A un moment donné l'acteur joue autrement que ce qui était prévu et rejoint une vérité qui est la sienne, mais qui retrouve aussi celle du metteur en scène. Resnais voulait comprendre pourquoi il n'avait pas imaginé cette autre façon de faire, ce qui est une démarche à la fois touchante et bien sûr impossible puisqu'il y a des moments où on ne peut pas tout prévoir, où on ne peut pas tout maîtriser. Il ne pouvait pas posséder ce moment-là, mais ça nous a probablement échappé à nous-mêmes, d'une certaine manière.

Resnais vous demande-t-il d'adopter un style de jeu très différent d'une prise à l'autre?

Avant de vous répondre, je voudrais ajouter une chose. Chez Resnais le travail se décompose – c'est très structuré – en ce qu'il appelle le travail de la « petite forme » et celui de la « grande forme », la « petite forme » étant le comportement d'un personnage à l'intérieur d'une scène ou d'un segment de scène, et la « grande forme » étant l'assemblage de tous ces comportements, de ces divers segments qui finissent par aboutir au film lui-même. Or il faut savoir qu'on est tenu de respecter chaque « petite forme » qu'on nous demande de faire, et je dis bien *tenu*, car dans le cas de Resnais c'est un mot important. Il est extrêmement souple et ouvert à la proposition d'un acteur, mais une fois qu'on s'est mis d'accord sur quelque chose il faut que l'acteur le fasse, et il ne lâchera pas tant que l'acteur ne l'a pas fait. Il est d'une correction, d'une politesse, d'une délicatesse extrêmes, mais il ne cède jamais. Je me souviens sur *L'Amour à mort* d'un moment très dur parmi d'autres moments très durs, où je lui ai dit : « *Alain, mais est-ce que je vais arriver à le faire?* », et où il m'a répondu : « *Mais... mais oui! D'ailleurs vous êtes payé pour y arriver.* » Il m'avait dit ça très gentiment, et en même temps c'était extrêmement ferme. Si on m'avait pris c'était parce que je savais le faire, et donc il n'était pas question que je ne le fasse pas. J'avais le droit de mettre deux jours pour y arriver, mais il fallait que je le fasse. Avec Resnais on est véritablement *tenu* de respecter ses engagements.

Maintenant, dans le travail du tournage, il y a en effet ce que Resnais appelle des variantes. Quelquefois c'est l'acteur qui demande la variante, mais le plus souvent c'est lui qui la demande. On tourne plusieurs prises d'une scène jusqu'au moment où il a obtenu ce qu'il voulait, et quelquefois il y a un point précis qui l'attire tout d'un coup dans un segment de scène, il a envie de voir s'il ne peut pas en faire le point central de ce segment, et il s'amuse à « appuyer » sur ce point-là pour le faire basculer dans un sens ou dans un autre, qui n'était pas forcément celui qui était prévu au départ. Quelquefois il s'en sert, quelquefois il ne s'en sert pas du tout. Par exemple dans *L'Amour à mort*, il y a une scène où on raye les noms, où on fait un tri dans le carnet d'adresses. Élisabeth lui dit les noms, il y en a un où Simon Roche lui répond tout de suite de rayer, un autre où il sourit, et lorsqu'elle propose de garder Judith et Jérôme et que Simon répond : « *En sursis !* », il a une espèce de vide dans le regard. On a donc fait des variantes là-dessus, on s'est amusés à mettre de l'énervement sur tel nom, de la nostalgie sur tel autre, de la colère, du cynisme... D'une prise à l'autre on transformait ça complètement. Ensuite Alain regarde tout, et bien sûr c'est lui qui choisit. C'est très rare qu'il se contente d'une seule version. Par moments il demandait à Sabine d'être moins fébrile, de jouer plus calmement, et quelquefois au contraire de pousser ça au paroxysme. Cela donnait des styles de jeu très différents. Encore une fois, là ce sont des petites formes, et de ces petites formes il en extrait une qui lui semble être la bonne pour l'insérer dans la grande forme. Ce serait amusant de voir plusieurs montages d'une même scène. Il y a plusieurs *Amour à mort*, plusieurs *Mélo*. La scène des deux hommes à la fin de *Mélo*, je peux vous dire que celle qui est montée est très particulière et qu'il y en a d'autres qui ne sont pas du tout comme ça. Chez Resnais il y a ce qu'on appelle des prises « sèches » et ce qu'on appelle des prises « mouillées », les prises « mouillées » étant celles où on pleure et les prises « sèches » étant celles où on ne pleure pas, ce qui ne veut pas dire qu'on n'est pas ému. Il y avait donc des prises où nous étions baignants de larmes André et moi, d'autres où j'étais plus baignant de larmes qu'André et d'autres où il est plus baignant de larmes que moi, et Resnais a choisi cette troisième solution qui d'ailleurs à mon avis est la bonne.

Dans *L'Amour à mort*, plus on tournait plus les sentiments et les émotions montaient d'une prise à l'autre, et je crois savoir qu'il a systématiquement monté les prises qui précèdent l'explosion de l'acteur, qui précèdent le paroxysme de la douleur ou de la déchirure. Pour ma mort, quand je m'agrippe, que je me redresse avec Azéma, on avait fait les plans sur Sabine la veille et faute de temps on n'avait pas pu se retourner sur moi. Je m'étais beaucoup conditionné pour ça (on se conditionnait énormément), j'étais prêt à le faire et je n'ai pas pu le faire. Je n'ai pas pu dormir de la nuit, j'étais très angoissé, je me disais que peut-être le lendemain je n'y arriverais pas. Et le lendemain, non seulement j'étais dans l'état, mais je dépassais l'état, mon état personnel a débordé l'état du personnage. La mort est une chose qui me fait peur, que je n'aime pas, que je déteste, et je suis allé au-delà de ce qu'on me demandait de faire parce que je ne pouvais pas me retenir. Donc cette fois le travail a été l'inverse, c'est-à-dire qu'il a fallu que je me fatigue (on a fait dix-sept ou dix-huit prises), qu'il a fallu m'épuiser sur des prises pour que je retombe petit à petit dans les marques demandées, qui sont celles d'un personnage et non celles de Pierre Arditi qui craque parce que ça le fait pleurer d'avoir cette image de lui-même qui s'en va, avec les deux yeux de Sabine qui le transperçaient comme un poignard. Il y avait donc des prises beaucoup plus « mouillées », beaucoup plus tragiques, mais il a monté ce qui a précédé, ou dans ce cas précis ce qui suivait puisque je suis allé en sens inverse, c'est-à-dire quelque chose d'un peu plus froid et de terrible en même temps.

Comment s'est passé le conditionnement de L'Amour à mort, *cette « préparation musicale » que Resnais avait proposée aux comédiens?*

Resnais nous a très vite fait comprendre que la musique aurait une part fondamentale dans le film. Et pas n'importe quelle musique, bien sûr! Le film allait lui-même être construit comme cette musique, avec des séries, des renversements, des variations. En conséquence de quoi il lui semblait intéressant que nous en comprenions les mécanismes : d'où cette musique venait, sur quoi elle s'était appuyée pour devenir ce qu'elle est, ce qu'elle avait cassé, avec quoi elle avait rompu. Comprendre, donc, comment ce qu'on appelle la « musique classique » avait explosé en atomes différents et comment elle avait donné la musique « sérielle », la musique dodécaphonique, comprendre comment cette forme à laquelle notre oreille avait été habituée s'est pulvérisée pour donner autre chose. On a d'abord travaillé sur les conférences de Leonard Bernstein, c'est-à-dire des cassettes en anglais, ce qui ne facilitait pas les choses, même si on avait aussi la traduction française. Azéma a assez bien suivi puisqu'elle connaissait le solfège, mais Dussollier et moi on s'est accrochés au bastingage. J'avais quand même du mal, je comprenais les choses plus instinctivement qu'intellectuellement. Tant bien que mal on s'est plongés là-dedans, on a remonté le courant. On est partis de la forme sonate, on est passés de Bach à Haydn, puis à Mozart, à Schubert, à Beethoven, à Mahler – là ça commence à bifurquer assez sérieusement –, et de Mahler on est passés à Schönberg, Berg, Webern, Stockhausen et tout le reste. Il nous a aussi proposé la lecture d'un certain nombre de livres sur Mahler, sur Webern, sur Berg, que nous avons, honnêtement, plus ou moins lus. Il y a des choses qu'on a acceptées, d'autres moins. J'ai découvert par exemple que j'aimais beaucoup Berg, vraiment beaucoup, mais avec Webern j'avais beaucoup de mal tellement c'est minutieux. C'est vrai que l'oreille s'acclimate, mais il faut dire que ce travail a été très long. Ça a duré deux mois ou deux mois et demi, avec des séances chez Resnais en écoutant tel ou tel disque, adossés aux montants du lit.

Restent de tout ce travail des images très précises qui, personnellement, m'ont aidé. Par exemple quand j'ai tourné le plan de l'arbre avec les abeilles (qui était évidemment un arbre sans abeilles : on ne pouvait pas me mettre le visage nu devant un essaim), je suis sorti, j'ai fixé la souche, et il fallait que j'entende le bruit des morts... Et le bruit des morts, je l'ai entendu. Je l'ai entendu, parce que me sont revenus une série de ces bruits, de ces sons, de ces harmoniques qui m'étaient jusque-là relativement étrangères et qui effectivement pouvaient avoir ce sens pour moi. J'ai entendu cette musique pendant le récit du voyage chez les morts, quand le personnage se retire lentement à l'intérieur de lui-même dans cette espèce de rêve, quand il fouille dans les livres au presbytère pendant que les autres dissertent et qu'il leur répond : « *Qu'est-ce que c'est que ce Dieu qui reste muet?* » J'ai entendu ces sons-là, ils m'ont hanté, et donc ce travail a eu un sens pour moi et m'a beaucoup servi. Je n'aurais pas pu faire ça avec Mozart ou Schubert, que j'adore mais qui ne m'auraient pas aidé de la même manière. Je ne pouvais me plonger que dans cette musique-là, je ne pouvais plus écouter autre chose. On a la sensation que c'est une musique d'un autre monde... et je venais d'un autre monde.

L'Amour à mort, pour moi, ce n'est pas un quatuor, c'est un quintette. La musique de Henze, c'est un personnage du film. On ne savait pas quelle forme physique prendraient les interludes (pendant un moment Resnais avait pensé à une huile noire, mouvante, à des reflets d'huile noire [1]), mais on savait que ce serait de la musique de Henze, et à quels moments précis elle interviendrait. Cela conditionnait complètement la manière dont on allait

---

1. En définitive, Resnais et le décorateur Jacques Saulnier se sont servis de bombes à neige artificielle telles qu'on en utilise aux fêtes de Noël. Une fois la mèche allumée, des flocons retombaient lentement depuis le plafond du studio, ou remontaient lorsqu'un ventilateur était placé à cet effet. Ces flocons étaient éclairés en contre-jour afin de ne pas faire apparaître le cyclorama noir installé sur le plateau, et le chef opérateur Sacha Vierny a combiné des mouvements d'appareil avec des zooms, les variations d'optique entraînant des variations de la taille des flocons. Le fond n'a pu cependant rester toujours noir en raison de la fumée produite par les bombes à neige, d'où parfois un fond bleuté dont Resnais a tiré parti au montage. Alain Resnais s'est expliqué sur ce qu'il appelle les « particules » de *L'Amour à mort* dans *Positif* n°s 284 et 307.

amener les répliques. Au fond c'étaient des partenaires, les interludes. Quand Simon essaie de retrouver un air au piano (j'ai essayé de reproduire plus ou moins de la musique de Henze et j'y suis à peu près arrivé), il y a une manière de parler derrière des choses comme ça qui n'est pas la même. Selon l'acteur en face duquel vous vous trouvez, vous ne parlez pas de la même manière, ça vous renvoie une autre image, à plus forte raison lorsque cet acteur est à la fois présent et inconnu comme c'était le cas dans *L'Amour à mort* : c'était un partenaire omniprésent, et en même temps on ne savait pas quel visage il aurait. C'était très curieux. J'ai toujours eu conscience qu'à la fin de ce que je dirais un acteur masqué, que je ne connaissais pas, viendrait terminer, enchaîner sur ce que je disais, et je ne pouvais pas ne pas en tenir compte.

L'un des moments les plus déroutants de L'Amour à mort *est celui où, après la mort de Simon, vous interprétez également l' « homme du torrent », cet homme que l'on distingue à peine et dont les cris arrachent Élisabeth à la mort lorsqu'elle est mentalement aspirée par les tourbillons.*

Je pense que Resnais avait envie qu'on puisse avoir pendant une fraction de seconde un doute sur l'identité de ce personnage, qui de loin rappelle morphologiquement Simon Roche, mais sans s'étendre là-dessus, et sans recourir au procédé habituel : on voit un personnage de dos qui ressemble à celui qu'on cherche, il se retourne, et ce n'est pas lui. Dans *L'Amour à mort* c'est peut-être lui d'ailleurs, on ne sait pas. J'avais pris un accent méridional, ça nous faisait beaucoup rire. C'est un des rares moments où on a pu rire dans ce film.

Les comédiens de Mélo *ont-ils participé à la « réduction » du texte de Bernstein?*

Oui, dans une certaine mesure. Le script donné était celui de la pièce intégrale. Nous avons d'abord fait des lectures, comme au théâtre d'ailleurs, au cours desquelles on s'apercevait que telle chose était trop longue, que telle autre piétinait, et au fur et à mesure qu'on avançait dans ce travail les choses ont commencé à se réduire. Mais il n'y a pas un mot qui ait été remplacé par un autre, pas un seul. Le pari était de conserver cette musique des mots et de ne pas y toucher. Ce qui a été coupé, c'est quand même très peu de chose. C'est Resnais lui-même, je crois, qui a réduit la scène du prêtre, et qui a décidé de couper purement et simplement la scène des consommateurs avant le suicide de Maniche. Dans le film on voit simplement Sabine attablée dans un café, mais dans la pièce il y a toute une scène où deux consommateurs un peu beurrés parlent de tout à fait autre chose et s'imaginent que Maniche les drague parce qu'elle a l'œil dans le vide. Nous avons surtout participé, évidemment, à la mouture finale de la scène des deux hommes, qui était encore plus longue que ça, et qui par moments revenait effectivement un peu en arrière ou s'éternisait sur des choses anecdotiques. Nous avons coupé certaines choses, nous en avons déplacé d'autres, nous avons fait un montage assez sophistiqué et qui à mon avis est réussi puisque la scène tient. Elle avance tout le temps, elle ne revient jamais en arrière. La scène du prêtre, la scène du médecin, que Resnais a un peu réduite aussi, la scène des consommateurs et la dernière scène avec les hommes, voilà les quatre travaux « architecturaux » qui ont été faits sur *Mélo*.

Que vous ont apporté les films des années 1930 que vous avez visionnés pendant la préparation de Mélo*?*

Nous avons vu effectivement un certain nombre de films de cette époque, à l'exclusion de *Mélo* de Paul Czinner, qui est introuvable mais que de toute façon nous n'aurions pas voulu voir. Nous avons vu *L'Épervier* de Marcel L'Herbier avec Charles Boyer et Pierre-Richard Willm, nous avons vu *Liliom* de Fritz Lang, toujours avec Charles Boyer, et un très beau film tiré par Maurice Tourneur d'une pièce de Bernstein, *Samson,* avec Harry Baur, Gaby Morlay, André Luguet et André Lefaur. A la fin de *L'Épervier*, Boyer, qui est un escroc superbe, arrive très amoché, misérable, et après la projection j'ai dit à Alain que c'est de cette façon que Pierre Belcroix, à la fin de *Mélo*, devait arriver pour voir Marcel Blanc : c'est une image intense, comme un héros noir, et le renversement sera d'autant plus surprenant que jusqu'ici on l'aura vu rond, bonasse et un peu ordinaire. Je n'ai pas imité Boyer, bien sûr [1], mais il avait un comportement à la fois décharné et violent dont j'ai gardé le souvenir pendant cette dernière scène. Ces films et quelques autres nous ont apporté une vision de cette société-là (de mon côté j'ai vu aussi *Crime et Châtiment* et *L'Alibi* de Pierre Chenal), et surtout nous avons pu voir, en particulier dans le cas d'Harry Baur dans *Samson*, comment cet univers qui est quand même très daté pouvait redevenir moderne à partir du moment où on le respectait tout en le regardant avec notre regard d'aujourd'hui. Quand j'ai lu *Mélo* pour la première fois, ma première réaction a été de me dire que c'était injouable, qu'on ne pouvait plus parler comme ça. Et puis j'ai commencé à entrer dedans au moment du récit de Marcel Blanc, et évidemment je n'ai pas pu m'en décrocher. Il y a une musique bernsteinienne, elle est là, elle existe, et on ne peut pas s'en débarrasser. Et la vision de ces films m'a confirmé que non seulement cet univers était encore jouable, mais qu'il fallait absolument le rejouer, sans avoir peur du ridicule ni de tous ces mots désuets. Il fallait goûter cette musique-là, la défendre de toutes ses forces, et je me suis plongé avec délectation dans ces « mon p'tit coco, ma p'tite Maniche, mon p'tit chéri ».

Votre impression à la lecture de Mélo *est aussi celle du spectateur. Avant le récit de Dussollier, qui est la charnière à partir de laquelle on entre vraiment dans l'univers du film, le style de jeu paraît décalé, plus théâtral. Est-ce que cette différence de jeu était expressément recherchée par Resnais?*

Je vais vous donner une opinion tout à fait personnelle, et je ne sais pas si elle est juste. Je crois que dans la tête

1. Rappelons que Charles Boyer, à la création de *Mélo* en 1929, n'interprétait pas le rôle de Pierre Belcroix mais celui de Marcel Blanc, tenu dans le film de Resnais par André Dussollier.

d'Alain il y avait cette volonté de bien montrer qu'on faisait entrer les gens au théâtre, et qu'on en sortirait par le récit de Dussollier. Cette première scène, telle qu'elle est dans le film, est théâtrale, incontestablement, mais elle l'est peut-être d'autant plus que nous n'avions pas encore trouvé nos marques. Le film a été tourné dans l'ordre, c'était donc le premier jour du tournage, nous nous trouvions devant un matériau étrange et mystérieux, et cette fragilité des acteurs par rapport à leur personnage est devenue une option qui n'était pas forcément aussi claire que ça dans la tête de Resnais. On a fait quand même un certain nombre de prises sur cette scène. Je ne me souviens plus si certaines d'entre elles étaient ou non davantage ancrées dans un style de jeu de cinéma, mais ce que je peux dire c'est qu'a été choisie une prise qui est profondément et fondamentalement théâtrale, volontairement décalée par rapport au reste du film. Cela dit, même si Resnais avait décidé que cette première scène devait être décalée, je pense qu'il ne l'avait pas décidé de cette manière-là mais que la forme de ce décalage est venue s'imposer à lui. Quelque chose nous a échappé à tous, aux acteurs, à Resnais, à tout le monde, et ça a fini par servir le film d'une manière très étrange. Resnais l'a gardé volontairement, pour bien montrer qu'on ne se démarquait pas du théâtre tout en s'en échappant effectivement avec le récit d'André. Car aucun spectateur de théâtre ne peut voir les acteurs comme Resnais les regarde dans *Mélo*, c'est impossible. Aucun spectateur ne pourrait regarder le blanc de l'œil de Dussollier quand il raconte cette histoire, et surtout on ne pourrait pas mettre deux acteurs de dos à la salle pour avoir la tête d'André qui s'encastre à l'intérieur d'eux. Au théâtre, l'image serait illisible.

Comment définiriez-vous l'équilibre de cette combinaison de comédiens, de ce quatuor que vous formez de film en film avec Sabine Azéma, André Dussollier et Fanny Ardant?

A l'origine, et très honnêtement, je crois qu'elle est d'abord une combinaison de liens personnels. Du travail sont nées des complicités, des ententes entre nous, qu'elles soient humaines ou professionnelles, et je ne peux pas détacher l'une de l'autre. C'est la découverte de quatre individualités humaines qui lui conviennent, et qui nous conviennent. Il y a une espèce de rencontre – on ne peut tout de même pas nier ce phénomène – qui s'est produite entre nous cinq. Ensuite, je crois qu'Alain est très sensible aux voix, et que le mariage de ces quatre voix, de ces quatre instruments, est une chose qui lui convient également. Il parle beaucoup des voix d'Azéma, de Dussollier, d'Ardant, d'Arditi. Pendant le tournage de *Mélo* il nous parlait souvent de la façon dont tel d'entre nous avait dit tel mot, tel groupe de mots ou telle phrase, ce sont des choses qui le fascinent beaucoup. Il considère qu'il est donc en possession de quatre instruments dont il sait ce qu'il obtiendra s'il touche telle ou telle corde, et auxquels il n'est pas obligé de demander toujours la même chose. Je parle pour moi mais les autres pourraient vous le dire aussi : que ce soit Zambeaux, Robert Dufresne, Simon Roche ou Pierre Belcroix, on ne peut tout de même pas dire que ces personnages se ressemblent. Par conséquent je n'ai pas l'impression de m'installer dans des habitudes, et les autres non plus. Ce qui ne veut pas dire que nous allons faire systématiquement tous les films de Resnais. C'est vrai qu'objectivement, à l'instant où vous me posez la question, ça me paraît totalement abstrait de me dire qu'il pourrait faire un film dans lequel je ne serais pas. Je ne me vois pas ne tournant pas dans un film d'Alain, mais il est évident que ça va arriver, que d'autres gens vont tourner des Resnais dans lesquels nous ne jouerons pas, et ce sera tout à fait naturel et normal. Mais quand Resnais choisit quelqu'un, il considère que la personne qu'il a choisie est la bonne. Il a tort ou il a raison, mais en attendant, quand il me donne Pierre Belcroix, j'ai la sensation qu'il n'y a que moi qui peux le jouer – de même, je pense, pour Dussollier lorsqu'il lui donne Marcel Blanc. Nous nous sentons choisis, et effectivement, dans ces conditions-là, on ne peut que bien travailler. Le problème, c'est d'être choisi, d'être désiré. Et nous sommes désirés.

SABINE AZÉMA

Comédienne

Sabine Azéma a longtemps été comédienne de théâtre avant de jouer au cinéma pour Alain Resnais, puis pour Bertrand Tavernier, Robert Enrico ou Jacques Doillon. Elle a successivement tourné dans trois films de Resnais : *La vie est un roman*, où Élisabeth Rousseau, alors qu'on lui destinait Robert Dufresne, quitte le colloque « Éducation de l'imagination » au bras de Walter Guarini, *L'Amour à mort*, où Élisabeth Sutter promet à Simon de le rejoindre dans la mort, et *Mélo* où Romaine, éprise de Marcel Blanc, se suicide après avoir renoncé à empoisonner son mari Pierre Belcroix. Ses personnages de *La vie est un roman* et de *L'Amour à mort* portent le même prénom : Resnais, pour *L'Amour à mort*, lui ayant proposé le choix entre Élisabeth, Claire et Sabine, elle a choisi Élisabeth car elle sentait une continuité entre ce personnage et celui de *La vie est un roman*, dont elle pensait que la destinée la conduirait à l'autodestruction et au suicide.

Est-ce que Resnais, sur le tournage d'un film, vous donne beaucoup d'indications de jeu?

Non, en réalité il n'en donne pas beaucoup pendant le tournage, et c'est pour cela que je me sens aussi bien avec lui. Comme vous l'a dit Arditi, on se voit avant, longtemps avant, et même un an avant dans le cas de *L'Amour à mort.* Je déteste le mot « répétition », c'est un mot que je trouve laborieux. Je dirais plutôt que c'est un jeu de devinettes, un jeu de détective auquel nous nous livrons avant le tournage, en nous voyant régulièrement. Resnais nous fait lire des livres, nous conseille d'aller voir tel et tel tableau, d'écouter telle et telle musique, et petit à petit on *devine* quels seront les sentiments et les émotions qu'on aura à rendre dans le film. Avant même d'avoir lu le scénario (Resnais ne nous le raconte jamais, il nous le présente une fois qu'il est absolument terminé), avant même d'avoir lu le scénario, je pourrais presque improviser, sinon les situations, du moins les sentiments et les émotions que j'aurai à jouer. Ça se fait doucement, sans à-coups, c'est une façon de nourrir ce désir qu'on doit avoir sur le tournage, le désir de sauter l'obstacle. Et lorsque le jour J arrive et qu'on se retrouve sur le plateau, les choix ont déjà été faits, les directions de travail ont été établies, et nous avons l'impression que nous nous retrouvons tous à égalité dans la création. Je dis bien *l'impression* : Resnais a une grande autorité naturelle, il est évident que c'est lui le créateur, que c'est son film et combien personnel, mais il a toujours la délicatesse de nous faire croire que nous avons un véritable pouvoir de création, que nous sommes maîtres de notre rôle, et qu'il est là simplement pour nous éviter de nous faire mal, et pour qu'on puisse retomber dans ses bras si jamais on butait sur l'obstacle. Sur le tournage, c'est quelqu'un qui aura un œil bienveillant, et en même temps plein d'autorité. On est impressionné – par ce qu'il est, par les films qu'il a faits avant –, mais on n'est pas intimidé, et donc on n'est pas bloqué. Les gens qui vous intimident trop vous bloquent, vous êtes comme l'escargot qui rentre dans sa coquille. Avec Resnais, non. Il y a une sorte non pas de compétition mais d'émulation : on est chez Resnais, et il s'agit d'être à la hauteur, d'être à *sa* hauteur. Il suffit de le regarder, de le sentir près de soi pour être inspiré. Il est sous la caméra, toujours droit, et comme il a de très grandes jambes, il a toujours des façons de se tenir absolument ahurissantes. Il a une intensité totale dans le regard, et dans l'écoute. Il ne bouge pas pendant la scène, il est là, on le sent, avec ses cheveux blancs qui irradient. Il vous donne le *la* rien que par sa présence, et après la prise – ça fait partie du tact de Resnais – il viendra toujours vous trouver à l'écart pour vous donner les commentaires. Il vous donnera évidemment quelques indications, mais pas énormément : ce sera plutôt un mot bien choisi, bien précis. Sur le tournage, ce ne seront pas des indications essentielles. C'est du coloriage, en somme : un petit peu plus de rouge, un petit peu plus de bleu... Et c'est toujours chuchoté à l'oreille, personne d'autre n'entendra ce qu'il vous dit. Il y a beaucoup de rigueur dans sa façon de s'exprimer, mais beaucoup de liberté à l'intérieur du cadre fixé par lui. Il est très sensible aux attitudes, aux gestes, mais jamais il ne vous mimera la scène, jamais il ne vous donnera des intonations. On se comprend dans un regard, dans une attitude. Avec Resnais on peut tout proposer, il vous écoutera toujours, il étudiera votre proposition, mais en général toutes ces discussions ont eu lieu avant le tournage. Avec lui j'ai l'impression d'avoir une responsabilité dans le film, j'ai le sentiment qu'il va savoir tout disséquer chez moi, qu'il saura tout comprendre et tout prendre. Il me fait un cadeau somptueux en m'engageant, et en retour je veux lui en faire un, à lui, à son film. Quand je joue, je joue avant tout pour l'équipe, pour les comédiens, et pour mon metteur en scène.

Quand Resnais, après un certain nombre de prises, estime qu'il en a terminé avec un plan et qu'il peut passer au suivant, est-ce qu'il vous arrive de demander de vous-même une prise supplémentaire?

Oui. J'ai même une sale réputation : je voudrais ne jamais m'arrêter. Tant qu'on me dit oui, je redemande toujours une prise. C'est mon tempérament, j'aime bien essayer d'avoir un éventail le plus large possible, dans lequel le metteur en scène choisira ce qui correspond le mieux au film. Dans *La vie est un roman* – je ne sais pas du tout ce qu'a choisi Resnais en fin de compte –, je donnais systématiquement trois versions différentes : une version assez comique, une version plus « normale » et une autre plus grave. Dans *L'Amour à mort,* par contre, je redemandais toujours des prises, mais simplement pour essayer d'améliorer, en restant dans le même registre. C'était une seule façon de jouer la scène, mais j'essayais toujours d'être encore plus concentrée. *L'Amour à mort,* c'était un film si tragique, plein de cris, d'émotions, de douleurs... Il ne fallait pas trop pleurer. C'est très difficile de doser l'émotion, à plus forte raison lorsque cette émotion dure un film entier. Dans *Mélo,* c'était encore différent. C'était une gageure : on devait le tourner en vingt jours, et donc il n'était pas question pour nous de redemander une seule prise de plus. Ça m'a amusé de le faire, d'essayer d'être au mieux tout de suite. On n'a pas été frustrés. Quand Resnais sentait qu'il fallait refaire une scène, il nous la redemandait. Il était très pointilleux sur la prononciation, sur la diction. Quand il n'était pas content de la prononciation d'un mot, on recommençait. Il n'était pas question de remplacer un mot par un autre dans le texte de Bernstein, il fallait respecter le rythme, la musique du texte. Au cinéma on se permet quelquefois des libertés, on remplace un adverbe par un autre, on fait des inversions, on rajoute des petits mots pour s'aider, des petits mots qui font tremplin. Mais dans *Mélo* il n'était pas question d'être libre avec le texte, il fallait garder la musique de Bernstein telle qu'elle était écrite.

Voilà. C'étaient donc trois façons de travailler différentes, en fait. L'ambiance n'était pas du tout la même d'un film à l'autre. Sur *Mélo,* on allait plus vite sans avoir l'impression d'aller plus vite. Cela faisait trois films qu'on travaillait ensemble, et donc on gagnait du temps puisqu'on se connaissait.

Comment avez-vous abordé votre personnage de La vie est un roman*?*

Avec Resnais, la démarche est quand même intellectuelle et psychologique. Les personnages, il faut les étudier : ils sont tellement riches, tellement pleins de contradictions... Il ne faut pas seulement tenir compte de ce qu'on va dire à l'écran, mais du sous-texte, des sous-conversations. Nous faisons marcher notre imagination autour des personnages, de leur éducation, de tout ce qui détermine la vie des êtres. Pour aborder ce genre de rôle, il est primordial de bien connaître toute la vie du personnage. Évidemment je peux me l'inventer moi-même, mais Resnais le fait merveilleusement. Jean Gruault nous écrivait des fiches biographiques qui nous apportaient beaucoup d'éléments auxquels on n'aurait pas pensé, et qui nous servaient à nourrir les personnages et à mettre autre chose dans notre jeu que les mots que nous avons à dire. Dans *La vie est un roman,* j'imaginais que cette fille avait eu une éducation religieuse très stricte, que ses parents devaient être assez pratiquants. En fait, quand j'ai lu sa biographie, je me suis aperçue que sa mère était institutrice, qu'elle obligeait ses élèves à écrire Dieu avec un *d* minuscule, et que Dieu était absolument banni de leur vie. Donc c'était une fille qui pour moi avait une démarche presque religieuse, une approche mystique de la vie, et qui en même temps était absolument contre Dieu. Et à cause de ce petit détail j'ai joué le personnage autrement.

Mais au moment de *La vie est un roman* on a moins parlé, Resnais et moi. Le film était tellement énorme, il y avait tellement de comédiens qu'on s'est surtout rencontrés sur le tournage. Le personnage d'Élisabeth a évolué, c'est-à-dire qu'à l'écriture c'était un personnage de comédie, un peu léger, et qu'au moment de tourner j'ai senti le besoin, je ne sais pas pourquoi, de le pousser vers le grave. C'était un registre qu'on ne m'avait jamais permis d'aborder jusque-là, et c'était le moment qu'on me donne ce genre de rôle. C'est-à-dire que si j'étais écrivain, j'aurais voulu décrire ce genre d'impulsions, de sentiments, c'est vraiment ce que j'avais envie de jeter de moi à ce moment-là. Cette petite Élisabeth, j'ai voulu la défendre, et ne pas en faire une vieille fille à principes un peu frustrée. Elle a une telle naïveté qu'elle est comique, mais involontairement. Elle est décidée, déterminée, mais c'est la timidité même, et quand on est très timide cela amène forcément des gestes comiques parce qu'on en fait plus qu'on n'aurait voulu. C'est un personnage qui aurait pu être ridicule (j'espère qu'il ne l'est pas), mais, aidée par Resnais, j'ai voulu exprimer gravement ce qu'elle disait, aussi gravement qu'elle menait sa vie. Et il me semble que ça a donné des idées à Resnais qui a dû se dire : « Azéma n'a encore joué aucun rôle vraiment dramatique, ce serait amusant de l'amener vers la tragédie. » Un jour je suis allée chez lui, et en le quittant je me suis retrouvée dans son entrée placée sous une certaine lumière (Resnais est très sensible aux lumières dans la vie), j'avais une petite robe noire toute simple, genre Antigone, et tout d'un coup il m'a dit : « *Sabine, quand je vous vois ainsi, j'aimerais vous donner un rôle tragique.* » Et je pense que *L'Amour à mort* a commencé comme ça.

Le noir s'est retrouvé dans vos costumes...

L'Amour à mort était un film en noir et rouge. J'étais donc toujours habillée ou en noir ou en rouge, et cette petite robe noire, un peu fendue sur les épaules, avec laquelle il m'a vue dans son entrée est devenue une robe rouge : il a voulu qu'on refasse exactement la même. Ce qui était très important aussi, c'est l'imperméable noir, que Resnais avait vu sur moi. Parfois on essaie de donner des idées au metteur en scène, en s'habillant comme on pense que s'habillerait le personnage. On se tait, on ne dit rien, et très souvent ça provoque des choses, le metteur en scène réagit. De même pour le jeu, ou les gestes, les attitudes.

Est-ce que vous portez les costumes avant le tournage?

En dehors des essayages, aussi peu que possible. Je n'aime pas du tout porter les vêtements avant, j'aime bien entrer dans un rôle le premier jour du tournage. J'adore les costumes que je mets pour la première fois : je me sens tout autre, c'est une autre personne qui apparaît. Les costumes, c'est très important pour moi, j'en ai besoin pour jouer. Je ne démarre que quand j'ai l'habit du personnage.

Ça a l'air superficiel de dire ça, et en fait pas du tout. La façon de s'habiller indique quand même ce que vous êtes, c'est ce qui va vous donner, surtout pour une femme, une façon de se tenir, une façon de croiser les jambes, de se cambrer ou non, et de croire au personnage. Sur les films de Resnais je travaille beaucoup avec Catherine Leterrier, qui est quelqu'un qui ne recherche pas le « joli », mais l'esprit du personnage.

Dans *Mélo,* c'était particulièrement important puisque l'époque était 1930. Resnais m'avait montré des livres, des photocopies de *comics* américains, pour me familiariser avec l'attitude des filles dans ces bandes dessinées. Il a toute une collection de photographies d'actrices de l'époque, des tas de livres, et donc on faisait des choix pour les costumes, la coiffure, le maquillage. Catherine Leterrier m'a fait essayer des vêtements de l'époque, mais abîmés, pas utilisables, et elle a fait faire des costumes inspirés de ces vêtements qui étaient déjà là, mais avec d'autres tissus ou d'autres couleurs. Pour mes deux dernières scènes avec Arditi, on a choisi une robe verte : le vert est une couleur un peu maudite au cinéma et au théâtre, et puis c'est une couleur vénéneuse, qui fait grincer des dents; c'est le poison, surtout ce vert-là, qui est à la fois beau et inquiétant. On a fait aussi beaucoup de recherches pour le maquillage. A l'époque les filles avaient les yeux assez faits, assez noirs, assez charbonneux, et Resnais tient tout de même beaucoup à ce que la peau respire, à ce qu'on ne soit pas trop sophistiqué. Dans les scènes de pleurs, avec lui, on ne se remaquille pas : on est défiguré, les traits ne sont plus en place. Donc, après des jours et des jours de recherche, on a fait un mélange entre ce qu'on faisait à l'époque et ce qu'on fait maintenant. Mais le plus dur à trouver (je parle toujours de *Mélo*), c'était la coiffure. Il fallait trouver une coiffure qui ressemble à ce qu'on trouvait à l'époque, et en même temps qui ne fasse pas trop documentaire sur l'époque 1930. Il fallait rester vivant, rester ce qu'on est, et non pas plaquer des maquillages, des costumes ou des coiffures. Il fallait adapter. Après, là encore, des jours et des jours de désespoir, je suis allée voir Christophe Carita, qui m'a fait une coiffure, comme dit Robert Doisneau [1], « *en forme de meule de foin des années passées* ». C'est une invention de Christophe, mais inspirée par les photos que m'avait montrées Resnais et dans lesquelles j'avais fait un choix personnel : quelque chose d'assez lisse, d'assez simple, avec en même temps une petite sophistication, un petit cran.

Dans L'Amour à mort *et dans* Mélo, *vous deviez concilier, souvent à l'intérieur d'une même scène, un jeu d'une très grande intensité physique et un dialogue très écrit, extrêmement élaboré.*

Faire des culbutes, comme je devais en faire dans le personnage de Romaine, c'est quelque chose que j'apprécie. Ça fait partie de mon tempérament. Plus on me donnera des choses physiques à faire dans un film, et plus j'aurai l'impression d'avoir une facilité pour dire le texte, même ou plutôt à plus forte raison s'il est, comme vous dites, très élaboré. Rien ne me plaît plus que de jouer une scène en mangeant, en faisant des culbutes. Ça me donne de l'élan, c'est un tremplin. En fait j'ai remarqué que plus les rôles étaient difficiles, ou dits difficiles, et plus ça me semblait facile – alors que si la scène ou le rôle a l'air plus évident, plus facile, on prendra peut-être moins de risques, et c'est là que viendront les difficultés (ce n'est que mon impression). Il y a des scènes qui ont l'air difficiles, et quand vous les avez jouées, ceux qui regardent en face auront plus de réactions, les commentaires seront plus importants. Quand André s'est levé le matin pour dire toute cette grande tirade qui dure neuf minutes, eh bien ce jour-là, c'était une difficulté évidente, énorme. C'était quelque chose dont on parlait depuis longtemps : «*Attention, c'est dans deux jours* » – «*André, on ne voudrait pas être à ta place aujourd'hui* »... Et tout le monde en a parlé après. Il y a commentaire. Vous avez l'impression, comme quand on saute un obstacle, que les autres vous aident

1. Le photographe Robert Doisneau est remercié au générique de *Mélo* pour avoir participé au choix des deux décors naturels, le café modern style et le bord de Seine.

plus, que vous prenez plus d'élan. Alors c'est peut-être plus facile aussi dans ces cas-là.

Lorsque Dussollier a interprété ce plan de neuf minutes (au départ on vous voit tous les trois, puis le cadre se resserre lentement, très lentement sur lui pendant que la lumière change), lorsque Dussollier a interprété ce plan de neuf minutes, devait-il le jouer seul ou bien Arditi et vous avez-vous continué, comme au théâtre, à jouer cette scène avec lui?

C'était la scène d'André, c'était même *la* scène d'André, mais il n'était pas question une seconde de ne pas être là, Pierre et moi. Il s'agissait de l'aider à surmonter cette épreuve. Ça paraît énorme, neuf minutes, au cinéma. Il fallait respirer avec lui, l'aider par un regard. C'est très important, le regard, sur un tournage. On aide, on retient l'autre, on l'empêche de tomber si à un moment il risque de buter. Et aussi, c'était tellement important pour la suite du film, ce qui se passe entre Romaine et Marcel Blanc. C'est à ce moment-là que Romaine, j'ai l'impression, va s'identifier à la femme dont parle Marcel Blanc, c'est-à-dire s'identifier à une femme amoureuse, et tout d'un coup amoureuse d'André Dussollier. C'est un moment clé. Tout va se jouer à ce moment-là, en tout cas pour moi. On doit être ému, on doit être révolté, on doit vouloir défendre cette femme. C'est une anecdote, mais on se sentait une grande responsabilité non seulement dans le regard qu'on devait lui apporter, mais aussi parce qu'il ne fallait pas faire de bruit : il ne fallait pas tousser, il ne fallait pas éternuer. C'est un moment que j'ai trouvé très difficile, de concentration, de peur d'abîmer ce que faisait André. J'ai eu très peur à ce moment-là.

Et puis les comédiens sont toujours contents quand il y a une difficulté supplémentaire, ou quand il y a quelque chose d'autre à côté du jeu, comme le play-back dans *La vie est un roman.* Dans *Mélo,* par exemple, on nous demandait de jouer du piano ou, pour André, du violon. On voit beaucoup plus André, et donc il était bien obligé d'apprendre les gestes, mais moi j'étais cadrée épaule, on ne voit pas mes mains. Il n'empêche que j'ai appris le morceau avec Marie-Françoise Bucquet [1] et que je le jouais vraiment sur un piano, les touches muettes. C'était important pour moi de le jouer vraiment et de savoir exactement ce que mes doigts – et donc ma tête, mes regards – allaient exprimer à ce moment-là. C'est très amusant pour un acteur de faire ça à fond, pour y croire. Ça m'aurait gênée de faire semblant de jouer le morceau en faisant n'importe quoi. Là je savais quand retenir mes mains, quand repartir, donner de la violence, et Marie-Françoise Bucquet m'avait expliqué le morceau de Brahms. Elle me l'a raconté, et ce qu'elle me racontait, en fait, c'était l'histoire de *Mélo*. Tout ce qu'elle m'expliquait à propos des impulsions à donner dans le morceau, de ces impulsions qui sont retenues, c'est ce que je retrouvais pour cette scène de séduction et de désir : je séduis, et puis non, tout d'un coup je me retire... je désire cet homme, je me reprends, je redémarre... Ça correspondait absolument à l'histoire, et à la scène exacte que je devais jouer.

La sonate de Brahms jouait donc un rôle dans votre conditionnement ?

Absolument. De toute façon il est certain que la musique a le pouvoir de vous mettre rapidement dans l'humeur voulue, en tout cas pour moi. Je savais en gros ce que je voulais faire dans cette scène, mais je ne savais pas quelle tonalité elle prendrait, je ne savais pas que je serais si émue en la jouant, et ça, c'est à cause de la musique. Se retrouver à jouer ce morceau au départ de la scène avec André, dans ce silence, dans l'écoute des techniciens... J'étais émue par la musique avant même d'être dans la scène ou la situation. La musique a un pouvoir, un pouvoir énorme. Personnellement, quand je tourne un rôle, je m'entraîne toujours avec la musique. Il suffit que j'écoute quelques notes pour me mettre – enfin, j'espère – dans l'humeur voulue. Souvent, sur les tournages de Resnais,

1. Marie-Françoise Bucquet a enregistré en compagnie du violoniste Christophe Giovaninetti la *Sonate* op. 78 de Brahms que Marcel Blanc interprète avec Romaine, puis, à la fin du film, avec Pierre Belcroix.

on avait nos walkmans et on écoutait de la musique quand on attendait notre scène, pendant que les techniciens étaient en train de préparer le plan. Ça m'aide beaucoup, on l'a fait sur tous les films de Resnais. Ça fait partie de ma façon de travailler.

Mais c'est très difficile à expliquer, ce qu'on appelle le « conditionnement » d'un acteur ou d'une actrice. Je ne sais pas comment font les autres, mais en ce qui me concerne, disons que je joue avec ma mémoire, avec ma mémoire passée et ce que j'appelle ma mémoire future. Je fais un travail de concentration sur ce que j'ai pu vivre, sur les émotions que j'ai éprouvées en certaines circonstances et que j'éprouverais s'il m'arrivait telle ou telle chose. A force de concentration on finit par éprouver physiquement les émotions du film. Je ne peux pas pleurer sans être émue, pour moi c'est impensable. Pour pleurer vous avez un film qui se déroule dans votre tête, un film qui vous émeut, qui vous fait trembler de peur ou qui vous donne des tremblements, comme dans ma scène avec Dussollier, dans *Mélo,* ce moment de tremblement où Romaine pressent la tragédie. Avant les culbutes, il fallait entretenir une forme d'hystérie. C'est l'humeur qu'on doit travailler, et c'est mon travail. C'est un travail sur toutes nos souffrances, sur toutes nos peines, nos chagrins. J'ai l'impression quelquefois d'être un violon, mais dont les cordes seraient mes nerfs. On gratte là-dessus, et il ne faut pas qu'une corde casse. C'est un jeu très dangereux, c'est magnifique aussi car on apporte sa vie.

Est-ce que l'isolement à Uzès de l'équipe de L'Amour à mort *a influé sur l'atmosphère du film?*

Oui, beaucoup, et même avant le tournage puisque Pierre Arditi et moi nous avons été « repérer » notre ville. On a pris l'avion tous les deux, on est allés à Uzès, et on a fait le tour de la ville. On s'est promenés dans des endroits que Resnais, d'ailleurs, nous avait montrés en photos. C'était une façon de respirer l'air d'Uzès, de respirer l'air du film. On a reçu un premier choc. Il faisait très froid. C'était un moment très court puisqu'on a repris l'avion le soir même pour Paris. Puis nous sommes revenus pour le tournage. La région d'Uzès est extrêmement violente, le vent souffle très fort. On avait tout le temps envie de plier le dos, de rentrer s'abriter... et on se retrouvait dans un petit hôtel très bas de plafond. Ça a l'air ridicule, mais c'est très pesant d'avoir un hôtel qui vous arrive presque sur le crâne. L'atmosphère était pesante du fait même que le sujet du film était très dur, et que la ville se dresse autour de vous, dure, froide et rigide. Même la végétation : ces petits chênes verts qui ne vous laissent pas la place de passer, qui sont bas, touffus, très sauvages. Le bruit du vent, la lumière d'Uzès, le tempérament des gens... Les protestants et les catholiques s'affrontent, ce qui donne une atmosphère assez spéciale en France, avec ces temples assez froids qui se dressent un peu partout dans la région. Et puis c'était la première fois, Pierre et moi, qu'on nous donnait une responsabilité pareille dans un film. On était très anxieux : est-ce qu'on allait être capables d'affronter cette responsabilité? On ne voyait personne, personne d'autre que l'équipe. Il n'y avait que le film à tourner, pas de distractions, et on était trop fatigués pour ça.

Pendant la préparation de L'Amour à mort, *quelles lectures ou quelles peintures Resnais vous a-t-il suggérées?*

Les peintures : ce que je retiens, c'est Munch. Il y avait une exposition à Paris, rue de l'Université, j'ai ouvert la porte, et j'ai eu l'impression que je recevais le film en pleine figure. J'ai vu ces tableaux qui représentent des personnages fantômes, des ombres siamoises qui sont à la fois attachées et détachées : des ombres collées l'une à l'autre, des ombres tragiques. Ça m'a beaucoup impressionnée : les couleurs, les teintes... *Le Cri*... J'ai acheté des livres pour regarder ces peintures. Inconsciemment ça rentre dans votre tête, et pendant le tournage vous jouez avec ça. Il y a des moments où, avec Pierre, on se retrouvait dans des positions qu'on avait pu voir sur des tableaux de ce peintre. Quand j'ai cet imperméable noir, cet imperméable avec des ailes de chauve-souris qui me faisait penser à un animal apeuré quand il se retrouve dans un endroit clos... Quand je suis au piano... Avec Pierre on se retrouvait en siamois, avec les mêmes couleurs – noir et noir –, cheveux foncés pour tous les deux. Et on ne se détachait pas l'un de l'autre, on reprenait un peu les mêmes attitudes...

Les lectures... Mais on n'a pas envie, aussi, de montrer tous nos ingrédients. Il y a une part qui doit demeurer secrète, cachée. Je ne veux pas tout révéler, tout raconter. Est-ce que ça vous suffit que je vous donne un seul titre? *L'Autel des morts,* de Henry James. Resnais me l'a fait lire avant de me montrer le scénario.

C'est d'autant plus révélateur que Gruault était précisément parti de L'Autel des morts *pour écrire le scénario de* La Chambre verte *avec Truffaut. Pour revenir à Resnais, quel a été l'effet sur votre interprétation de la préparation musicale intensive de* L'Amour à mort*?*

Préparation musicale intensive, en effet, et avec des musiciens assez difficiles à comprendre : Webern, Berg, Schönberg. Une musique qu'au départ je ne connaissais pas, qui m'était étrangère, et que Resnais a su me faire apprécier et récupérer pour mon propre compte dans mon jeu. Webern, Schönberg, je les ai aimés follement pour jouer *L'Amour à mort.* A force d'écouter ces musiques très particulières qui ne sont pas spécialement faites pour plaire, pour séduire, je les ai gardées en moi et j'ai joué les scènes de *L'Amour à mort* avec ces cordes qui résonnaient dans ma tête comme des hurlements de bête blessée. J'avais l'impression d'entendre le cri de la musique et j'enchaînais avec ma voix. Toutes les scènes à peu près, je les ai jouées comme ça, mon émotion était le prolongement de ces cris musicaux. Cette musique correspondait à cette nature dans laquelle on tournait, à cette nature agressive : la fin de l'hiver, le froid, le cri du vent. Le *Cri* de Munch, on y revient. Un rythme de jeu, aussi, que j'ai emprunté à la musique. Des moments d'intense douleur sans hystérie : on a écouté le *Quintette* de Schubert, qui est si beau. Cette espèce de torrent que vous avez dans la tête et qui vous donne le rythme du jeu. On savait que c'était un film entouré, quadrillé par la musique. On est comme cerné par l'eau, envahi par la musique. On commence une scène entraîné par des flots de musique qu'on a dans la tête, même si on ne s'en rend plus toujours compte, et on finira aussi en sachant qu'on va être relayé par la musique. La musique nous passe le témoin, on redonne le témoin à la musique.

Il y a aussi quelque chose qui m'avait absolument marquée : « *ewig* » dans *Le Chant de la Terre,* par cette chanteuse merveilleuse, Kathleen Ferrier. C'est Resnais qui me l'a fait écouter. Quand je vais à l'enterrement de Simon et que je répète « *Je te le promets... je te le promets... je te le promets...* », c'est « *Ewig... ewig... ewig...* », répété sept fois, du *Chant de la Terre* de Mahler. « *Éternellement... éternellement... éternellement...* » C'était ce rythme-là que j'avais en tête. On sait que le deuxième *ewig* a été précédé du premier, et qu'il y en aura un troisième. Ce qui m'intéressait dans *L'Amour à mort,* c'était de montrer que la souffrance pouvait aller au-delà des larmes. C'est ce que j'ai voulu rendre à la fin du film en me suicidant dignement, apparemment froidement mais d'une façon déterminée et presque mystique, et c'est ce que j'ai retrouvé dans ces *ewig* qui représentent pour moi la douleur de notre abandon sur terre, la douleur – qui revient comme une obsession dans les films de Resnais – de la séparation d'avec les êtres qu'on aime, cette coupure à vif qui nous blesse sans arrêt. Il n'y a plus de bataille. On reste droit, on ne crie plus, on ne se débat plus. Il n'y a plus de larmes, et c'est pire.

L'Amour à mort, c'est un film très particulier où, pour moi, j'ai l'impression de n'être pas réellement une actrice. Dans *Mélo* – on aime ou on n'aime pas –, il y a des numéros de comédien, il y a un parcours pour le comédien, avec des paliers, des envolées dramatiques. J'ai l'impression que *Mélo* est au service absolument des acteurs, qu'il les « sort ». *L'Amour à mort,* non. On est un morceau, une pierre de l'édifice. On est au service d'un poème musical, d'un chant poétique et métaphysique qui nous dépasse, qui est si énorme que l'acteur n'est qu'un tout petit grain là-dedans. On représentait la douleur du monde, presque. Et cet entraînement que nous avons fait pour *L'Amour à mort* s'est poursuivi tout naturellement sur *Mélo,* où pendant certaines scènes j'avais encore dans la tête ces cordes qui me faisaient penser à des bêtes emmurées dans la douleur et dans la solitude. *L'Amour à mort* était un tournage intense, douloureux. On approchait la mort, on la disséquait de si près que ça donnait quand même le vertige. On a assimilé tout ça, on s'est tous retrouvés, et on a tourné *Mélo* avec plus d'humour, plus de légèreté, même si c'était aussi une histoire triste et douloureuse, avec des personnages neurasthéniques. J'ai l'impression que Resnais a mis un moteur en marche dans *L'Amour à mort* et qu'il a tourné à son rythme jusqu'à *Mélo,* et maintenant encore j'aurais envie de continuer sur cette lancée. Je crois que grâce à Resnais nous y voyons tous les quatre un peu plus clair en nous-mêmes, puisque c'est un travail un peu de psychologue aussi que d'essayer de comprendre tous ces personnages. Il y a tellement de malentendus, de zones d'ombre, de zones glauques, que c'est difficile de faire le tri en nous-mêmes et dans les personnages qu'on a interprétés. J'ai l'impression que là, maintenant, automatiquement le travail se fait, et nous aurions envie de continuer ensemble avec d'autres rôles, de creuser, pour arriver à ce qu'on nous comprenne mieux et à mieux nous comprendre nous-mêmes.

A quoi attribuez-vous l'harmonie du quatuor de comédiens que vous formez avec Pierre Arditi, Fanny Ardant et André Dussollier?

Je crois qu'il y a d'abord une harmonie de motivations. On ne fait pas tous ce métier pour les mêmes raisons, et là il y a quand même quatre acteurs qui se sont retrouvés pour les mêmes raisons. On est toujours à la recherche d'un maître en art, qu'il soit professeur d'art dramatique ou metteur en scène. Avec Resnais on l'a trouvé, et l'ayant trouvé on ne veut que le satisfaire. En plus nous avons eu, enfants, les mêmes rêves de travail, la même éducation théâtrale. Dussollier, Fanny et moi, nous avons été dans le même cours d'art dramatique, nous avons eu un peu la même trajectoire. Resnais a voulu être comédien, a été au cours Simon. On se retrouve tous autour des mêmes désirs, des mêmes rêves, on parle la même langue. Cela n'empêche pas qu'on ait des rythmes de jeu très différents. André par exemple est très *self-control,* il a une façon de parler qui vous enrobe, et il a un rythme plus doux et plus lent que le mien, qui est un rythme beaucoup plus nerveux, haché. On pourrait ne pas s'entendre du tout, et au contraire il y a un accord. Mais personnellement je ne sais pas pourquoi il nous engage, je ne sais pas pourquoi nous lui plaisons tous les quatre. C'est comme un puzzle, un puzzle dont tous les morceaux, autour de la personnalité de Resnais, auraient trouvé leur place.

JACQUES SAULNIER

Décorateur

Chef décorateur depuis 1957, collaborateur de Louis Malle et Claude Chabrol à leurs débuts comme d'Henri Verneuil et surtout Pierre Granier-Deferre (dix films à ce jour), Jacques Saulnier a conçu le décor de tous les longs métrages de Resnais depuis *L'Année dernière à Marienbad,* à l'exception de *Je t'aime je t'aime.* Dans le dossier de presse de *Providence,* Alain Resnais a déclaré faire appel à lui « *parce que les opérateurs adorent photographier ses décors, parce qu'il adore travailler avec les opérateurs, et parce qu'il sait entourer le comédien d'un décor fertile en atmosphère, parce que fermé. Je crois que Saulnier serait d'accord avec Antoine qui répétait ses pièces dans un décor à quatre murs et qui décidait au dernier moment lequel des quatre il convenait d'abattre* ».

Est-ce que Resnais vous donne une commande très précise?

Non, elle n'est pas très précise. Je lui fais différentes propositions afin de comprendre ce qu'il veut, et il lui arrive de me dire : «*Ah non, ce n'est sûrement pas ça.* » Mais les images qu'il a en tête sont rarement précises. Cela dépend aussi du sujet, selon qu'il s'agit de décors « réalistes », comme ceux de *La guerre est finie* ou de *Muriel,* ou de décors plus imaginaires. Il me dit alors :

« *Tu sais, ça ne me gêne pas que ça ressemble à des décors.* » Dans certains films, surtout *Marienbad, Providence* ou *La vie est un roman,* il l'a fait volontairement, on voit que c'est des décors.

Ce sont trois décors très proches les uns des autres.

Je n'en sais rien. J'espère que non, si j'ose dire, que c'est le scénario qui entraîne le décor et non mes goûts personnels.

La chambre de Marienbad, *la maison de Dirk Bogarde dans* Providence *et même le château de* La vie est un roman *sont des décors modifiables, à transformation. Le décor joue un rôle central dans ces trois films et serait même l'un des points de départ de* La vie est un roman, *alors qu'il doit se montrer beaucoup plus discret dans les autres films...*

... où le décor sert avant tout à situer les personnages. Je pense à l'appartement de Delphine Seyrig dans *Muriel* qui était surtout là, ainsi que le costume, pour compléter le personnage d'Hélène.

Est-ce que vous ne deviez pas aussi concevoir ce décor en fonction du long mouvement de caméra dans l'appartement vide qui termine le film?

Oui, bien sûr. Mais ces décors étaient complètement mobiles, ils ne dictaient pas une mise en scène précise comme ceux que réalisait Max Douy pour les films d'Autant-Lara. Tout en étant précis, en regardant attentivement les plans que je lui donne, Resnais a besoin d'une liberté sur le moment, quand il est dans les lieux. Son idéal serait que je lui donne les décors quinze jours avant pour pouvoir y rester tout seul ou avec ses comédiens. Mais le cinéma étant ce qu'il est, on arrive toujours au dernier moment. Et Resnais n'est pas très heureux car il aime bien habiter un endroit et le connaître, de même qu'il aime bien discuter avec les comédiens. Il fait des approches successives, il les fait travailler en fonction de leur personnalité. Le décor, c'est un peu la même chose. Je vois tout de suite s'il est vraiment à l'aise dans un décor qu'il connaît bien, ou s'il ne l'est pas tout à fait. Mais jamais il ne m'a dit d'un décor fini que cela ne correspondait absolument pas à ce qu'il fallait. Je me demande d'ailleurs s'il me l'aurait dit et ne s'en serait pas accommodé par la force des choses.

La prédilection manifeste de Resnais pour le studio n'entre-t-elle pas en contradiction avec l'avantage principal du décor réel, qui est justement, comme dans L'Amour à mort, *qu'il peut l'habiter avec ses comédiens quinze jours avant le tournage*[1]?

Exactement. Mais même *L'Amour à mort,* en réalité, c'est un film qu'il a hésité à faire en studio. J'avais établi un devis, cela revenait un peu plus cher. Or le budget du film était vraiment très réduit. Comme le producteur ne tenait pas du tout à le faire en studio, nous n'avons pas insisté. L'idéal aurait été de construire un décor, mais sur place, dans la campagne d'Uzès. Cela aurait réuni les avantages de la nature pour le tournage en extérieurs (Resnais croit à l'ambiance des lieux, à l'atmosphère) et ceux d'un décor construit. Resnais aime bien être tranquille, dans un lieu fait pour travailler. Un studio, il adore ça.

L'escalier en colimaçon joue un grand rôle dans la mise en scène de L'Amour à mort, *pour retarder ou plutôt accentuer les déplacements.*

Des gens m'ont dit : « *On voit que tu as travaillé, que c'est un escalier construit et trafiqué.* » En réalité j'ai fait très peu de chose dans ce film, j'en préparais un autre en même temps.

---

1. Depuis le présent entretien, Resnais a cependant pu obtenir que les décors de *Mélo,* film presque entièrement tourné en studio, lui soient livrés deux semaines avant le tournage. Jacques Saulnier a parlé en détail de son travail sur *Mélo* à Jean-Pierre Berthomé (*Positif* n° 307).

Avez-vous participé au choix de la maison?

Pratiquement pas. Resnais en avait repéré deux ou trois : il était évident que c'était la mieux, même si ce n'était pas exactement ce qu'il souhaitait. Si on l'avait construite en studio, je l'aurais faite moins « décorateur ». Elle était un peu trop riche, je trouve. Mais il savait qu'il travaillerait beaucoup avec des longues focales; le style de la maison a donc disparu en grande partie. C'était la mieux située par rapport à l'extérieur et au parc. Nous étions isolés, personne n'y habitait. Resnais n'aime pas du tout qu'il y ait cinquante personnes qui le regardent travailler, surtout si elles sont étrangères au film. Je suis exactement comme lui. Il y a des périodes de travail où il faut être seul. Et c'est aussi une forme de timidité, je crois. Resnais n'est pas du tout un monsieur qui s'exhibe et qui joue les cinéastes. Au début nous avions d'ailleurs des rapports de timidité assez curieux. Il était très renfermé, avait du mal à s'exprimer (il a beaucoup changé depuis). Il m'intimidait énormément.

Le plus difficile, c'est de travailler pour la première fois avec un metteur en scène. Le langage est assez limité. Et une fois qu'on sait ce qu'il aime, quand on connaît bien son style, ça se passe de plus en plus simplement. Pour *La vie est un roman,* c'est surtout avec Florence Malraux que j'ai fait les repérages pendant que Resnais travaillait sur le scénario. Souvenez-vous du plan extérieur de la serre, avec cette allée. Quand j'ai vu ça, j'ai dit à Florence : « *Ça, c'est un plan pour le film. C'est tout Alain.* » Je connais ce genre d'images qu'il a en tête : des arbres très hauts, quelque chose de sinistre, un bâtiment 1930 aux formes étranges... Les décors viennent au fur et à mesure, c'est un enchaînement d'idées. Resnais amène de temps en temps des photos de repérage, nous évoquons des exemples qui n'ont pas directement de rapport avec le décor que nous préparons. C'est ainsi que Resnais m'a fait lire Lovecraft au moment de *Providence.* Il pense qu'il reste toujours quelque chose d'un document ou d'une sensation. Cela se traduit d'une façon plus ou moins visible.

Quelle aurait été l'influence de Lovecraft sur les décors de Providence?

Pour moi, c'est la présence de la mort. Mais j'ignore quel en est le résultat concret. Pour l'appartement de Dirk Bogarde, j'ai tout de suite pensé à un caveau de famille, et ça s'est mélangé avec l'Exposition de 1937 en Allemagne. Le décor, c'est comme la grande cuisine : on n'invente pas réellement de nouveaux plats, tout est dans le dosage des aliments de base et des épices.

Est-ce que vous évoquez avec Resnais des références picturales?

De temps en temps, oui, mais de manière générale ce sont plutôt des références architecturales. Tout en adorant la peinture, Resnais mesure très bien la différence. Alors que beaucoup de metteurs en scène qui ont des prétentions intellectuelles ne comprennent pas que la peinture, c'est tout d'abord un plan fixe, et que ça ne présente que peu de rapports avec un décor de cinéma. Les conversations auxquelles j'ai assisté sur les rapports entre le cinéma et la lumière du peintre me laissent très sceptique. Resnais en un sens est beaucoup plus concret que d'autres, et beaucoup moins rêveur. Je dirais même qu'il est très « matérialiste ». Dans ses contacts avec moi, il ne fait pas du tout de littérature. Avec les autres non plus, je crois.

Préparez-vous vos décors en relation avec les créateurs de costumes?

On en parle, mais on ne prépare pas en même temps. C'est Resnais qui fait la synthèse entre tous les collaborateurs. Quand on a fait *La vie est un roman,* je n'ai pu m'empêcher de lui dire que j'aimerais bien écouter la musique. « *Non, non,* m'a-t-il dit, *ça va très bien, ne sois pas troublé par la musique.* » J'ai donc entendu la musique en même temps que tout le monde, pendant le tournage, et je n'ai même entendu certains morceaux qu'une fois le film achevé. Resnais aime bien rencontrer ses collaborateurs séparément. Comme il le dit lui-même, il n'a pas le don d'ubiquité, et il faut toujours un certain temps pour s'expliquer. Alors que dans ses films il lance souvent des fausses pistes, dans le travail il n'aime pas du tout les malentendus. Il fait partager sa conception du sujet à tous ceux avec qui il travaille, avec un tact et une patience exceptionnels. C'est vraiment le metteur en scène avec lequel j'aime le mieux travailler. En général il me demande des décors intéressants. Même s'il me demandait de faire une chambre de bonne, elle deviendrait intéressante dans la mesure où il vous explique qui est la bonne, de quel stylo elle se sert, et pourquoi elle aurait tel ou tel objet chez elle. Nous avons même eu des discussions, par exemple pour l'appartement de Geneviève Bujold dans *La guerre est finie* (je lui disais que les jeunes filles de maintenant, ce n'était pas tout à fait ça), mais on finit toujours par se mettre d'accord. Les HLM de *La guerre est finie* étaient loin d'être inintéressants. Il veut parfois des décors qu'on ne voit pas, mais qui permettent aux comédiens d'être à leur aise dans le rôle qu'ils interprètent.

Mais plus ça va, plus Resnais au fond voudrait qu'on voie les décors. C'est peut-être une tendance générale aujourd'hui dans le cinéma. A un moment on ne tournait presque plus qu'en décor naturel. Les décors construits que l'on faisait parfois pour des raisons techniques devaient raccorder, leur coût a augmenté puisqu'il fallait parfaire la patine afin qu'on sente le passage du temps. Aujourd'hui, peut-être à cause des films d'aventures, du cinéma américain, à cause de Fellini et d'autres metteurs en scène (Resnais adore le cinéma de 1930 où l'on voyait par exemple les décors de L'Herbier), on s'aperçoit qu'au fond on peut inventer des décors qui se voient. Je suis ravi : ça entraîne à chercher. Mais je crois que ça dépend du film, du sujet; il n'y a pas de loi. Pour *Mon oncle d'Amérique* on a tourné dans des lieux existants (le producteur refusait le studio pour des raisons d'économie), mais en les transformant complètement. Le bureau de l'ORTF, c'était une banque. Nous avons tiré parti de quelques éléments utilisables, mais en fait ça équivaut à des décors construits, à cela près qu'on est limité par les dimensions des pièces. L'opérateur est moins à l'aise pour éclairer, ce sont de fausses économies. Il était aussi simple de construire tous les décors en studio. Encore faut-il que le plateau ne soit pas trop étroit. C'était le cas de *Muriel* : Vierny m'a dit tout de suite qu'il n'était pas à l'aise. Il faut quand même de la place pour la lumière.

Avez-vous dû aménager le château de John Gielgud dans Providence*?*

On y a très peu tourné en intérieur : un plan dans l'escalier, pour lequel nous avons installé des tapis. Le reste était du studio. *Providence,* à l'origine, est un film qui devait être entièrement tourné en Nouvelle-Angleterre, où Resnais et moi avions fait des repérages très poussés. Pour des raisons de production, Resnais a finalement dû tourner en France, mais il n'a accepté qu'à condition qu'on trouve une maison vraiment américaine. C'est Jean Léon, son assistant, qui bien qu'il n'ait pas travaillé sur le film a trouvé cette maison 1880 construite à Limoges par un architecte américain, et dont le parc était fait en partie d'essences d'arbres américains et canadiens. L'extérieur était en très mauvais état et nous avons repeint une partie des fenêtres, mais nous n'avons pas fait grand-chose en dehors de l'installation de la table pour laquelle Resnais et Mérangel, l'ensemblier [1], ont choisi les couverts et les verres avec le plus grand soin. Resnais attache parfois énormément d'importance à des détails infimes. Il affirme, à juste titre, que cela se sent. Il a un grand souci de la typographie, et j'ai pu m'en rendre compte quand nous avons eu l'occasion de concevoir des affiches comme celle de la pièce de théâtre où joue Nicole Garcia dans *Mon oncle d'Amérique.* Il a une passion pour les crayons, il n'écrit pas sur n'importe quel type de papier, il a des côtés maniaques de vieux garçon qui m'amusent. Dans *La guerre est finie,* il a passé une heure ou deux à choisir les livres que l'on mettrait dans la bibliothèque d'Ingrid Thu-

1. L'ensemblier est chargé, en étroite collaboration avec le chef décorateur, de rassembler les meubles et objets destinés à compléter le décor.

lin et dans celle de Montand. Je lui ai demandé : « *Tu crois vraiment que ça a une importance? Il n'y a aucun gros plan.* » – « *C'est vrai, mais je le fais pour les comédiens. Je veux qu'ils soient à l'aise.* » Et ça il le croit sincèrement.

Vous avez dû réaliser les décors de La guerre est finie *en Suède?*

C'est l'une des aberrations du cinéma que d'aller faire des appartements français à Stockholm sous prétexte qu'il s'agit d'une coproduction. Nous avions fait venir tous les meubles. La seule chose que je n'avais pas amenée, en me disant qu'on les trouverait là-bas, c'étaient les moquettes et les tissus des rideaux. En fait, on a eu beaucoup de mal à se procurer les tissus ou la quincaillerie. Ce sont des choses que vous ne remarquez pas, mais certaines serrures ne sont pas des serrures françaises.

Vous avez longtemps fait équipe avec Charles Mérangel.

C'est un monsieur que j'avais connu jeune et avec qui je m'entendais très bien. Il a pris sa retraite, je travaille maintenant avec un jeune ensemblier de trente-cinq ans, Philippe Turlure, qui est très différent de caractère mais qui a aussi beaucoup de goût et qui connaît bien son métier. Comme il est jeune, il a plus de culot, et ça n'a pas déplu à Resnais. Si Resnais est assez fidèle, s'il aime bien être en pays de connaissance – je mettrais ça peut-être sur le compte de la timidité –, de temps en temps il aime bien avoir des éléments nouveaux. Au moment de *Je t'aime je t'aime* il m'avait téléphoné pour me dire : « *Ne crois pas que je ne veuille plus travailler avec toi, mais je ressens un peu le besoin de changer, de connaître d'autres gens. On me reproche peut-être d'avoir une équipe trop homogène.* » Je lui ai répondu : « *Écoute, on n'a signé le contrat que pour un film, ça me paraît tout à fait logique.* » Cela dit, j'étais ravi quand par la suite il a de nouveau fait appel à moi.

Est-ce que vous faites souvent des maquettes en trois dimensions?

J'en avais fait une pour *Stavisky...*, et plusieurs pour *Providence.* J'avais eu l'occasion d'en faire pour Verneuil, qui ne comprend pas toujours mes plans, et Resnais m'a demandé de lui en faire aussi. Il était très content, il jouait avec des marionnettes à l'intérieur afin de se faire une idée nette. C'est vrai que c'est utile pour discuter avec l'opérateur, on se rend mieux compte en volume. Pour *Muriel* par exemple, je ne crois pas que ça vaille le coup, mais quand c'est un style un peu particulier, quand on essaie d'inventer une architecture, on y voit tout de même un peu plus clair. Mais il faut plusieurs semaines pour faire une maquette construite. A défaut, Resnais, très souvent, me demande de lui agrandir les plans. On ne peut pas dire qu'il fasse sa mise en scène à ce moment-là, mais ça lui permet aussi de dégrossir les déplacements des personnages avec ses petites figurines, de s'assurer que la plantation générale et les emplacements d'un élément par rapport à un autre lui conviennent. C'est le seul metteur en scène que je connaisse à travailler de cette façon.

Est-ce que vous travaillez en couleurs pour un film en noir et blanc comme L'Année dernière à Marienbad *ou* La guerre est finie*?*

Le décor de *Marienbad* était en couleurs, ce que je ne referais pas aujourd'hui. Les murs étaient roses, et les moulures argentées. Ce ton rose était assez étrange, mais cela donnait une très belle photo, un très beau gris. Sacha Vierny était ravi, très à l'aise. J'ai du mal aujourd'hui à imaginer les films en noir et blanc tellement la couleur est passée dans les mœurs. Resnais ne voulait pas que *Providence* soit un film coloré, nous avons donc éliminé tous les objets un peu colorés.

Les plafonds filmés dans l'introduction de Marienbad, *avant la représentation théâtrale, sont-ils des plafonds réels ou aménagés?*

C'est mélangé. Certains plans ont été tournés à Schleissheim, et d'autres dans la chambre en studio. Malheureusement, je le remarque à chaque fois, l'un des calques est mal tendu : les œils-de-bœuf qui s'inscrivent dans une grande corniche courbe. Resnais n'avait pas d'idées préconçues sur ce style baroque, c'est venu petit à petit. Un jour je lui ai montré une photo des appartements du Dauphin à Schönbrunn, une boiserie allemande dont les formes en sinusoïdales l'ont beaucoup intéressé. Nous avons construit une corniche plus grande, avec des œils-de-bœuf en haut, mais la forme générale respectait tout à fait cette sinusoïdale. Je suis donc parti de cette idée. On a inventé des panneaux, repris certaines sculptures qui s'inscrivaient dans ces panneaux et dont le motif, disait-il, lui faisait penser au mouvement d'une phrase. Je ne me rappelle plus qui de nous deux a proposé – je crois que les idées s'entremêlent – que la chambre soit de plus en plus chargée, qu'il y ait de plus en plus d'éléments. Ces panneaux étant prévus avant le tournage, il n'y avait plus qu'à les changer, à rajouter des moulures en plastique.

Pour concevoir les décors de Marienbad, *est-ce que vous deviez prendre pour point de départ les éléments réels qui étaient utilisés dans le film?*

La moitié du film était tournée en studio et l'autre dans les châteaux munichois. Il fallait donc que cela raccorde, que tout soit de la même famille. Si nous avions trouvé un long couloir de soixante mètres, nous n'aurions sans doute pas eu à en construire un, mais Resnais tenait absolument à ces grands travellings, ces arrivées sur Delphine Seyrig. On évite quand même de trop construire, car ça coûte assez cher. Resnais est un monsieur très raisonnable.

Auriez-vous souhaité que Marienbad *soit entièrement tourné en studio?*

Absolument. Nous aurions été plus loin dans la folie. Je crois que *Marienbad* aurait pu être encore plus étrange. Par contre, comme avec *Stavisky...* il voulait par certains côtés faire un film 1935, j'aurais aimé construire une façade stylisée. Mais Resnais a préféré utiliser l'hôtel particulier qu'avait Stavisky place Saint-Georges. Il désirait qu'il y ait par moments des points exacts, que le film ait aussi un côté document. Si on avait pu trouver le vrai lit près duquel a été tué Stavisky, il aurait été ravi. Mais on a déniché la photo, ce qui m'a permis de le reproduire intégralement.

Et dans la scène de l'arrestation de Stavisky...

Nous sommes partis d'une gravure qui avait paru dans *Le Petit Journal* [1]. Nous avons essayé de trouver le même genre de lustre, de table, de reproduire la disposition de la pièce telle qu'elle était dessinée. Dans *Stavisky...*, nous avons fait aussi tout l'intérieur des bureaux. Resnais m'avait dit : « *Le bureau de Stavisky, je ne sais pas ce que c'est.* » Je le voyais franchement 1930, très « mode », mais on partait de la façade de la place Saint-Georges qui est 1880. Or j'aime bien qu'un décor ait une unité, qu'on ne saute pas directement d'une façade 1880 à un bureau 1930. Nous avons donc construit un petit bout d'escalier en marbre 1900, la salle du conseil d'administration, stylisée, était 1920, et enfin on arrivait au 1930. Il y avait une idée de transformation, de mélange d'époques.

On a fait tout le Claridge, y compris l'extérieur, puisque le Claridge n'existe plus. A la fin d'un travelling extérieur sur le balcon, le décor s'ouvrait, la caméra rentrait dans le décor. Mnouchkine, le producteur, ne voulait pas qu'on construise cette suite d'hôtel. Elle était beaucoup plus grande que ne le sont les suites princières en réalité. Je les ai toutes visitées, elles ne sont pas très intéressantes. Les couleurs ne sont pas belles. En un sens, ce décor n'était pas réaliste non plus. Souvent, pour donner une impression de luxe ou de pauvreté, il faut une certaine schématisation, il faut faire ressortir un peu trop le caractère. Les salles à manger et le hall du Claridge ont été faits dans un hôtel de Biarritz, mais

1. *L'Avant-Scène cinéma* a reproduit cette gravure dans son n° 156, p. 6.

il ne reste rien de cet hôtel, il est méconnaissable. On a changé les portes, construit l'ascenseur car Resnais tenait à ce mouvement descendant, à l'arrivée de Belmondo en ascenseur. Nous avions désespérément cherché un hôtel d'époque avec un ascenseur où l'on puisse tourner – ce n'est pas si facile – lorsque j'ai dit à Resnais : « *Écoute, cet étage s'y prête, construisons un ascenseur !* » Cela représentait quatre ou cinq millions de centimes. Après nous avoir traités de fous, Mnouchkine a fini par accepter. Nous l'avons donc construit sur place, à Biarritz. Et pour l'arrivée de Raimondi et de son père dans *La vie est un roman,* j'ai proposé à Resnais : « *Dis donc, si on refaisait le coup de l'ascenseur?* » Nous l'avons refait, différemment, mais nous l'avons refait. Il ne le mettra pas dans tous ses films, mais là c'est venu très vite car je savais qu'il adorait ce mouvement.

Combien de temps avant le tournage avez-vous commencé à travailler sur La vie est un roman*?*

J'ai travaillé tout seul ici pendant six mois. Resnais venait trois ou quatre fois par semaine. On ne savait pas du tout si le film allait se faire. Pour presque tous les films de Resnais, quinze jours ou un mois avant de tourner, il a fallu se dire : « Le film est 10 % trop cher : que supprime-t-on? » *La guerre est finie* par exemple a failli capoter. Un mois peut-être avant le tournage de *La vie est un roman,* aucun contrat n'était signé. Resnais ignorait si les comédiens seraient libres au même moment. Mais Lebovici voulait absolument faire *La vie est un roman,* il y croyait tellement. Une fois que le film s'est décidé, tout s'est passé très vite. On a eu huit jours de dessin avant de commencer à construire. Les menuisiers étaient sur place, il fallait leur donner des dessins de travail.

Ce qui préoccupait Resnais, c'était le hall. On avait fait des repérages, mais je n'avais pour ainsi dire rien mis sur le papier. Resnais m'a dit : « *J'aimerais bien que tu me dessines le hall* » – « *Je dois connaître l'extérieur d'abord, je ne peux pas faire l'intérieur du bâtiment sans en connaître l'extérieur* » – « *C'est vrai, au fond tu as raison.* » J'ai une formation d'architecte, c'est une certaine logique. Ensuite je lui ai montré les premiers croquis, puis je les ai mis un peu plus au propre pour m'éclaircir les idées. J'avais fait le château sans les flèches. Il lui plaisait bien, et huit jours après il m'a dit : « *J'y ai repensé cette nuit, je verrais bien des flèches qui montent dans le ciel, un peu comme Notre-Dame, des flèches noires.* » C'est du reste la seule chose qu'il m'ait fait ajouter.

Dans La vie est un roman, *comme d'ailleurs dans* Mon oncle d'Amérique, *les maquettes en volume font partie de l'histoire.*

Dans *Mon oncle d'Amérique,* la maquette avec les rats avait beaucoup amusé Resnais. Lui, au début, ne pensait pas qu'elle allait être aussi réaliste et qu'il s'agirait vraiment du même appartement, je l'ai poussé dans ce sens-là. J'ai mis deux mois à finir la maquette, on a tourné chez moi avec les rats.

Pour la maquette d'Élisabeth dans *La vie est un roman,* il fallait qu'il y ait trois états différents : l'un représentait la nature, l'autre la civilisation moderne, et l'état intermédiaire mélangeait plusieurs époques, jusqu'à l'invention du chemin de fer. A l'origine ce devait être des éléments superposés en couches horizontales et que l'on aurait dégagés au fur et à mesure. Mais c'était très compliqué à construire, je trouvais que cela ne faisait pas travail d'enfant. Finalement on l'a fait en tranches verticales, avec des blocs que l'on pouvait permuter à volonté, en remplaçant par exemple une ferme de montagne par une station de sports d'hiver. Il fallait quand même que ce soit très simple, que ça puisse avoir été fait par les enfants de la classe d'Élisabeth. Je me suis attaché à être relativement réaliste, si tant est qu'on puisse parler de réalisme à propos de Resnais.

Quant à la maquette de Forbek, j'ai pris comme point

de départ la partie du château que nous avions construite et que l'on voit dans le film (le château est resté inachevé à cause de la guerre de 14), et j'ai agrandi, j'ai un peu brodé pour en faire la cité idéale, ce temple du bonheur dont rêvait Forbek. Le château lui-même était une architecture très mélangée, qui devait ressembler un peu à un condensé de toutes les civilisations. On y retrouve un bout de gratte-ciel plus ou moins gréco-américain qui existe à New York et que nous avons transformé, des éléments pris en Chine, en Angleterre, en Allemagne ou ailleurs, des influences médiévales, ou encore un pont hindou surmonté d'une espèce de tortue et que nous avons construit trois fois, à trois échelles différentes. Le tout était de mélanger ces éléments divers de façon qu'on ne puisse rien reconnaître de façon vraiment précise.

Comment avez-vous transformé le château pour passer d'une époque à l'autre?

Nous avons juste eu le temps, en une matinée, d'éliminer toutes les couleurs, malheureusement pas autant qu'il aurait fallu. Comme les séquences de 1919 se déroulaient presque toutes de nuit, les couleurs ont eu tendance à disparaître, surtout avec la lumière qu'a faite Nuytten. Il me semble que le vieillissement du château n'est pas suffisamment net. En particulier, comme les scènes à l'extérieur du château ont été tournées à trois jours d'intervalle, la végétation reste exactement la même. Si nous avions eu plus d'argent, nous aurions construit le château à deux endroits différents afin que le parc puisse changer, les arbres ayant beaucoup grandi en soixante ans. Mais sans moyens on ne peut pas faire de miracles, et ces scènes furent tournées tellement vite... C'était osé de tourner au mois de septembre la séquence sous la neige. Par moments, d'ailleurs, on voit le soleil arriver. Et après, quand il fallait du soleil, on n'a eu que de la pluie. Cela dit, quand Resnais a présenté *La vie est un roman* à New York, un universitaire américain est venu lui dire : « *Je vais en France cet été, je veux absolument voir ce château.* » Qu'un professeur d'architecture ait pu croire qu'un tel château existe, cela m'a fait plaisir. Mais je ne crois pas que ce soit dû au décor lui-même. C'est le décor, mais vu par Resnais.

Comment a été réalisé le plan d'ensemble de Providence *où des vagues, derrière la véranda, déferlent contre des dunes factices?*

C'est arrivé par hasard. Nous avions parlé des trois lieux qui se trouveraient derrière cette véranda, Resnais voulait des cartes postales. Des cartes postales en couleurs, très souvenir de vacances. Les vagues peintes ne le gênaient pas : comme c'était un lointain, on ne sentirait pas trop qu'elles étaient fixes et non animées. On a donc réalisé un fond de carte postale qui avait trente-cinq mètres de long.

Ce décor, qui a demandé à peu près un mois de construction, n'a été vraiment achevé que la veille du tournage. Resnais n'était pas venu depuis huit jours. (Il vient souvent sur les décors en construction pour suivre les étapes au fur et à mesure, mais tant que le décor n'est pas fini, qu'il n'y a pas la végétation, on se rend mal compte.) Le soir, quand j'ai vu le décor éclairé, j'ai eu peur que les vagues fixes ne soient gênantes, car la scène durait quand même un certain temps. Et dans la nuit j'ai pensé à un truquage très simple, mais que je n'avais jamais fait. Je n'étais pas sûr de pouvoir le réaliser, et on tournait à midi. Le lendemain matin à sept heures, avec les ouvriers, on a préparé une sorte de grosse gouttière en tôle, et on a projeté, avec de l'air comprimé, du polystyrène en grains qui se répartissait de gauche à droite. On a dû terminer vers dix heures du matin. Quand Resnais est arrivé je lui ai tout de suite montré. Il me répond : « *Oui, je ne sais pas.* » Il avait des préoccupations avec sa mise en scène. Pendant le repas j'ai insisté car j'y croyais beaucoup. Dans l'après-midi, après avoir tourné plusieurs plans qui n'avaient pas besoin d'être animés car le fond était un peu flou, il a tourné le plan suivant d'abord avec la vague fixe, puis avec la vague truquée. En sortant de la projection, je lui demande : « *Tu vas garder celui avec la vague, hein?* » – «*Ah, je ne sais pas, je verrai au montage.*» Il était déjà troublé mais pas convaincu. Et ce n'est qu'une fois le film fini que j'ai eu la surprise de voir qu'il avait judicieusement utilisé ce truquage. Beaucoup de gens m'ont demandé comment c'était fait et, croyant connaître Resnais, ont cru à un truquage prémédité et compliqué. Mais, je le répète, c'est arrivé par hasard. Le cinéma, c'est souvent du bricolage.

CATHERINE LETERRIER

Créatrice de costumes

Responsable des costumes de tous les films de Resnais depuis *Providence*, Catherine Leterrier a également travaillé, entre autres, sur plusieurs films de Philippe de Broca, Claude Lelouch, Jean-Paul Rappeneau, Jacques Rouffio, François Leterrier et Pierre Granier-Deferre.

LE VOILE DE LA FICTION

Plusieurs mois avant le tournage de *Providence,* mon premier film avec lui, Alain Resnais est venu me montrer des photos qu'il avait prises : des racines, des sous-bois, des rochers... J'allais partir en vacances, et comme j'aime bien me mettre en condition, entrer dans le monde du réalisateur avec lequel je travaille, je lui ai demandé ce que je pouvais faire pour préparer ce film dont je ne connaissais pas encore le scénario. Il m'a répondu : « *Si vous voulez, vous pouvez lire Lovecraft* », en m'indiquant deux titres qui correspondaient plus précisément à l'ambiance de son film. Je savais qu'il y aurait un imaginaire particulier, qu'il fallait donner une impression de rêve, c'est tout. Jusqu'au jour où, trois mois après peut-être, il m'a donné le scénario à lire. Les costumes devaient faire percevoir la différence entre la réalité et la fiction. J'ai pensé qu'on pourrait brouiller la perception de la réalité en n'utilisant pas de vraies couleurs. Dirk Bogarde, quand il est en smoking dans la fiction, porte une chemise grise, qui donne l'impression du blanc sans en être. Quand j'avais travaillé sur *L'important c'est d'aimer* pour Zulawski, qui lui non plus ne voulait pas de blanc, j'avais employé des teintes beiges, c'est-à-dire des fausses teintes chaudes; tandis qu'avec Alain c'était le gris, parce que cela devait être très froid. J'ai tout fait teindre, tous les blancs sont teints, afin que le maquillage, lui, ne soit pas modifié. On aurait également pu tout filtrer, mais de cette façon les paysages, les maquillages, les visages sont tels que le voulaient Resnais et Ricardo Aronovich, le directeur de la photo. Souvent on reteint les tissus, soit pour « entrer » le costume dans le décor, soit au contraire pour le « sortir ». Il y avait une recherche de décalage, le costume, sa couleur étaient perçus comme bizarres. Alain ne voulait pas non plus que ce soit sophistiqué. C'étaient des couleurs que les personnages auraient pu porter, des couleurs mélangées qui ne vont pas forcément ensemble, mais avec ce voile pour la fiction. Il y avait des couleurs fraîches et « vraies » pour la réalité, pour les moments de bonheur, et aussi ces lie-de-vin et ces pourpres, car Alain module beaucoup les rouges. On a teint des pyjamas pour Gielgud. Pour sa robe de chambre, j'avais été chercher à Londres du tissu chez Liberty que j'ai reteint, et qui me plaisait justement pour cette ambiance Lovecraft : c'était un tissu avec des plumes de paon, qui faisait un peu feuillage.

J'ai habillé la plupart des acteurs à Londres. J'y suis allée avec Alain pour les rencontrer, puis j'y suis retournée plusieurs fois toute seule pour les essayages. Je ne dessine jamais de costume sans en avoir parlé avec l'acteur, car le costume fait partie de son personnage. C'est un dialogue : on essaie de travailler à deux sur l'idée à proposer à Alain. Certains metteurs en scène ne disent pas aux acteurs ce qu'ils vont faire, mais avec lui ce n'est pas le cas : il les voit souvent pendant l'écriture du scénario, les acteurs ont déjà travaillé sur les personnages au moment où on fait leur costume. Je n'ai pas d'idées préconçues, je suis un peu caméléon. Un film, ça se passe entre le metteur en scène et l'acteur, et j'essaie de faire passer leurs idées.

Pour la fin dans le parc, Resnais voulait une image printanière, libérée. On a pris des couleurs qui s'harmonisaient, mais en même temps les personnages sont séparés par leur style : Gielgud, très élégant et campagnard, a un costume de lin grège fait par un tailleur de Savile Row; Bogarde, lui, est du genre vieux tricot, élégant certes mais quand même pas de la même génération; et Burstyn est en mousseline, ce qui fait garden-party et contribue donc à l'isoler. Malgré tout, les personnages vivaient chacun dans un monde différent. La robe en mousseline d'Ellen Burstyn avait été dessinée par Yves Saint Laurent. Nous avions également pris certains vêtements de la collection, en particulier pour Bogarde. Cela ne veut pas dire que tout ce que portaient Bogarde et Burstyn venait de Saint Laurent. Mais ce métier consiste quelquefois simplement à intégrer un costume de Saint Laurent dans un décor. Si je fais un film qui se passe en 1925 et que je trouve une superbe robe de Poiret, je ne vois pas pourquoi je créerais pour le plaisir d'être créatrice. De même avec Kenzo ou Mugler pour un film moderne.

Notre définition est bizarre : on dit « créateur de costumes », en fait il faudrait parler de « responsable des costumes ». Notre travail, c'est d'être responsable de ce que l'on verra à l'écran, d'avoir une conception générale du film. S'il faut créer nous devons être capables de le faire, mais pourquoi créer quelque chose qui existe et qui correspond à un personnage ou à une époque? Acheter un pull chez Tati ou emprunter une robe chez Saint Laurent, cela fait partie du travail des costumes qui, à mon avis, est plutôt un travail de sociologie. Nous aidons les acteurs à s'intégrer dans un monde, à entrer dans leur personnage. Dans *Mon oncle d'Amérique* en particulier, je pense que Resnais voulait donner une impression psychologique et sociologique, et s'approcher le plus possible du quotidien. Les vêtements, très souvent ce n'est pas intéressant du point de vue esthétique. On a sans doute fait attention à la grâce de la jupe de Nicole Garcia ou à ses deux robes rouges, celle qu'elle porte à la ville et celle, d'un rouge plus intense et soutenu, de la pièce de théâtre, mais on a surtout essayé de déterminer les milieux et leur évolution.

On a tout fait pour que le spectateur comprenne immédiatement les origines de ces personnages qui venaient de milieux très différents. Les rôles secondaires, j'adore ça, et toute cette société intéressait beaucoup Alain. J'ai plus d'angoisse à faire un film moderne, où le moindre détail de société est beaucoup plus perçu par le spectateur, qu'un film d'époque où, en dehors de quelques spécialistes, les gens sont épatés beaucoup plus facilement.

COMME DE L'EAU SUR LE VISAGE

Pour *La vie est un roman,* Resnais voulait que les séquences légendaires ne soient pas vues par lui, mais qu'elles soient « bilalesques ». J'ai donc travaillé avec Bilal comme si c'était lui le metteur en scène. Dans un premier temps nous sommes allés tous les deux à Londres chez Berman, qui a un grand stock d'époque. Nous avons fait des Polaroïd que nous avons montrés à Alain, puis on a complété. J'ai fait des pulls, des collants, la robe de la princesse, et Montserrat Orri, une femme sculpteur avec qui je travaille souvent, a fait un collant et un masque pour le lézard, ainsi que les structures des nains d'après les dessins de Bilal. Nous nous sommes inspirés aussi de Prince Vaillant, par exemple pour les coiffures. Alain voulait que les costumes aient l'air très faux, que les perruques fassent perruque. Le costume de lion, nous l'avons loué chez Sommier à Paris. J'avais prévenu Alain qu'il n'aurait pas l'air d'un vrai lion, mais d'un lion en peluche, et il m'a répondu : « *C'est parfait.* » Simplement, comme il était un peu mité, on lui a rajouté une crinière. C'est toujours du bricolage...

Pour l'époque contemporaine, c'est la maison Dior qui a fait les costumes des hommes, et moi ceux des femmes. Dior a également fait le smoking de Ruggero Raimondi, et je suis allée à Rome pour louer les costumes de l'époque Forbek. Les robes du soir sont des robes authentiques de l'époque que j'ai trouvées chez Tirelli. C'était somptueux, les décors et les costumes étaient magnifiques, et en même temps nous avions très peu d'argent. Resnais savait par exemple que l'époque légendaire ferait un peu trop pauvre, mais c'était ça ou on ne faisait pas le film. La production a été très efficace dans *La vie est un roman,* c'est un film qui aurait pu – qui aurait dû – coûter quatre fois plus cher.

J'ai aussi beaucoup travaillé avec Saulnier. Il m'a montré des livres, avec des meubles de Bugatti. Avant de dessiner ces robes plissées à la Fortuny, j'avais vu longtemps à l'avance les décors dessinés par Saulnier. Alain avait quelques exigences : il ne fallait pas différencier le sexe par le costume, il fallait une chose dans laquelle on soit extrêmement à l'aise, et il y avait l'époque à laquelle cela se passait, 1919. J'ai assez longtemps tourné autour, car c'est très difficile de faire des choses qui ne soient pas ridicules, et finalement j'ai fait faire des tissus à la façon de Fortuny, un couturier vénitien qui était la grande mode en 1919. Retrouver Fortuny, c'était à la fois créatif et « social », réel : si en 1919 un milliardaire avait dû habiller ses invités, il aurait peut-être choisi des robes de Fortuny. En même temps, Fortuny n'a jamais fait ces robes-là. Il y a tout un travail de teinture, nous avons fait des arrangements, nous avons demandé des formes particulières. Nous avons fait faire spécialement à Lyon je ne sais plus quel métrage de tissu. Les premiers essais ont été faits sur du blanc. C'est un tissu qui n'était pas uni, il était teint irrégulièrement. C'était une couleur beige, mais comme les plis font des ombres et que c'était un tissu synthétique extrêmement brillant, c'est la lumière et le décor qui faisaient la couleur. La cagoule en soie a elle aussi été faite spécialement. Alain voulait une chose qui glisse comme de l'eau sur le visage. Ce qui est aussi très amusant avec les costumes de cinéma, c'est qu'on est obligé d'employer des matières qui ne font pas de bruit, sinon on ne peut pas faire de son direct. C'était assez sensuel, si on l'enlevait cela faisait un son agréable. Dans *La vie est un roman,* tous les sens devaient être très agréablement sollicités.

L'ÉTOFFE ET LA PEAU

Pendant la préparation de *L'Amour à mort,* Alain m'a simplement dit qu'il voulait que ce soit rouge et noir, ce qui correspondait parfaitement au titre : la mort, noir, et l'amour, rouge. C'était à la fois violent et volontairement naïf. Mais plus que les couleurs elles-mêmes c'étaient les matières qui étaient modulées. D'ailleurs c'est la matière qui change le noir : par exemple, le ciré de Sabine Azéma ne réagit pas du tout de la même façon que la laine, qui absorbe tout. Resnais m'avait décrit ce qu'il souhaitait, et quand j'ai vu ce ciré qui appartenait en fait à la sœur de Sabine, nous le lui avons emprunté pour le tournage... Et puis Resnais voulait un vrai rouge, assez fort. Le ton exact lui importait peu, mais il fallait mettre en valeur le teint de Sabine Azéma. Or ce qui lui va bien, c'est un rouge un peu framboisé. Avec une autre actrice, Alain se serait accommodé d'un rouge plus orangé, mais là c'étaient toujours des rouges framboisés plus ou moins intenses. Comme souvent dans les costumes des films de Resnais, il y avait une grande sensualité – la sensualité, c'est quand même un rapport entre la peau de la comédienne et la couleur, la matière du tissu. La robe assez moulante qui a de petites ouvertures sur les épaules est en tissu doux, angora, le pull rouge est lui aussi en poil un peu angora, et la jupe rouge qui bouge bien (Alain aime beaucoup les jupes plissées) est en velours frappé. J'aime beaucoup les tissus qui bougent, qui se froissent, qui ont une chaleur.

L'esthétisme était réservé à Sabine et à Arditi, tandis que le couple Dussollier-Fanny Ardant, encore une fois, était beaucoup plus « social », proche de la réalité. C'étaient des teintes beiges. Alain, qui avait été à Uzès faire les repérages, m'a parlé du pull en jacquard d'un pasteur (le genre de pull qu'on achète au marché), et la robe de pasteur que porte Fanny Ardant m'a été prêtée par le pasteur du temple de la rue de Grenelle. J'essaie toujours de chercher des choses authentiques. Quand on était à Londres pour *Providence,* je prenais des idées dans la rue et, en dehors de Dirk Bogarde, je n'ai jamais fait porter un vêtement français à ces personnages terriblement anglo-saxons. Pour *Mon oncle d'Amérique,* je suis allée à la Maison de la Radio, voir les secrétaires, les gens qui passaient dans les couloirs. Pour Sabine Azéma dans *La vie est un roman,* j'ai pensé par exemple aux institutrices de mes enfants, et pour Geraldine Chaplin à des intellectuels un peu excentriques que j'avais connus aux États-Unis. Très souvent je donne à Alain des détails anecdotiques de ce genre, et ça l'amuse beaucoup. Pour *L'Amour à mort,* j'avais donc été voir le pasteur de la rue de Grenelle et sa femme, qui était plus âgée que Fanny dans le film. Comme je voulais aussi voir des femmes plus jeunes, ils m'ont invitée à un goûter avec les dames patronnesses de la paroisse. Et je me suis rendu compte que je devais « interpréter », car cela ne correspondait pas du tout à ce que je pensais. Il fallait transformer Fanny en femme modeste de pasteur qui volontairement gommait toute séduction et toute futilité, et j'ai vu des dames patronnesses avec des chignons-choucroutes ! On a cherché des vêtements un peu tristes, j'ai fait tricoter un pull trop petit. Tout est tellement élégant sur Fanny, et Alain ne voulait surtout pas qu'elle soit élégante. Dans *Mélo,* sans vouloir en faire une vieille fille revêche, il m'a aussi demandé de lui mettre des vêtements qui ne soient pas forcément très séduisants. Lorsqu'elle se précipite à la cuisine, elle remonte avec le tablier de la bonne. C'est tout à fait l'humour d'Alain : ça l'amuse de voir Fanny Ardant avec un tablier de ménage.

ACIDES DISSONANCES

Lorsqu'il m'a parlé de *Mélo,* Resnais m'a tout de suite demandé, bien qu'il s'agisse d'une pièce de théâtre, de faire sentir le quotidien de cette époque et de rechercher, quitte à avoir « mauvais goût », des impressions qui ne soient pas transposées. Il m'a parlé des associations du marron et du bleu (un bleu fort, un bleu roi foncé) et m'a montré des dessins, par exemple une aquarelle de Bakst qui contenait les couleurs qu'Alain voulait : des bruns, des brun-rouge, des modulations de bleu. Pour le manteau de Sabine, par exemple, il voulait du bleu marine et non pas du violet, ce qui aurait été plus « joli ». Nous avons ajouté le blanc et le noir pour le soir, et Fanny portait principalement du gris, avec une touche de rouge dans son tricot, à laquelle Resnais tenait d'autant plus que c'était la seule touche de rouge de *Mélo*. La robe de Sabine dans la première scène est une robe très simple, en voile de coton, que Romaine a dû se faire faire chez une couturière de Montrouge : ce n'est volontairement pas élégant, c'est fait pour que Romaine soit une petite bonne femme, mignonne mais pas élégante. De même, pour aller dans le studio de Marcel Blanc, elle a une petite robe mauve qui ne va pas très bien avec son manteau et son chapeau bleus, pas plus qu'avec ses chaussures beiges. Pour la fin, Alain voulait que Sabine porte quelque chose de triste, mais qu'elle ait toujours eu dans sa garde-robe : il fallait que ce ne soit pas triste en soi, mais en fonction du contexte. Nous avons choisi pour le manteau un vert-de-gris, avec une fourrure qui s'appelle du petit-gris et qui correspond socialement à ce que Romaine aurait pu porter, c'est-à-dire une fourrure pas chère, qui se voulait certainement très chic mais qui ne l'était pas. Pour la robe en soie verte, en satin de soie, le tissu a été teint pour faire hiatus avec le décor : c'est brillant, acide, un peu grinçant. A l'origine cette robe était d'un jaune bizarre, d'un jaune moutarde qui s'accordait mieux au décor, mais Resnais voulait quelque chose de plus acide et de plus insolite, et surtout le vert était mieux pour le maquillage de Sabine, afin qu'elle paraisse plus défaite. Dans *Mélo* les costumes ne devaient pas faire « joli », ni reprendre des couleurs déjà vues, car la mode de cette époque est en fait très actuelle : je devais m'en tenir à ce qui n'a pas été assimilé, digéré par nos années quatre-vingt. Par exemple André Dussollier, chez lui, est en gilet pour jouer du violon, mais comme Alain, au départ, avait envie qu'il soit en chandail, j'en ai également fait faire un et je leur ai laissé le choix au tournage. C'était un chandail avec des rayures autour du décolleté en V, comme un chandail de cricket. A l'époque c'était très à la mode, mais aujourd'hui on en trouve dans tous les magasins et donc ça ne correspondait pas tout à fait à ce que Resnais voulait pour *Mélo*. Avant d'entrer complètement dans le personnage il devait être difficile d'assumer le fait d'être en gilet court, compliqué, croisé, et d'avoir à se tenir droit, mais en définitive André a renoncé au chandail.

Pendant la préparation nous sommes allés voir des films à la Cinémathèque. Je me souviens en particulier d'un film où Charles Boyer, sans chemise, au bord du gouffre, portait un polo en laine : en 1930, porter un polo de laine avec une dame, c'était le comble de la neurasthénie. Nous avons beaucoup parlé de la manière dont les vêtements seraient portés, et j'ai fait des recherches de tissu. J'ai eu la chance, pour la robe de chambre marron et noir de Dussollier, de trouver des tissus qui avaient été faits pour Liberty d'après des cartons de Raoul Dufy : ils avaient été dessinés en 1924-1925 et imprimés en 1927 [1]. Pour la petite combinaison de Sabine Azéma, j'ai retrouvé de la soie d'une certaine épaisseur qui ne se fait plus et que j'ai fait venir d'Italie. J'ai fait la robe du soir dans un coupon de tissu de l'époque, de même que les costumes des hommes, les smokings et même les chemises et les cravates. Resnais voulait que tout soit fait très authentiquement. Quand on aperçoit rapidement, dans le miroir, le serveur avec les schachliks en feu, c'est un costume que j'ai fait d'après une gravure du cabaret Casanova que j'avais retrouvée, et que Resnais n'a jamais voulu que je montre à Saulnier. Sabine Azéma et Fanny Ardant étaient toutes contentes de s'habiller à la mode de l'époque, mais à vrai dire ce n'est pas une mode très seyante. Comme cette fois nous faisions faire tous les costumes, il valait mieux habituer les comédiennes à ces vêtements qui n'avaient pas de taille du tout alors que les actrices aujourd'hui ont l'habitude d'être moulées. J'ai donc loué des costumes authentiques qui possédaient les traits les plus marquants de l'époque, c'est-à-dire des costumes bien serrés aux hanches, avec des petits bras et de toutes petites épaules. Alain, qui du reste connaissait parfaitement l'époque, a pu voir aussi bien Fanny Ardant que Sabine Azéma bouger dans ces costumes, et nous nous sommes mis d'accord sur les tissus, sur les formes, les proportions.

Malheureusement cette fois je n'ai pas pu assister au tournage, car j'étais à l'étranger. D'habitude je suis là au moins les premiers jours, le temps que tout se rode, ne

1. L'action de *Mélo* commence en 1926.

serait-ce que pour être témoin de cet instant bizarre où l'acteur fait sien le costume. Quand un acteur comme André Dussollier fait un essayage et qu'on le voit entrer dans un costume d'époque, on se dit : « Le pauvre, ça va être difficile de jouer comme ça », et quand on le voit à l'écran on a l'impression qu'il a toujours été habillé de cette façon. Les grands acteurs, pendant les quelques mois que dure le film, très souvent ne mettent plus les mêmes vêtements, ils changent de corps. Sabine Azéma, qui a une très jolie taille, n'avait plus du tout les mêmes mouvements dans ces vêtements où la taille n'était pas marquée du tout. J'avais fait avancer le talon sur les chaussures pour que Sabine, comme sur les dessins d'époque, ait les pieds très cambrés : ça ne se voit pas dans le film, et pourtant ça lui donne une tout autre démarche. Aux essayages les acteurs regardent les poches, la chaîne de la montre, se demandent où ils vont mettre leurs mains, et je partage leur inquiétude : vont-ils pouvoir jouer avec mon costume ?

ROUGE OU BLEU ?

Quand il me demande des costumes, Resnais me fait souvent des commandes précises. Pour la dernière scène de *Mélo*, par exemple, il voulait que le manteau d'Arditi soit en tissu épais, marron, avec un grand col croisé et une ceinture qu'on puisse aussi porter en martingale. Ce n'est pas difficile : je n'ai plus qu'à exécuter. Pour Dussollier, dont le personnage est plus dandy, Resnais m'avait aussi demandé un costume de fin d'après-midi. Il ne voulait pas montrer la voiture de Marcel Blanc, mais son costume devait indiquer, dans la première scène, qu'il s'agit d'un homme qui possède une belle voiture. J'ai donc fait un costume à quatre poches, boutonné, un gilet un peu compliqué. Alain est quelqu'un qui « prépare » énormément, qui sait d'avance ce qu'il faudra pour telle ou telle scène. Quand nous lui avons montré les costumes de *L'Amour à mort* sur les comédiens, il les a redistribués autrement, en déplaçant certains costumes d'une scène à l'autre. Quelquefois un réalisateur veut retrouver une impression qu'il a eue dans la rue, et il vous décrit un rouge jusqu'au moment où on lui montre le bleu qu'il a vu. Ce n'est pas le cas d'Alain, mais cela arrive souvent. Alain, lui, sait très bien ce qu'il veut, si une manche doit être large ou étroite. Il me décrit souvent les mouvements, par exemple celui du bracelet qu'on enlève à Fanny Ardant dans *La vie est un roman* quand elle fait semblant d'être assoupie, et pour lequel j'ai trouvé un bracelet ancien qui avait un système de ressorts. Il faut que telle chose coule, que telle autre au contraire soit coincée. Dans *L'Amour à mort,* Sabine devait avoir un sac qui ne la gêne pas du tout. Comme elle avait un ciré, Alain avait peur que ça glisse, que ça l'oblige à faire un geste. Les gestes aussi sont très importants pour les costumes de cinéma. Au moment des essais de costumes, on répète ceux qui risquent de poser un problème, on fait attention à l'importance des vêtements par rapport au cadrage. Si un comédien enlace une comédienne et que l'on doit voir ses mains, il ne faut pas qu'un drapé les lui cache. Je travaille aussi beaucoup avec Florence Malraux, l'assistante d'Alain. C'est elle qui organise le « dépouillement » qui indique les costumes nécessaires pour chaque scène, mais aussi c'est souvent à elle que je propose une idée : bien sûr elle ne l'accepte pas pour Alain, mais selon la réaction qu'elle a je peux faire un premier tri. C'est difficile de ne pas être envahissante en ayant un certain nombre d'idées absurdes, et en même temps c'est en ayant ces idées plus « risquées » que le travail avance. Quand c'est plus inattendu, dans un premier temps j'en parle à Florence. Si elle reste très vague, j'attends avant d'en parler éventuellement à Alain, et si elle se montre très enthousiaste, cela me donne du courage. On est quand même très modeste quand on travaille avec des gens comme Resnais, on a tendance à se censurer, mais en même temps il faut être créatif, d'autant plus qu'Alain prend beaucoup les idées des gens avec lesquels il travaille. C'est très difficile d'être spontanée en face de lui, mais après tout c'est quelqu'un qui aime beaucoup parler de choses futiles, très distrayantes. Et je crois que c'est cela qu'il attend de nous : une certaine fraîcheur, une certaine naïveté.

JEAN LÉON

Assistant réalisateur

Premier assistant réalisateur d'Alain Resnais depuis *Hiroshima mon amour*, Jean Léon a travaillé sur sept de ses douze longs métrages, le plus souvent en collaboration avec Florence Malraux. Assistant de nombreux cinéastes dont Jacques Baratier, Pierre Granier-Deferre, Jeanne Moreau, Fred Zinnemann et Gianfranco Mingozzi, il est également le réalisateur d'*Aimez-vous les femmes* (1964), dont il a écrit le scénario avec Roman Polanski et Gérard Brach.

Comment avez-vous été amené à travailler avec Resnais sur Hiroshima mon amour, *qui était votre premier long métrage en tant que premier assistant réalisateur?*

Je connaissais déjà un peu Resnais, mais c'est à deux amies scriptes que je dois d'avoir commencé à travailler avec lui. Il avait demandé à Ginette Diamant-Berger de faire le film, mais comme elle ne pouvait pas partir au Japon il s'est adressé à Sylvette Baudrot, qui a fait depuis la plupart de ses films. Ils sont rentrés en France pour tourner les scènes se déroulant à Nevers (il y avait une équipe entièrement différente, sauf Sylvette qui faisait la jonction), et Resnais cherchait justement quelqu'un qui n'avait pas encore été premier assistant, sans doute parce qu'il était surtout habitué au climat du court métrage.

L'ambiance sur le plateau, l'état d'esprit du court métrage n'ont en effet pas grand-chose à voir avec ceux du long métrage. Dans le court métrage, quand on est deux ou trois à la caméra avec un machiniste, on a le temps ; c'est toujours limité, mais on peut dire : « *Ce n'est pas ce ciel-là. Tant pis, on reviendra demain.* » Mais quand vous avez quarante ou cinquante personnes qui attendent pour travailler, si vous ne respectez pas le plan de travail, financièrement ça peut aller très loin.

Donc pour *Hiroshima mon amour* Ginette Diamant-Berger a donné mon nom, Sylvette aussi, et l'affaire s'est faite d'autant plus facilement que j'avais déjà travaillé avec les producteurs pour un court métrage. Au départ, Resnais ne m'a donné que la partie du texte concernant l'histoire française, et les biographies « souterraines » des personnages écrites par Marguerite Duras. Ce n'est qu'en cours de tournage qu'il m'a donné à lire le scénario complet. Mon travail sur *Hiroshima* a été assez court, mais en deux semaines de tournage j'ai plus appris du point de vue mise en scène que dans les dix ou douze années que j'avais passées auparavant comme assistant. Resnais avait une façon d'envisager la mise en scène qui était tout à fait nouvelle pour moi. Tous ceux qui ont tourné avec lui lui sont redevables, même ceux qui ont un certain métier. Et Resnais vous donne une impression de paix et de calme formidable. Il y a peu de films sur lesquels je m'amuse autant que les siens. On rit beaucoup, on est à l'aise, c'est un travail où on est heureux.

Quelle est la répartition des tâches, sur les films de Resnais, entre Florence Malraux et vous-même?

Florence avait commencé comme stagiaire dans *Marienbad*, elle était seconde assistante dans *Muriel*, puis première sur tous les films d'Alain à partir de *La guerre est finie* [1]. Quand nous commençons un film, nous savons

1. En dehors des films de son mari Alain Resnais, Florence Malraux a été seconde assistante sur *Moderato cantabile* de Peter Brook, *Jules et Jim* de François Truffaut et *Eva* de Joseph Losey, et première assistante sur *Les Routes du Sud* du même Losey ainsi que *La Chamade* et une partie de *Thérèse* d'Alain

très bien quelles tâches nous remplirons ensemble, que Florence sera plus efficace pour certaines et moi pour d'autres. Dans *La vie est un roman* par exemple, elle s'est occupée beaucoup plus que moi des costumes avec Catherine Leterrier, tandis que je m'occupais d'autre chose avec la production. Dans le métier de premier assistant réalisateur, il y a toujours un côté secrétaire particulier du metteur en scène : maintenant, c'est surtout Florence qui en est chargée. Par contre, en ce qui concerne le plateau, l'organisation avec le reste de l'équipe et la figuration, c'est plutôt moi qui m'en occupe. Cela dit, on est toujours au courant de ce que fait l'autre, et on peut répondre à sa place si besoin est. C'est une équipe très agréable.

Est-ce une pratique courante dans le cinéma français qu'il y ait deux premiers assistants réalisateurs sur un film?

Autrefois cela ne se faisait pas du tout. Maintenant cela arrive de temps en temps – il y a des films qui exigent beaucoup plus de travail que d'autres –, mais en ce qui me concerne, en dehors des films de Resnais, ça ne m'est arrivé qu'une ou deux fois. Même chez Resnais ça n'a rien de systématique : Florence a travaillé seule sur *L'Amour à mort* et *Mélo*, qui étaient des tournages beaucoup plus « légers » que les autres, avec seulement quatre personnages. Ce qui est particulier aux films de Resnais ce n'est pas tant la présence de deux premiers assistants que la collaboration très proche, la symbiose des deux « co-premiers ».

Cavalier. Ces rares collaborations, auxquelles il faut ajouter des travaux respectivement d'attachée de presse et de documentation pour *Le Procès* d'Orson Welles et *Les Deux Mémoires* de Jorge Semprun, correspondent à des affinités personnelles avec le metteur en scène ou avec Jeanne Moreau. Elle a également travaillé au théâtre avec Jean Vilar ou Peter Brook et à la télévision avec Frédéric Rossif ou Chris. Marker.

Resnais a-t-il des exigences précises en ce qui concerne l'établissement du plan de travail[1] *?*

On essaie surtout de prévoir des premières journées qui ne soient pas trop lourdes, afin que l'équipe se rode. Dans *La guerre est finie* par exemple, on avait commencé par les images mentales de Montand, par cette jeune fille qu'il imagine en train de descendre l'escalier et de sortir dans la rue de l'Estrapade et qui est une jeune fille différente à chaque plan. Cela présentait certaines difficultés – il n'y a pas de plan facile –, mais ça ne demandait pas énormément de travail pour le jeu dramatique. Resnais sait très bien quelle complexité représente l'établissement d'un plan de travail. Il nous dira bien sûr qu'il préférerait ne pas commencer par telle ou telle scène, mais parfois on ne peut pas faire autrement. On est lié à des impératifs de dates de tournage des acteurs, de disponibilité des décors réels ou des plateaux... L'art ne compte plus beaucoup. Et cet ouvrage soigneusement construit qu'est le plan de travail est parfois détruit très rapidement par des contingences diverses telles que la maladie d'un acteur ou des ennuis de matériel. Dans *La guerre est finie* la coproduction avec la Suède ne facilitait pas les choses, et on a eu un dépassement qu'il aurait pourtant été facile d'éviter. Il arrive aussi – c'est parfois un jeu de la production – qu'à la demande des producteurs on doive établir un plan de travail plus court que prévu. Mais dans ces cas-là, presque toujours, on retombe en fait sur le plan de travail qu'on avait fixé à l'origine. Ça a dû se produire sur plusieurs films de Resnais. Mais Resnais sait très bien faire des choix, faire des concessions sans importance pour mieux résister sur l'essentiel. Il y a des choses sur lesquelles il ne transigera absolument pas.

---

1. Établi par l'assistant réalisateur en liaison avec le directeur de production et le chef décorateur, le plan de travail se présente sous la forme d'un tableau qui indique pour chaque journée de tournage les décors, les comédiens, la figuration, les véhicules et le matériel indispensables, ainsi que la liste des plans à tourner.

Le rythme de travail de Resnais est-il sensiblement le même d'un film à l'autre?

Il prétend qu'il tourne toujours 1 mn 47 utile par jour. C'est une boutade, mais qui recouvre une grande part de vérité. Il existe en effet un rythme interne à chaque metteur en scène, que celui-ci transmet à toute l'équipe. Resnais, lui, demande des choses très compliquées à faire, surtout à son opérateur. Cela exige forcément de prendre un peu plus de temps que d'autres, mais cela ne veut pas dire que Resnais soit un metteur en scène lent, ni Vierny un opérateur lent. D'ailleurs Vierny, sur d'autres films, s'est montré un opérateur extrêmement rapide. Inversement, Bruno Nuytten n'a pas la réputation d'être tellement lent, mais quand il a fait *La vie est un roman*, son rythme, pour finir, a été celui de Resnais. Par exemple, le premier jour de tournage de *La vie est un roman*, on avait commencé par les trois musiciens qui passaient dans les couloirs. Le métrage utile était très réduit, mais ça demandait un travail d'éclairage énorme pour Nuytten qui avait une perspective extraordinaire à éclairer. Même si on ne voyait le décor entier qu'à un moment très bref, on ne pouvait pas ne pas tout éclairer. *La vie est un roman* nécessitait un travail considérable que nous avons fait finalement en relativement peu de temps, surtout si l'on tient compte des exigences de Resnais. Et tourner un film comme *Marienbad* en moins de dix semaines, je ne trouve pas que ce soit lent.

Vous êtes en particulier chargé de la figuration.

En effet, cela fait partie du métier de premier assistant. Les mouvements de figuration, il y a des metteurs en scène qui les font entièrement eux-mêmes. Avec Resnais, non : je lui demande ce qu'il veut, bien avant le tournage, pendant la préparation, et sur le tournage il corrige ce que je lui propose, il me dit ce qui ne va pas dans ce sens-là ou dans un autre. On dégrossit le travail, on répète, la mise en place se fait sans Resnais, en collaboration étroite avec le cadreur Philippe Brun. On sent très vite quel sera le rythme intérieur d'un film. Les vêtements, l'époque entraînent des mouvements de figurants différents. La figuration de *Marienbad* allait forcément être calme, hiératique, et pendant la cure de jouvence dans *La vie est un roman* on a un peu retrouvé une figuration au rythme « marienbadesque », jusqu'à ce que Fanny Ardant tente de réveiller les invités de Forbek et de les remettre dans leur époque. Animer les fonds, c'est souvent amusant, parce que c'est une mise en scène personnelle, et quelquefois c'est moins drôle. Mais c'est parfois plus difficile de faire traverser la rue dans le coin de l'image à quelqu'un au bon moment que d'avoir deux cent cinquante personnes. Il y a souvent des contraintes. Dans les *glass-paintings* [1] de *La vie est un roman* par exemple, il fallait peu de déplacements en profondeur de champ. C'étaient surtout des mouvements latéraux, comme dans le plan où le prince et les nains à ressort traversent un tunnel de droite à gauche.

L'assistant choisit les figurants avec le régisseur. On lui dit : « *Il nous faut quinze ou vingt personnes entre tel et tel âge, de tel milieu social* », et après on fait le tri avec les photos, il nous les présente, on élimine... Pour certains films, Resnais a vu à peu près tous les figurants, parce qu'ils avaient une importance capitale. Pour *Marienbad*, il fallait vraiment les voir. Mais pour le concours d'élégance de *Stavisky*... on ne pouvait pas tous les lui présenter. Et il y a des exigences d'il y a vingt ans qu'il n'aura plus maintenant parce qu'il me fait confiance. Si vous avez une séquence de restaurant avec des seconds plans importants derrière la table des acteurs, c'est évident qu'il faut les présenter à Resnais, ça fait partie du décor. De même qu'on présente tous les accessoires à un metteur en scène. Dans *Marienbad*, il y avait des figurants-piliers qui faisaient partie intégrante du film. C'est un monde clos, on

1. Le *glass-painting* est un truquage à la prise de vue qui consiste à reproduire un décor peint en trompe-l'œil sur une plaque de verre d'environ un mètre sur deux, puis à superposer cette glace peinte à un décor construit ou naturel. Resnais l'a employé à plusieurs reprises dans les « temps légendaires » de *La vie est un roman* afin de renforcer l'illusion d'un univers fictif, celui du dessinateur Enki Bilal. Un livre a été consacré à ces *glass-paintings* : Jean-Marc Thévenet, *Images pour un film : les décors d'Enki Bilal pour « La vie est un roman » d'Alain Resnais*, Dargaud, 1983.

les revoyait. La figuration de *Marienbad*, c'est très particulier, c'est vraiment un des rares cas que j'ai connus où on ait fait venir des acteurs pour faire de la figuration. Il y avait Gilles Quéant, Françoise Spira qui était au TNP (elle a joué *Le Cid* avec Gérard Philipe), Gérard Lorin et Françoise Bertin qu'on a revus dans plusieurs films de Resnais, et aussi quelques amis comme le compositeur Pierre Barbaud ou Karin de Towarnicki (Karin Toeche-Mittler), qui était mannequin chez Dior. C'était une distribution étincelante. Et Resnais, vingt ans plus tard, a voulu à juste titre que la figuration de *La vie est un roman* soit, elle aussi, confiée à des acteurs. Florence et moi étions d'ailleurs tout étonnés de la réponse positive des comédiens que nous avons reçus. On croyait qu'on aurait du mal à en avoir un certain nombre; en fait on a été forcés d'en refuser beaucoup. Pierre Arditi et Lucienne Hamon en particulier nous ont envoyé beaucoup de jeunes comédiens, mais des acteurs de théâtre confirmés sont aussi venus. C'est l'admiration pour Resnais qui a joué, l'envie de voir comment il travaille. Ils se sont tous investis dans le film comme s'ils avaient eu des rôles très importants. D'ailleurs on ne les appelait pas des figurants, mais des « participants ». Même s'ils ne faisaient que passer dans un couloir, ils savaient pourquoi ils étaient là. Pour les réunions au château Forbek par exemple, on leur avait remis des cartons d'invitation qu'avait écrits Gruault. On leur proposait des sujets de conversation très précis, on les motivait exactement comme des acteurs.

Participez-vous aux repérages avec Resnais?

Très souvent le premier assistant participe en effet à la recherche des décors, le cas échéant avant l'arrivée du décorateur ou même après, si celui-ci n'a pas le temps de tout faire. On s'y met parfois à plusieurs, avec le décorateur ou les régisseurs. Mais pour *La vie est un roman* Saulnier a commencé très tôt avec Bilal et Florence, et quand je suis arrivé les repérages avaient déjà été faits pour l'essentiel. Dans *Muriel*, pour une raison ou pour une autre, on ne pouvait tourner à Boulogne un raccord de cour de ferme (celle où se trouve l'atelier de Bernard), et les plans de la rue, en fait, ont été tournés à Paris. C'était une longue recherche que j'ai menée en accord avec Saulnier. Nos tâches sont très définies, et en même temps c'est une organisation très souple.

Muriel était d'ailleurs un cas très particulier. Resnais avait décidé qu'on tournerait avec la lumière telle qu'elle était, à l'heure exacte où la scène était censée se passer. Évidemment, en studio, Sacha Vierny faisait sa lumière, mais pour les extérieurs on arrivait et on tournait aussitôt. C'était normal, il n'y avait presque pas de temps de continuité dans les extérieurs. On avait un repérage, on savait que le soleil serait là à telle heure et qu'il ferait à peu près telle lumière, et dans le plan de travail on regroupait. On avait fait une organisation très serrée avec le régisseur. On finissait un plan à tel endroit à trois heures et quart, et on avait rendez-vous ailleurs à quatre heures avec les acteurs. *Muriel* était un film très méticuleusement préparé. Les films de Resnais sont beaucoup plus préparés que les autres.

Cela implique-t-il que le travail de l'assistant soit plus long?

Pas toujours, mais en général oui. Pour *Muriel* ça s'est passé en deux temps : j'ai eu une préparation longue, puis un temps d'arrêt de deux ou trois semaines, puis j'ai repris la préparation. Le film sur lequel j'ai le plus travaillé, c'est *Marienbad*. J'ai eu huit mois de travail : c'est rare. On a tourné en automne, et j'ai commencé en avril avec trois feuillets de résumé de Robbe-Grillet. Resnais m'a tout de suite demandé de l'aider à trouver les comédiens, mais aussi les décors.

En ce qui concerne les comédiens, je crois que vous avez notamment participé au choix de Giorgio Albertazzi.

La plupart du temps Alain sait très bien ce qu'il veut, mais il y a quand même des rôles qui ne sont pas distribués au moment où j'arrive, heureusement. J'avais une définition assez précise de ce qu'il voulait, et j'ai assez vite trouvé une très belle photo d'Albertazzi chez son imprésario à Paris. On est entré en relations, Albertazzi est venu. Puis Resnais est parti à Rome où Albertazzi venait de jouer *Les Séquestrés d'Altona*, et il l'a joué pour Alain. Et on s'est aperçus que c'était un très grand comédien, très connu des Italiens. Les gens se retournaient dans la rue pour voir Albertazzi. En France, on ne le connaissait pas (*Eva*, il l'a fait après), c'est un comédien qu'on n'avait pas encore beaucoup vu au cinéma. C'était nécessaire pour incarner cet inconnu, et Resnais – c'est quelque chose qu'on retrouve dans plusieurs de ses films – tenait aussi dès le début à ce que le personnage ait un accent étranger.

En ce qui concerne la recherche des décors, je me suis plongé dans l'histoire de l'art baroque. Or s'il n'y a pas beaucoup de baroque intéressant en France, il y en a beaucoup plus en Allemagne. Avec des livres, des photos et l'aide de l'Office du tourisme allemand, j'ai assez rapidement – mais je n'ai pas grand mérite – trouvé les châteaux de Nymphenburg et de Schleissheim. Nous sommes partis à Munich avec Raymond Froment, le producteur. Dans la journée Resnais avait pris plusieurs centaines de photos. Le lendemain nous sommes rentrés à Paris, et les décors étaient choisis. Bien sûr les jardins ont été arrangés par Saulnier, car il fallait malgré tout un certain ordre dans ce décor baroque. Jacques a notamment ajouté de faux arbres et fait construire une balustrade factice que l'on retrouvait à différents endroits, deux sculpteurs ont fait la statue, sans parler des couloirs et de la chambre transformable que Jacques a réalisés en studio.

Quant aux costumes, peu de gens le savent, c'est Bernard Évein, le décorateur de Demy, qui les avait faits en partie. Toutes les revues américaines notamment parlaient beaucoup des costumes de Chanel, mais les photos qu'elles publiaient ne montraient que la cape noire avec des plumes de coq et les deux déshabillés blancs, alors que c'étaient des créations de Bernard Évein.

La cape noire rappelle l'une des robes de Marlene Dietrich dans Shanghai Express.

Au moment de préparer *Marienbad* on a revu quelques films à la Cinémathèque, mais je ne me souviens pas d'avoir revu *Shanghai Express.* Ce dont je me souviens en revanche, c'est que Resnais cherchait en effet à retrouver le style du grand cinéma d'autrefois, de ces costumes fabuleux avec des plumes, des boas, de toute cette époque de la fin du muet et du début du parlant. Il avait montré à Bernard Évein des photos de films de L'Herbier comme *L'Inhumaine* ou *L'Argent* dont les costumes étaient créés par de grands couturiers. A l'origine, Bernard avait dessiné tous les costumes. C'étaient des costumes absolument fous, par exemple un tailleur dont l'intérieur des manches était entièrement fait d'extrémités de plumes de paon. Mais c'était beaucoup trop cher. J'ai donc souvent fait les couturiers avec Resnais et Delphine Seyrig, et en définitive Resnais s'est adressé à Chanel pour choisir les robes de Delphine dans sa collection. Nous avons aussi beaucoup parlé de la musique, et de la lumière, de l'image. Nous avons vu beaucoup de films en noir et blanc parce qu'il voulait une certaine qualité de noir et blanc qu'on n'avait plus, qu'on n'arrivait plus à avoir. Resnais et Vierny sont allés un jour aux laboratoires LTC pour parler de cette image noir et blanc, du traitement de pellicule nécessaire pour obtenir cette image qu'il y avait au temps du muet. Et à LTC ils étaient désespérés, ils ont dit : « *Vous voulez absolument faire ce contre quoi on a lutté pendant des années* », c'est-à-dire des plans sans beaucoup de relief, presque la pellicule orthochromatique qu'il y avait dans le temps. On a fait beaucoup d'essais, surtout avec le scope. A l'époque, on a beaucoup plus parlé du mystère de l'intrigue ou des mouvements d'appareil, mais il y a dans *Marienbad* un traitement du scope étonnant.

En dehors des références cinématographiques qu'il évoque avec son équipe pendant le travail de préparation, Resnais insère parfois dans ses films des citations d'autres cinéastes, de Guitry, Lubitsch ou Hitchcock.

Dans *Marienbad* et *Muriel*, par exemple, il y a un Hitchcock en bois. C'est un gag, une blague entre nous, faite pour être vue par ceux qui le verront. Mais on n'y pense pas tellement, on a plutôt tendance à voir des rapprochements avec ce qu'il a fait dans tel ou tel de ses films précédents. Peut-être est-ce parce que Hitchcock justement se met toujours dans ses films, ce que Resnais ne fait jamais. Il n'y a aucun d'entre nous, d'ailleurs. Il ne supporte pas ça. De même qu'il n'aime pas qu'on prenne, sur un accessoire ou un papier à en-tête, un nom comme Vierny Établissements, alors que chez d'autres metteurs en scène vous avez l'employé de la voirie qui va porter le nom de l'opérateur. Vous ne verrez jamais dans *Mon oncle d'Amérique* ou dans *La vie est un roman* un membre de l'équipe qui passe. Il y a peut-être deux ou trois exceptions (dans *La guerre est finie,* j'étais au zinc du café de la Contrescarpe pour contrôler une figuration « locale »), mais c'est vraiment très rare. Dans *Mon oncle d'Amérique*, quand Gérard Depardieu lit sa biographie en voix *off*, quelqu'un dans l'équipe voulait que je fasse le curé qui arrive pour l'ondoiement, et Resnais a tout de suite dit : « *Non, pas question. Il y a tant de personnes dans la salle qui vont reconnaître Léon, et c'est foutu par terre.* »

Resnais est un metteur en scène classique, dans le meilleur sens du terme : il innove, il invente, mais au sein d'une tradition qu'il respecte énormément. Il a une grande culture cinématographique et dramatique, et un grand respect pour tous ceux avec lesquels il travaille, des acteurs aux techniciens. Il respecte les façons de faire du métier, il tourne exactement comme le font des metteurs en scène beaucoup plus traditionnels que lui, et c'est le talent qui fait le reste. Tout est mis en place d'une façon très claire. Aujourd'hui certains cinéastes ne font plus de découpage et veulent tourner à l'américaine, par séquences, en oubliant que les Américains tournent de cette façon parce qu'ils ont les moyens américains. Resnais, lui, découpe d'une façon précise. Il sait ce qu'il veut faire, et il prévient toujours très honnêtement les producteurs que si certaines conditions ne sont pas respectées ce n'est pas la peine de faire le film. Dans *Mon oncle d'Amé-*

rique, par exemple, il n'était pas question de tourner un plan gris par beau temps, alors que beaucoup d'autres, et on ne peut pas les condamner, auraient fini par céder devant la pression du temps qui passe. Cela ne veut pas dire que le découpage sera toujours entièrement respecté. Si le geste d'un acteur ou l'idée d'un technicien lui paraît plus intéressant que ce qui était prévu, Alain bondit sur l'occasion et abandonne son découpage. Mais c'est parce qu'il le maîtrise parfaitement. C'était par exemple une expérience très délicate de mélanger les trois époques de *La vie est un roman*, chacune avec une lumière, un rythme différents. Les « temps légendaires » n'ont pas été tournés à la suite, ils étaient disséminés dans le plan de travail. On a d'abord tourné une grande partie de l'époque Forbek, et du jour au lendemain on est passé à l'époque contemporaine. C'était exactement comme si on tournait un autre film. Et un jour, le plan de travail voulait qu'on tourne les deux époques à la suite : après une séquence 1982, nous avons tourné l'arrivée à la fête, lorsque les invités de Forbek traversent le pont hindou. C'était très amusant de voir les « participants » des deux époques qui se rencontraient. Resnais a une possession extraordinaire de son découpage, il tient vraiment son film de la première image à la dernière.

SYLVETTE BAUDROT

Scripte

Scripte titulaire depuis 1951, Sylvette Baudrot a travaillé à plusieurs reprises avec Louis Malle, Costa-Gavras (depuis *État de siège*), Roman Polanski (depuis *Le Locataire*) et Jacques Tati (des *Vacances de M. Hulot* à *Play Time*). Elle a également travaillé, parfois comme scripte de seconde équipe, à de nombreux films américains partiellement tournés en France, parmi lesquels *La Main au collet* d'Alfred Hitchcock. Collaboratrice d'Alain Resnais depuis *Hiroshima mon amour*, elle a participé à neuf de ses douze longs métrages ainsi qu'à la séquence « Claude Ridder » de *Loin du Viêt-nam*.

Quel est votre rôle avant le tournage d'un film, pendant la préparation?

Je dois commencer par lire le découpage qu'on me remet, et cela quel que soit le metteur en scène. L'avantage avec Resnais, c'est qu'il vous donne un scénario beaucoup plus avancé, beaucoup plus découpé que d'autres. Ensuite, et Resnais est le seul metteur en scène que je connaisse à vous le demander, je lis tous les livres qui se rapportent au film. Quand on a préparé *Hiroshima mon amour*, il m'a demandé de lire ceux des romans de Marguerite Duras que je ne connaissais pas, et j'ai été voir le film que René Clément avait tourné d'après *Un barrage contre le Pacifique*. Pour *Marienbad* j'ai lu ce qu'avait écrit Robbe-Grillet, et Resnais a emmené toute l'équipe voir *Loulou* de Pabst à la Cinémathèque, parce qu'il voulait que Delphine Seyrig ressemble un peu à Louise Brooks au point de vue jeu, coiffure et maquillage. Alexandre Marcus, le maquilleur, a essayé de lui donner ce style, et du reste Sabine Azéma, à mon avis, a un peu aussi cette coiffure dans *Mélo*. Une fois qu'on s'est imprégné du film, de l'auteur et de tout ce qui s'y rapporte (avant de tourner *Stavisky*... il fallait lire un peu Trotski, être au courant de la vie politique de l'époque), une fois qu'on est allé voir les films ou les pièces de théâtre des coscénaristes, je fais un préminutage, je chronomètre le scénario séquence par séquence, ce qui permet de calculer la durée du tournage et d'établir le budget-pellicule. Sachant qu'un film devrait durer une heure trente, le montage définitif représentera 9 bobines de 305 mètres, ce qui fait environ 2 750 mètres; mais il est bien entendu qu'on ne tourne pas une prise seulement de chaque plan, et donc il faut multiplier ce chiffre au moins par 10 et commander au moins 27 000 ou 30 000 mètres de pellicule pour un film d'une heure trente, et 40 000 mètres pour un film de deux heures. Mais ce serait une grosse responsabilité que de tout baser sur un seul préminutage : il est préférable que l'assistant et le directeur de production se chargent eux aussi d'en établir un, et c'est en fonction de ces différents préminutages qu'on estimera le budget du film.

Une fois réglée la question du préminutage, j'établis ma continuité chronologique, ce que fait aussi, d'une façon beaucoup plus détaillée, l'assistant metteur en scène. Cette continuité chronologique consiste en une sorte de table des matières qui résume le film séquence par séquence, et qu'on place à l'intérieur du découpage. Sont indiqués pour chaque séquence le numéro des plans, la lumière (N pour nuit, J pour jour), le décor, l'initiale des acteurs avec en puissance le numéro de leur costume, ainsi qu'une colonne pour le minutage, ou plutôt trois colonnes. La première colonne est celle du préminutage, la deuxième, que je remplis au fur et à mesure du tournage, est celle du minutage effectif ou minutage « utile » correspondant à une prise de chaque plan, et quand le monteur fait son bout à bout je lui demande de me donner son minutage provisoire, car la comparaison entre ces trois minutages pourra me servir quand je retravaillerai avec le même metteur en scène. Lorsque je fais le préminutage, je lis le scénario à haute voix en me conformant aux indications qui figurent dans la colonne de gauche, mais je ne suis pas vraiment dans la peau des comédiens, je ne connais pas forcément le rythme, la cadence du metteur en scène, et j'ai donc toujours une marge d'erreur plus ou moins grande, qui est généralement de cinq à dix minutes pour un film de deux heures. Il faut dire que les choses se passent parfois un peu différemment selon les films. Dans *Marienbad,* par exemple, je n'ai pas fait le préminutage aussi précisément que d'habitude : Resnais m'avait dit que les textes *off* risquaient d'être un peu modifiés, en particulier au début du film. Il n'empêche que le préminutage, même approximatif, nous a aidés à prévoir la longueur des travellings. Pour *Mélo* au contraire, j'ai dû établir non pas un mais deux minutages différents avant le tournage puisque nous avons fait une répétition extrêmement minutieuse avec les acteurs. (Resnais était resté seul en tête à tête avec eux au moins un mois avant, mais toute cette première imprégnation, nous n'y avons pas droit, en dehors de Florence Malraux aucun de nous n'y a assisté.) Cela m'a permis de voir que j'avais minuté trop « serré » certaines scènes à la lecture du scénario. Par exemple j'avais prévu 5 mn 30 pour la séquence où Romaine se rend chez Marcel Blanc et où ils jouent la sonate de Brahms, mais aux répétitions cela donnait 7 mn 30, et en définitive la scène a duré 8 mn 05. Pour l'acte I, j'avais prévu 40 mn 55, et c'est devenu 47 mn. Cela tient au fait que les acteurs prenaient dans l'ensemble plus de temps que je n'avais prévu (au montage, Resnais a presque toujours choisi la prise la plus longue, car c'était celle où il jugeait que l'acteur était le meilleur), mais aussi, je pense, au fait que quand Resnais m'a envoyé le scénario de *Mélo*, il était divisé en tableaux et en scènes, mais il n'était pas encore découpé en plans. C'était une continuité

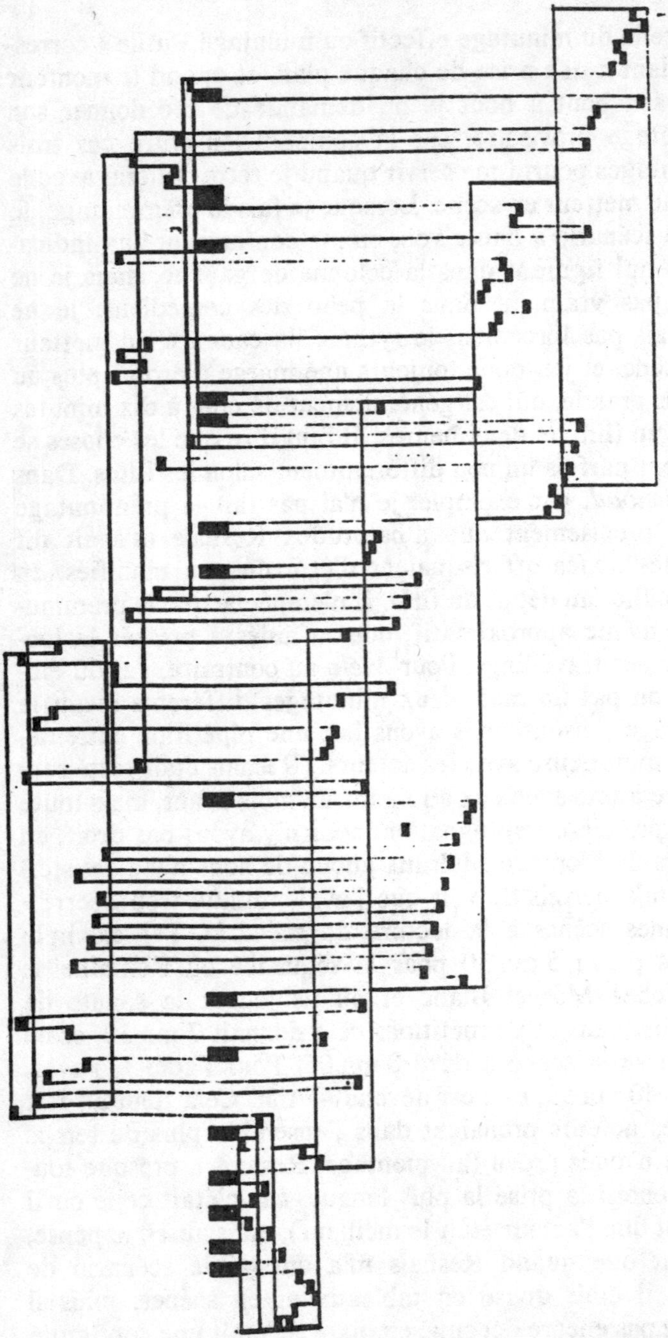

Le fil d'Ariane : graphique de Sylvette Baudrot pour *L'Année dernière à Marienbad.*

dialoguée, en somme. Resnais avait voulu respecter la présentation théâtrale, et non pas établir un découpage de cinéma. Et c'est seulement plus tard qu'il m'a montré un certain nombre de photos qu'il avait prises pendant ses répétitions avec les acteurs, en me disant : « *Voilà les différents angles que j'avais prévus.* » Entre-temps, quinze jours avant le tournage, Saulnier nous avait livré le décor, et nous avons fait une répétition ou plutôt une mise en place définitive avec les acteurs, le metteur en scène, l'assistante Florence Malraux, le cadreur Gilbert Duhalde et l'opérateur Charlie Van Damme. On a noté les angles, en disant que de telle phrase à telle phrase ce serait en travelling, et de telle autre à telle autre en panoramique ou en plan fixe. C'est-à-dire que nous avons vraiment établi le découpage de *Mélo* au fur et à mesure. Mais Resnais, même alors, n'aurait pas voulu que je numérote les plans en continuité, sans tenir compte de la division en tableaux. En définitive j'ai appliqué le système américain, c'est-à-dire que j'ai gardé le numéro du tableau suivi du numéro du plan : le premier plan du deuxième tableau était le 2/1, puis 2/2, 2/3 et ainsi de suite.

Pour L'Année dernière à Marienbad, *en sus de la continuité chronologique, vous avez établi un graphique que les* Cahiers du cinéma *ont publié dans leur n° 125. Quelle en était l'utilité?*

On était bien obligés de savoir quelle robe Delphine Seyrig devait porter dans telle ou telle scène. Jean Léon avait déjà regroupé les informations du découpage par journées – décors, costumes, etc. –, et nous avons fait un dépouillement de la chronologie, ou plutôt de la « chronologie fictive », puisqu'il n'y avait pas de repères chronologiques dans le film tel qu'il est. J'en avais parlé à mon beau-frère, qui est mathématicien, et à mon mari Pierre Guilbaud avec qui il a réalisé une série de films éducatifs qui s'appelait *Les Chantiers mathématiques*. Quand ils m'ont vue plongée dans le scénario en train de préparer tant bien que mal ce dépouillement, ils m'ont suggéré de mettre les indications en abscisse et en ordonnée, et ça a donné ce diagramme, qui du reste a beaucoup intéressé Resnais, et amusé Robbe-Grillet.

En *abscisse* [1], de gauche à droite, les petits rectangles noirs représentent les séquences dans l'ordre où elles apparaissent à l'écran, et dont chacune pouvait comporter plusieurs plans (il y a 430 plans, pour 120 séquences). Chaque rectangle correspond à un changement de décor : les « couloirs galeries » (plans 1 à 18), le théâtre (19 à 39), les « doubles couloirs » (plan 40), le hall de Schleissheim (41), et ainsi de suite. Sont également indiqués les trois rôles principaux (A, X et M) et le numéro de leur costume, ainsi que la présence ou non de figurants. En *ordonnée*, les trois grandes zones représentent les temps : en bas le temps présent, en haut le temps passé (l'année dernière), et entre les deux une zone intermédiaire, qui m'a aidée à mieux séparer graphiquement le présent du passé, et qui représente ce qu'on appelait « tous les temps » (dans son découpage, Resnais parlait de plans « éternité »). Ces grandes touches noires alignées au milieu représentaient des plans qui n'avaient pas une date précise, tout ce qui était futur ou sans âge.

Chacune des deux grandes zones, « temps présent » et « temps passé », était aussi divisée en journées, et en heures. Le premier plan du film, par exemple, se déroule le mardi à 17 h 30. Lorsqu'un rectangle remonte par rapport à celui ou ceux qui le précèdent, c'est qu'on revient en arrière dans le temps, et qu'on passe par exemple d'une heure du matin à minuit, ou de mardi à lundi puis à dimanche, sans parler de l'année dernière. Toutes ces indications figuraient bien sûr dans le découpage, encore que Resnais ait parfois changé des choses par rapport au découpage. Le plan 430, qui est le dernier plan du film, se déroule le samedi, mais Resnais n'avait pas mis d'heure à l'origine (le 428 était à quatre heures du matin), et par la suite on a décidé qu'il viendrait plus tôt que le précédent, à deux heures du matin. En fait il y

1. Sylvette Baudrot commente ici la version complète du graphique de *Marienbad* et non la version simplifiée que nous reproduisons ci-dessus et d'où sont absentes les mentions manuscrites (lieux, costumes, dates, etc.) auxquelles Sylvette Baudrot fait plus loin allusion.

avait successivement trois fins possibles dans le film, à des moments différents (à un endroit, Albertazzi s'écrie : « *Cette fin-là n'est pas la bonne* »), et l'une d'entre elles était le « travelling blanc », ce fameux parcours labyrinthique de la caméra qui remplace la scène de viol que Robbe-Grillet avait prévue dans son scénario. Ce plan-là, lui, a dû être « remonté » dans le graphique : à l'origine il avait une date précise, et en définitive Resnais a préféré le mettre dans « tous les temps ».

Ensuite, lorsque tous les plans du mardi, par exemple, ont été épuisés, je les ai regroupés en traçant un grand rectangle, un bloc, afin de bien distinguer les journées les unes des autres. On pouvait donc savoir aussitôt qu'il y avait huit séquences qui se déroulaient le mardi, et seulement trois le lundi. Quand on préparait une scène avec les acteurs, c'était utile de pouvoir résumer ce que les personnages avaient déjà fait dans cette même journée, et qui bien sûr ne correspondait pas toujours aux scènes précédentes dans le découpage. Visuellement, cela permettait de tout voir d'un seul coup d'œil. Si quelqu'un demandait dans quel décor se situait tel plan, on pouvait répondre tout de suite, de même pour les costumes. J'aime bien avoir tout le film sur une seule page, de même que j'aime bien avoir ma continuité chronologique la plus serrée possible.

Je ne sais pas si les spectateurs ressentent toute cette chronologie, je dirais même qu'ils ne doivent pas la ressentir. Il faut recevoir le film en acceptant ce monde qui évolue tout le temps du rêve à la réalité, et du présent au passé (est-ce un vrai passé ou un passé inventé, on en a suffisamment parlé). Mais dans mon travail de scripte je ne peux pas rentrer dans ces considérations-là : lorsqu'on tourne une séquence, il faut que je sache quels costumes vont porter les comédiens, et avec quelle autre séquence cela raccorde. Je suis obligée de travailler sur du concret. La scripte, c'est le côté logique, qui énerve évidemment beaucoup de metteurs en scène. Un graphique, ça vous oblige à mettre l'heure et la date exactes de chaque événement. Cela représentait le film un peu comme une partition de musique contemporaine, mais encore une fois ça n'a pu se faire que parce que Resnais avais mis « mardi 17 heures » dans le découpage. Au départ Robbe-Grillet n'était pas très chaud. Je comprends très bien que pour un scénariste ça enlève un peu le mystère du film, et c'est pour cela, je crois, que lorsque son livre est sorti Robbe-Grillet me l'a dédicacé en ces termes : « *Pour Sylvette Baudrot, qui a posé un fil d'Ariane dans ce dédale.* »

Ensuite, j'ai parfois refait la même chose pour d'autres films. C'est très utile pour les films à *flash-backs*, visuellement vous voyez tout de suite les proportions que prennent certains jours par rapport à d'autres, ou le passé par rapport au présent. Je l'ai refait dans *L'Immortelle* de Robbe-Grillet en 1962, dans *Two for the Road* de Stanley Donen en 1966, et bien sûr dans *Je t'aime je t'aime*. Le diagramme de *Je t'aime je t'aime* reposait sur le même principe que celui de *Marienbad*, à cela près que cette fois je n'ai pas fait des rectangles mais des points. Le film commençait le samedi 12 août 1967, et se déroulait en cinquante-cinq jours qui se répartissaient entre 1951 et 1967. Là encore, le diagramme donnait une représentation graphique de la construction du film. Mais ce n'est valable que lorsqu'il y a des *flash-backs* ou des *flash-forwards*, et non lorsqu'il s'agit d'une chronologie linéaire classique.

En dehors du cas particulier de Mélo, *combien de temps avant le tournage intervenez-vous sur un film?*

Resnais a une longue préparation avec le chef opérateur et avec le décorateur bien avant que je ne sois contactée, et les assistants ont déjà fait le plan de travail et le dépouillement. Le plus souvent la production ne paie qu'une semaine de préparation à la scripte, parfois deux. *Mélo* est un des rares films où on a eu le temps de tellement bien préparer que je n'ai eu aucune surprise au tournage, mais c'est qu'il s'agissait de bien plus que d'une simple préparation. Entre les répétitions et le tournage lui-même il y avait eu très peu de changements dans la conception des plans et les déplacements des acteurs; avant même le premier tour de manivelle je savais où serait placée la caméra, et je pouvais prévoir tous mes raccords. Dans *Muriel*, on avait fait une semaine de repérages. C'est très utile de savoir où on va tourner – et le metteur en scène vous dit plus ou moins à quel endroit il va mettre la caméra –, mais pour la scripte ce n'est pas obligatoire. Honnêtement, j'ai fait beaucoup de films où je suis arrivée à la dernière minute sur le décor, le temps de faire un croquis. Connaître les lieux à l'avance est moins utile à la scripte qu'à l'assistant. L'assistant doit demander les autorisations de tournage, savoir à quelle heure il doit faire venir les acteurs, il a tout son plan de travail à établir en fonction des lieux de tournage.

En fait, avec Resnais, il n'y a que dans la partie japonaise d'*Hiroshima mon amour* que j'ai vraiment collaboré à la préparation et aux repérages. J'étais sa seule interlocutrice parlant français, avec Emmanuelle Riva bien sûr. Il y avait aussi Tanguy Andrefouet, qui nous a été très utile (il était assistant et travaillait aussi, entre autres, à la régie), mais qui n'était pas tout le temps sur le plateau. J'étais donc le seul élément de liaison entre l'équipe française et l'équipe japonaise, ce qui m'a permis de surveiller les raccords de gestes et de rythme entre ce que nous avons tourné à Hiroshima et ensuite à Nevers. J'étais donc allée en repérage au Japon avec Resnais, en notant les lieux où il désirait tourner, et je transmettais toutes ces indications au premier assistant japonais, qui demandait alors les autorisations de tournage et s'occupait des tâches administratives. Nous avons fait un dépouillement complet, nous avons établi le plan de travail, et comme la production m'avait acheté sur place un appareil Mamyaflex avec trois objectifs pour me dédommager de toutes mes heures supplémentaires (j'étais au forfait), j'ai fait en même temps les photos du film. J'avais donc plusieurs fonctions, du moins au Japon : j'étais scripte, assistante, photographe de plateau, et parfois même « doublure lumière » d'Emmanuelle Riva, tandis qu'Andrefouet doublait Okada.

Le découpage d'*Hiroshima mon amour* se présentait

de façon un peu particulière : c'étaient des cahiers de découpage, à raison d'un cahier par acte. Il y avait aussi un second découpage qui ne comportait que les scènes à tourner à Nevers et à Autun. Nous avons tourné à Autun beaucoup de plans qui n'ont pas tous été utilisés dans le film : Riva et Bernard Fresson qui se baladent dans les champs, Riva en vélo... Resnais en a gardé beaucoup moins que ce qu'on avait tourné en réalité, il s'était réservé une certaine marge de manœuvre. En revanche, quand il voulait changer une phrase dans le dialogue, c'étaient des télégrammes ou des coups de téléphone à Marguerite Duras. Il respecte au mot près les dialogues de son scénariste, c'est-à-dire que s'il veut les modifier, il lui demandera toujours son accord. Mais je crois que ça lui a fait du tort, en définitive, qu'on ait dit et répété qu'Alain Resnais suivait son découpage comme un carcan. On a parlé de manque de souplesse. Je ne crois pas. Si Resnais suit d'assez près son découpage, c'est parce qu'il l'a beaucoup mûri et préparé avant, et c'est précisément cela qui lui donne le temps de faire des variantes dans le jeu des acteurs. Les metteurs en scène qui se targuent d'improviser n'ont souvent tout simplement pas très bien préparé leur découpage, et s'en tirent par une pirouette en disant que ce n'est qu'une fois sur le plateau que tout se joue. C'est vrai qu'il se crée une espèce de chimie sur le plateau entre les acteurs, les techniciens et le metteur en scène, mais on risque de perdre beaucoup de temps si le metteur en scène n'a pas déjà bien préparé son film. Pour s'en tenir au point de vue de la scripte, les raccords des films de Resnais sont souvent des raccords très complexes, des raccords d'une séquence réelle à une séquence imaginaire, avec les personnages qui ont des attitudes semblables d'une scène à une autre, comme Emmanuelle Riva à Nevers et à Hiroshima, ou comme Delphine Seyrig qui avait souvent, dans *Marienbad*, la main posée sur le creux de l'épaule ou la tête penchée d'une certaine façon. Mais un film bien préparé vous permet de retomber sur vos pieds quel que soit l'ordre des séquences, quel que soit le bout par lequel on le prend. Quand il y a des raccords de séquence à séquence, que les décors et les costumes changent sans cesse ou qu'on revient à une séquence après l'avoir quittée, alors le découpage et les notes, les « garde-fous » que j'y ajoute sont bien utiles.

Dans *Marienbad*, par exemple, il y avait une scène assez longue où Delphine Seyrig et Albertazzi marchent côte à côte dans un couloir. Nous l'avons tournée dans trois couloirs différents, et qui plus est dans le désordre, alors que c'était censé être une continuité aussi bien pour les dialogues que pour le rythme. Nous avons tourné un tronçon dans un premier château, à Nymphenburg, un autre tronçon dans un second château, à Schleissheim, et le troisième tronçon, qui était en fait le premier dans l'ordre du film, nous l'avons tourné en studio, à la fin du tournage. On avait mis des plantes vertes, de façon que le raccord des plantes vertes fasse passer d'un tronçon de couloir à un autre, mais Resnais ne voulait pas qu'on déguise le fait qu'il s'agissait de trois couloirs différents : il y avait une continuité dans le mouvement et dans le jeu des acteurs, mais le décor se transformait. C'est à ce moment-là que le travail de la scripte entre en jeu. Il fallait retrouver le rythme des pas en reprenant un peu avant l'endroit où se terminait le plan précédent, il fallait savoir quelle était la position du corps, et quelles étaient les directions de regard. Resnais, de toute façon, a le sens du rythme. Dans *Hiroshima*, comme on n'avait pas de métronome et que c'était un machiniste japonais qui poussait la caméra, Resnais marchait le long du travelling, toujours du même pas, et le machiniste suivait son rythme. Quand un travelling commençait dans une rue d'Hiroshima et se poursuivait dans une autre, c'est Resnais qui faisait ce raccord de rythme, en marchant à côté de la caméra. Je vérifiais avec le chronomètre, mais il l'avait très bien dans la peau, son rythme. Il ne se trompait jamais.

Vous avez pour tâche non seulement de faire respecter les raccords de séquence à séquence prévus dans le découpage, mais aussi d'éviter tous les faux raccords qui peuvent se produire entre deux plans d'une même séquence.

En général toute l'équipe, sauf bien sûr le metteur en scène, n'a le temps de penser qu'au plan qu'on est en train de tourner. La scripte, elle, doit tout le temps penser au plan précédent et au plan suivant (je parle de l'ordre du découpage). Avant chaque séquence je discute avec chacun, acteur ou technicien, des raccords indispensables à prévoir : raccords de lumière ou de cadrage, de décors, d'accessoires ou de costumes, de geste, de mouvement ou de regards. Le cinéma est un métier d'équipe, où les fonctions de chacun s'enchevêtrent avec celles des autres, et où on ne peut pas tirer la couverture à soi en disant « *c'est grâce à moi* ». Il y a trop de choses à voir, à noter en même temps, et on a tous besoin les uns des autres. Lorsqu'on commence une séquence, la scripte note exactement comment l'acteur est habillé, mais l'habilleuse le fait aussi de son côté. On n'est pas trop de deux à noter les costumes. Après le tournage d'un plan, si jamais il y a un raccord dont je ne suis pas sûre, je vais le dire au metteur en scène, et si vraiment le raccord n'est pas bon je lui demande si on peut refaire le plan. A ce moment-là c'est au metteur en scène de voir, en fonction du montage qu'il a en tête, si ce raccord est indispensable ou non. Il est possible que Resnais refasse le plan parfois plus volontiers que d'autres. Peut-être. Toujours est-il que dans chaque film il y a cinq ou six mauvais raccords que, pour ma part, je sais avoir faits. Souvent, grâce au monteur, ils passent très bien, les spectateurs ne s'en aperçoivent pas, mais moi je les vois. Dans *La vie est un roman*, j'ai un mauvais raccord quand Sabine Azéma et Martine Kelly retrouvent Geraldine Chaplin dans sa chambre. Geraldine Chaplin portait un pyjama avec un col Mao, et en principe elle avait un bouton ouvert. Entre deux plans elle a eu froid, elle l'a refermé, et quand on a continué la séquence elle avait le col fermé. Il y avait un plan de coupe sur Sabine Azéma, et pour le plan d'après j'ai demandé à Geraldine Chaplin de jouer un peu avec son bouton, pour justifier qu'il était tantôt ouvert, tantôt fermé. Le tout est de savoir quels sont les mauvais raccords qu'on voit et ceux qu'on ne voit pas. En réalité le spectateur regarde surtout les gens qui parlent, il suit plutôt le texte que la place des objets. Si un verre ou une tasse, d'un plan à l'autre, apparaît ou disparaît, très souvent cela passe inaperçu.

Je fais aussi des croquis, surtout pour la place de la caméra par rapport aux acteurs, et des Polaroïd. Autrefois, c'était très utile pour la scripte d'avoir les bouts d'essai que faisaient les assistants opérateurs à la fin de chaque plan, mais cette tradition est malheureusement perdue. L'assistant déchargeait la caméra dans sa chambre noire, prélevait quelques images sur le négatif et les développait tout de suite : vous aviez exactement le cadrage du film, ce que ne vous donnent ni les Polaroïd ni les croquis. Cela dit, le Polaroïd est très utile pour l'accessoiriste ou l'habilleuse, pour placer les objets dans le décor ou pour rectifier une mèche de cheveux. Ça évite souvent des discussions sur le plateau. Mais ça n'empêche pas qu'il faille tout de même noter la couleur, la nuance exactes, car le Polaroïd ne vous donne pas le rendu exact des couleurs. Parfois il y a une discussion sur la cravate qu'a mise un acteur : est-ce que c'était celle qui est sur fond grenat ou sur fond marine, avec le dessin vert-bleu ou bleu-gris? A l'époque de *Stavisky...* je ne prenais encore que des Polaroïd noir et blanc (je n'avais pas encore d'appareil couleurs), mais après tout c'est un film que Resnais, à l'origine, aurait voulu tourner en noir et blanc.

En dehors des problèmes de raccord, quel est votre rôle sur le tournage?

Contrairement aux autres techniciens, la scripte ne doit pas être créative mais « descriptive ». Elle doit noter tout ce qui se produit pendant le tournage, et mettre par écrit les satisfactions ou les déceptions du metteur en scène et des techniciens à la fin de chaque prise, ainsi que les variantes et les différences entre les prises. Je note dans mon cahier que telle prise est bonne pour le jeu mais ne plaît pas au preneur de son, ou que telle autre est formidable techniquement mais moyenne pour le jeu, que la 1 est un peu lente, que la 3 est un faux départ, que dans la 4 le point est légèrement en retard. Puis je rappelle toutes ces petites nuances au metteur en scène quand il s'agit de tirer les prises, pour le choix immédiat. Je lui demande aussi de nuancer d'un adjectif les prises de « réserve », afin qu'au montage, s'il a une hésitation pour le choix définitif, il puisse tirer sans perdre de temps une autre prise en sachant qu'elle est bonne. Mon travail est pour ainsi dire terminé le dernier jour du tournage : je sais que j'ai des collègues qui le font, mais je ne vais jamais dans la salle de montage. Toutes mes notes, tous mes brouillons ont été mis au propre, si bien que le monteur et le metteur en scène peuvent se rappeler exactement les nuances entre chaque prise, et faire leur choix en connaissance de cause. Un metteur en scène, et c'est particulièrement vrai de Resnais, a besoin de trois souffles nouveaux à chacune des étapes de son film : l'écriture, le tournage et le montage. Chez Resnais le scénariste n'assiste jamais au tournage, et le monteur non plus. De même la scripte, qui fait partie de l'équipe technique, n'a aucune raison, ensuite, de s'immiscer dans la salle de montage. C'est le seul moyen pour le metteur en scène d'avoir à chaque fois des idées nouvelles et un point de vue différent sur le film. En France, à l'origine, la tradition a voulu que les secrétaires de production deviennent scriptes, et pendant longtemps les scriptes ont été là dès le départ, au moment de ce qu'on appelait la « préparation littéraire ». Mais maintenant les deux fonctions sont bien distinctes.

La scripte, dans beaucoup de circonstances, doit aussi jouer un rôle de médiatrice. J'essaie d'aplanir les difficultés si besoin est, d'aider les acteurs ou les petits rôles à s'intégrer à l'équipe, et surtout, lorsqu'il n'a pas le temps de le faire lui-même, je dois expliquer les intentions du metteur en scène à tous ces obscurs, à tous ces sans-grade (puisque vous n'interrogez que les « cadres » de l'atelier Resnais) qui n'osent pas toujours s'adresser à lui. Resnais essaie pourtant toujours d'être disponible pour vous expliquer sa conception du sujet et tout ce qui gravite autour du film, il répond à toutes vos questions, il n'y a pratiquement jamais de malentendu. C'est quelqu'un qui met à l'aise non seulement les acteurs mais tous les techniciens et ouvriers sur le tournage. On prétend qu'il est froid, mais c'est qu'il est d'une grande courtoisie, d'un grand calme, et qu'il n'engueule jamais personne sur un plateau. Quand il est vraiment contrarié (ça lui arrive rarement), il devient tout blanc, mais il ne laisse jamais sortir un mot plus haut qu'un autre. Resnais est un metteur en scène reposant, avec qui vous avez l'impression d'être écouté, et même parfois d'être plus intelligent. C'est le metteur en scène que je respecte le plus, et en même temps c'est celui qui m'intimide le moins. D'autres réalisateurs sont plus secrets, moins communicatifs, et préfèrent ne pas indiquer trop à l'avance leur découpage de façon à pouvoir changer d'avis à la dernière minute. On a davantage de mal à les suivre, avec eux on se sent plus gêné, plus intimidé, et donc moins libre.

Je voudrais terminer en corrigeant une fausse image, encore une, qu'on se fait parfois d'Alain Resnais. J'entends parfois dire qu'il consomme beaucoup de pellicule, alors que Resnais est tout simplement un metteur en scène qui permet aux acteurs de faire des variantes dans leur jeu s'ils le désirent. Quelquefois, c'est vrai, il lui arrive de faire beaucoup de prises pour une intonation particulière. Dans *Stavisky...*, Charles Boyer dit à Belmondo : « *Je suis votre ami, Sacha, quoi qu'il arrive. Mais vous m'avez menti. Dommage...* », et Resnais a mis beaucoup de temps pour choisir ce « *Dommage...* » que Boyer disait de mieux en mieux. Mais ce n'est pas un metteur en scène qui multiplie les prises pour le plaisir, il fait le plus souvent entre quatre et dix prises, et il n'est pas rare qu'il se contente de la deuxième. En fait, le moins qu'on puisse dire est qu'il reste tout à fait dans les normes, et même au besoin au-dessous des normes puisque pour *Mélo* il n'a consommé que 25 000 mètres de pellicule. Autant vous donner les chiffres exacts pour chacun des films de Resnais auxquels j'ai travaillé, en rappelant qu'il faut au moins 30 000 mètres de pellicule pour un film d'une heure trente et 40 000 mètres pour un film de deux heures :

27 500 m pour *Hiroshima mon amour* (1 h 31)
34 700 m pour *L'Année dernière à Marienbad* (1 h 33)
31 900 m pour *Muriel* (1 h 56)
42 000 m pour *La guerre est finie* (2 h 01)
27 000 m pour *Je t'aime je t'aime* (1 h 31)
38 700 m pour *Stavisky...* (1 h 55)
35 300 m pour *La vie est un roman* (1 h 51)
24 500 m pour *Mélo* (1 h 52) [1]

La préparation de *Mélo* avait permis un gain de temps énorme sur les prises de vues, mais vous voyez que Resnais, quel que soit le film, est un metteur en scène qui ne gaspille pas la pellicule. Et comme je vous l'ai dit, c'est justement tout son travail de préparation avant le tournage qui lui permet, une fois sur le plateau, d'oublier la technique et de se concentrer uniquement sur le jeu des acteurs. Resnais est sorti de l'école du court métrage où il a commencé par ne filmer que des objets, des tableaux, des documents, des livres, des natures mortes auxquelles il s'est ingénié à donner beaucoup de vie. Ce qui fait que d'une part il est très précis sur le choix de certains accessoires, et que d'autre part il continue à tourner autour de ses acteurs comme un entomologiste très respectueux. Je crois qu'il attend de nous que nous partagions ce respect, et que nous ne fassions jamais rien qui puisse gêner les acteurs. Vous vous souvenez, dans *La guerre est finie*, de la longue tirade d'Yves Montand contre les « anciens combattants » de la guerre d'Espagne. Je suivais le texte, je regardais Montand – c'était une scène très émouvante –, et à la fin de la tirade, après le « *Coupez* ! » chuchoté que j'ai cru entendre, il y a eu un long silence. J'ai failli m'écrier : « *Oh, c'est formidable !* », mais comme tout le

1. Depuis cet entretien, Sylvette Baudrot a travaillé sur *I Want to Go Home*, qui a nécessité 37 000 m de pellicule pour 1 h 45 de projection (les durées indiquées sont celles du montage définitif). Pour les trois autres films d'Alain Resnais, les chiffres, communiqués par les scriptes Marie-José Guissart et Hélène Sebillotte, sont les suivants : 37 000 m pour *Providence* (1 h 50), 45 200 m pour *Mon oncle d'Amérique* (2 h 05) et 33 200 m, essais compris mais « interludes » exclus, pour *L'Amour à mort* (1 h 32).

monde restait silencieux je n'ai pas osé. Et j'ai bien fait, car là-dessus Montand a enchaîné sur la scène suivante, et on a continué à tourner. Je préfère ne pas imaginer ce qui se serait passé si je l'avais interrompu dans son élan. Depuis ça m'a servi de leçon, et à la fin d'une scène j'attends toujours d'être bien sûre, avant de prononcer le moindre mot, que le metteur en scène ait dit « *Coupez !* ».

SACHA VIERNY

Directeur de la photographie

Après avoir été assistant opérateur de Ghislain Cloquet sur *Nuit et Brouillard* et *Le Mystère de l'atelier quinze*, Sacha Vierny a dirigé la photographie du *Chant du styrène* et des quatre premiers longs métrages d'Alain Resnais (d'*Hiroshima mon amour* à *La guerre est finie*), puis de *Stavisky...*, *Mon oncle d'Amérique* et *L'Amour à mort*. Collaborateur de Luis Buñuel, Chris. Marker, Marguerite Duras et Peter Greenaway, il a entretenu une collaboration fructueuse avec Raoul Ruiz, dont *Les Trois Couronnes du matelot*, par exemple, présentent d'évidentes parentés stylistiques avec *L'Année dernière à Marienbad*.

Avant le tournage de ses films, Alain Resnais a pour habitude de prendre un certain nombre de photos de repérages, qui sont par la force des choses des photos non éclairées. Est-ce qu'elles sont utiles pour le directeur de la photographie?

Elles le sont, et comment! C'est même intimidant de voir les photos d'Alain Resnais, car c'est très souvent exactement ça qu'il va falloir retrouver. Ses photos sont magnifiques, elles expliquent très bien ce qu'il veut, ce qu'il souhaite. Elles font plus que suggérer, elles imposent! Resnais a le grand talent de savoir vous représenter ce qu'il attend par des références concrètes. Avec lui la commande est très claire, très précise. Il a chez lui toute une documentation, des collections très anciennes de revues de cinéma, et pendant la préparation il nous montre des photos, des images. Il sait très bien expliquer ce qu'il veut avec des phrases, mais les phrases, les mots, ça mène à des malentendus, tandis que des images, c'est concret, et on voit plus nettement ce que veut le metteur en scène.

Est-ce que les références à la bande dessinée jouent aussi un rôle dans votre travail avec Resnais?

Pour moi, non. C'est arrivé avec Raoul Ruiz, mais pas avec Resnais. Sauf peut-être dans *Muriel.* Resnais voulait, en particulier dans les extérieurs, des couleurs criardes, telles qu'elles sont dans la vie, et quand nous avons rencontré dans les rues de Boulogne des pancartes, des publicités, des bâches de couleur vive, non seulement nous ne les avons pas évitées, mais nous avons fait référence au style violent et contrasté de la couleur des bandes dessinées.

Resnais vous avait fait lire Dick Tracy *avant le tournage.*

Ça me dit quelque chose, mais j'ai oublié. J'ai une très mauvaise mémoire.

La conception de l'image dans La guerre est finie *n'était-elle pas aussi influencée par certaines bandes dessinées?*

Je ne me rappelle pas. C'est trop loin. De toute façon je ne suis pas assez calé personnellement en bande dessinée. Je n'en lis pas beaucoup. *La guerre est finie,* c'était du noir et blanc. Vous avez lu le scénario et vous avez vu le film : il y avait d'un côté la lutte des militants espagnols et la frontière proche, et de l'autre la vie douce de la bourgeoisie, de cette femme qui avait ce si bel appartement dans l'île Saint-Louis qu'il a fallu reconstituer en studio à

Stockholm; il y avait cette opposition entre le confort bourgeois de l'île Saint-Louis et l'image forcément plus dramatique du militantisme clandestin. Voilà, que dire d'autre? Est-ce que c'est plus compliqué que ça, en fait? Il fallait que cette différence soit sensible, et quand on a devant soi, devant la caméra, les choses qui sont bien comme elles sont, mon rôle est modeste. Ce n'est pas grand-chose, il faut être honnête.

Faut-il vous croire?

Vous savez, quand l'opérateur fait une image, il éclaire ce qui est devant lui. Or ce qui est devant lui, c'est le résultat d'une réflexion déjà extrêmement poussée entre le metteur en scène et le décorateur. Je voudrais rappeler en particulier l'importance de Jacques Saulnier. Je suis tout à fait prêt à lui faire des petits reproches du genre «*Ah! ce n'est pas toujours facile à éclairer, ce qu'il vous construit!*», mais si on a la modestie simplement d'éclairer ses décors pour qu'on les voie, ce qu'il a fait est tellement beau en soi-même qu'il suffit de faire très peu de chose. Saulnier aime bien les matières réelles, et il arrive d'ailleurs à faire bouger, avec des procédés qu'il a lui-même inventés, des feuilles mobiles [1] qui normalement ne devraient pas l'être tellement elles sont lourdes. Un mur de Saulnier, c'est vraiment un mur : quand on claque une porte, elle claque vraiment, et le mur ne bouge pas. Et Saulnier utilise l'espace et les volumes d'une façon extraordinaire, avec des sols, des entresols, des différences de niveau. Donc quand il y a déjà ça, quand les costumes sont choisis et bien portés et que les mouvements ont été répétés, qu'est-ce qu'il me reste à faire, moi? Je fais de mon mieux. Je ne sais pas quoi, mais je fais de mon mieux. Je ne veux pas me dénigrer, mais je dirai quand même que pour qu'un opérateur fasse une mauvaise image avec Resnais, il faut vraiment qu'il le fasse exprès ou qu'il soit au-dessous de tout. Ça n'existe pas.

---

1. Les «feuilles» sont des châssis de contre-plaqué sur lesquels sont construites les parois des décors de studio.

Resnais ne fait pas de storyboard [1]*, mais lui arrive-t-il de dessiner un plan, de faire des croquis?*

Resnais ne dessine pas ses intentions, mais vous savez comment il les décrit! Lorsque je rencontre des gens qui ont l'intention de faire de la mise en scène et qui croient bon de s'encombrer de termes techniques, il m'arrive de leur montrer les découpages de Resnais, qui sont écrits dans une langue extrêmement simple. Dans la colonne de gauche, vous ne trouverez jamais d'expression du genre « plan moyen », « plan général » ou « gros plan » : ça, ce n'est pas du français, c'est du jargon technique, et Resnais ne l'utilise pas. Il dit purement et simplement ce que la caméra cadre : cadre cou, cadre poitrine, etc. Ce n'est pas du tout littéraire, c'est un peu aride à lire, et c'est très précis, très simple, très net [2]. Alors est-ce qu'en plus il a besoin de nous faire des croquis? Je ne dis pas que ça ne lui arrive jamais, mais c'est rare.

Pendant la préparation d'un plan, est-ce que vous vous servez d'un viseur ou d'une cellule, et quelle est leur utilité?

Ayant vu une photo comique des trois grandes silhouettes, Resnais, Philippe Brun et Vierny, chacun avec un viseur, j'ai trouvé ça trop mécaniquement ridicule et je me suis inventé un petit viseur personnel qui est un verre divergent comme en avaient les peintres. Comme il y a cinq carreaux, j'ai mis du chatterton sur un carreau en haut et un en bas, ce qui me fait 5 sur 3, c'est-à-dire 1,66 [3]. Je ne m'en sers pas beaucoup, c'est un peu un gag.

1. Le *storyboard* est une suite de dessins parfois très élaborés représentant successivement chacun des plans prévus dans le découpage.

2. L'échelle des plans, du plus large au plus serré, s'établit ainsi dans le vocabulaire d'Alain Resnais : hyperdécor, décor, entier, pied, genou, cuisse, ceinture, taille, poitrine, épaule, cou, et « détail » pour les inserts ou gros plans d'objets.
Resnais écrivait « cadre épaule » ou « cadre cou » à l'époque de ses premiers longs métrages, puis a préféré adopter la graphie « cadre (épaule) » ou « cadre (cou) ». Certains des découpages de ses films publiés par *L'Avant-Scène cinéma* respectent ce vocabulaire.

3. Le format 1,65 (1,65 × 1) est depuis la fin des années cinquante le format d'image standard en Europe. Il est parfois appelé 1,66.

Mais Resnais, lui, se sert énormément du viseur, pour chronométrer, pour ainsi dire, le rythme de ses mouvements d'appareil. C'est très souvent comme ça que se passe la préparation d'un plan : Resnais se répète le texte pour lui-même en même temps qu'il cadre avec le viseur.

Quant à la cellule... Je n'aime pas qu'on me photographie, je ne sais pas pourquoi, et je n'aime pas qu'on me photographie avec la cellule. Ma prétention fait que je considère que mon rôle – mon « art » – n'est pas dans la mesure de la quantité de lumière. Mon art, si j'en ai un, se loge dans la nature de la lumière, dans sa qualité, dans sa direction, dans des choses subtiles qui sont impondérables. Et la mesure de la lumière, si on vivait dans un monde meilleur, je la laisserais bien à mon chef électricien, comme cela se fait dans certains pays, ou à mon super-assistant. La cellule, ça n'a pas beaucoup d'intérêt, ou plutôt c'est purement une question de caractère. Quand on est en extérieurs, si on a beaucoup d'autorité, on peut dire « *On ne peut plus tourner* », parce qu'il est trop tard ou que le soleil est rouge. Comme je n'ai pas beaucoup d'autorité, je préfère sortir un instrument pour prononcer la même phrase : « *On ne peut plus tourner.* » C'est l'instrument qui le dit, ce n'est pas moi. La cellule sert surtout à constater qu'elle marche bien, mais autrement elle ne sert à rien. Autrefois, d'ailleurs, les opérateurs travaillaient sans cellule.

A quel parti pris stylistique correspondait l'emploi des longues focales dans* Hiroshima mon amour*?

Dans *Hiroshima* c'est mon grand confrère Takahashi Michio qui a fait la partie tournée au Japon, et j'ai donc fait Nevers. *Hiroshima* était mon premier long métrage et, pour le faire, j'avais dû demander une dérogation au Centre national de la cinématographie parce que je ne remplissais pas les conditions requises. J'étais un opérateur de court métrage, et Resnais m'avait choisi pour *Le Chant du styrène* en voyant les courts métrages d'André Vétusto auxquels j'avais travaillé. Cette image de Nevers, j'en suis très heureux, elle me paraît adéquate, mais comment oser dire que je fais aussi bien que possible ce qu'on me demande, et que c'est un autre métier d'en parler? Je me rappelle bien avoir lu des commentaires très agréables sur l'image d'*Hiroshima* et sur l'utilisation des longues focales, mais je ne saurais pas en parler aussi bien que les « exégètes », comme on dit. Le résultat est là, je n'ai trahi personne. Ce qui, en revanche, est intéressant pour l'histoire de Resnais, de son évolution, c'est que pour *Hiroshima* il m'avait aussi demandé de m'occuper du cadre, sans doute tout simplement parce qu'il était très timide, très sensible. C'était un écorché vif, Resnais. Il l'est toujours, mais ça ne se voit plus, probablement parce qu'entre-temps il est devenu heureux, et puis il s'est donné combien de preuves de sa valeur! Pour *Hiroshima*, il trouvait donc que ce serait plus simple de ne pas changer les habitudes que nous avions prises dans les courts métrages et de garder ce contact évidemment beaucoup plus direct qu'on a lorsqu'on n'est pas trois, mais deux pour l'image. Nous étions quand même une équipe complète (nous étions fermement syndicalistes), c'est-à-dire que Pierre Goupil était premier assistant avec un contrat de cadreur, et que les deux assistants opérateurs, Denys Clerval et Jean Chiabaut, avaient chacun un contrat de premier assistant et travaillaient en alternance. Mais quand je dis que c'est moi qui cadrais, il ne faut pas oublier que Resnais, quoi qu'il en dise, est un excellent technicien. Il est opérateur d'abord – ses premiers films, il les a faits tout seul –, et vous savez bien qu'il est un grand monteur. Donc dans notre travail en commun pour *Hiroshima*, c'est moi qui tenais la caméra comme cadreur avec l'œil à l'œilleton, mais finalement, le travail de l'image, on le faisait ensemble.

Ce qui m'amène à vous parler de Philippe Brun. Que vous dire sur Philippe Brun? C'est bien simple : Philippe Brun, c'est le meilleur. Il est d'une habileté diabolique. Un mouvement d'appareil, si compliqué soit-il, il ne peut pas le louper. Quelquefois, lors d'une nouvelle prise, Sabine Azéma – vous savez qu'elle est vive – se déplacera de façon inattendue, mais jamais Philippe Brun ne la manquera. Elle peut se lever en sautant, elle sera cadrée.

Jamais elle n'arrivera à le prendre au dépourvu. Travailler avec lui, c'est vraiment une merveille. Dans *L'Amour à mort* il y a des mouvements d'appareil en très gros plan que vous avez sûrement remarqués, c'est du long foyer, et je tire mon chapeau à la précision de Philippe Brun, d'Albert Bonomi, le machiniste qui poussait la dolly, et d'Agnès Godard [1] qui faisait le point, car on n'a jamais eu un flou. Quel travail! Avec Philippe Brun on s'entend très bien, c'est moi qui l'ai amené à Resnais pour *Marienbad* et depuis ils ne se sont plus lâchés.

Maintenant que je lui ai envoyé assez de fleurs, je peux aussi me plaindre un petit peu. Les chefs opérateurs qui travaillent sans cadreur le font pour toutes sortes de raisons, avant tout pour des raisons économiques parce que cela revient moins cher, mais peut-être aussi en partie parce qu'ils veulent le pouvoir pour eux tout seuls. Ça suffit de partager avec le metteur en scène, si en plus il faut partager avec un cadreur... Et le contact est tellement plus agréable et facile quand on est seul avec le metteur en scène... Ce n'est pas mon point de vue. Et justement une qualité de Philippe Brun et de Resnais, c'est qu'on arrive quand même à faire un ménage à trois, on s'entend très bien tous les trois. Mais tout de même il a pu m'arriver, en particulier dans *Mon oncle d'Amérique*, parce qu'il n'y avait rien de spécial au point de vue lumière et que Resnais n'avait pas tous les jours à me rappeler je ne sais quelle commande compliquée, il a pu m'arriver d'avoir le sentiment qu'on ne s'occupait plus de moi, qu'on me laissait dans mon coin et qu'on ne me parlait plus. Et je me suis plaint. J'ai pleurniché, j'ai dit : « *Ne m'oubliez pas, je suis là, il faut que je sois dans le coup.* » Philippe Brun, avec Resnais, est souvent plus près de la mise en scène que moi, et je ressens là, certainement, une forme de jalousie à son égard.

Dans L'Année dernière à Marienbad *vous avez parfois*

---

1. Agnès Godard est devenue par la suite une cadreuse réputée, travaillant notamment avec Sacha Vierny sur *Le Ventre de l'architecte* de Peter Greenaway et avec Henri Alekan sur *Les Ailes du désir* de Wim Wenders.

tourné sur de la pellicule-son. Quelles en étaient les conséquences stylistiques?

Tout le monde s'est amusé un jour ou l'autre à tourner sur de la pellicule-son, pour obtenir de très grands contrastes. Il faut rappeler que dans le temps on faisait du son sur de la pellicule argentique, sur de la pellicule orthochromatique très contrastée. C'était assez difficile d'exposer correctement une pellicule-son, de faire de l'image sur cette pellicule ortho, mais le résultat était intéressant. On s'en est servi dans une petite partie de *Marienbad*, en particulier pour le grand effet de travelling dans le couloir blanc. Mais le film en général est fait au contraire sur une belle pellicule correctement développée, comme on la développait dans le temps.

Les blancs « bavent » dans beaucoup d'autres plans du film, en particulier quand Delphine Seyrig découvre le jardin et qu'elle est aveuglée, terrifiée par la clarté du jour.

Ça correspond à des effets beaucoup plus normaux et la « bavure » est obtenue autrement. Je ne me rappelle pas comment, mais ça ne m'étonnerait pas qu'en nous inspirant de mon ami Alekan nous ayons mis des tulles dans le décor. En tout cas c'est ce procédé que nous avons employé pour les plans de Delphine Seyrig dans sa chambre qui alternaient avec les plans aux noirs très limpides de la salle de bal. Delphine Seyrig était en avant du tulle, près d'un guéridon. Le fond était bien délavé, parce que le tulle était légèrement éclairé, d'une façon très régulière, alors qu'en avant-plan Delphine Seyrig et le guéridon étaient très nets et normalement contrastés.

Une autre particularité de *Marienbad*, c'est que le film était en scope, et en Dyaliscope, un procédé qui a duré un certain temps et qui a disparu. Alors que le format du scope suggère d'habitude une certaine immobilité, quelque chose d'assez statique, Resnais s'en était donné à cœur joie de mouvements d'appareil, de travellings en contre-plongée. C'est une utilisation non pas désinvolte mais au contraire très lucide et très intelligente de procédés qui pourraient faire peur. La maison Dyaliscope nous a beaucoup aidés techniquement. En particulier ils m'ont fabriqué, je les ai toujours, des lentilles coupées dont je me suis servi dans *Marienbad* pour faire certains effets de profondeur de champ [1]. C'est un procédé maintenant tout à fait connu et utilisé, on en trouve chez les loueurs, tandis qu'à l'époque de *Marienbad* c'était un secret. Je n'aime pas les secrets; je trouve qu'il n'y a pas de secrets. Mais je sais que des confrères m'ont reproché d'avoir employé ces lentilles coupées : ce n'était pas bien, « déontologiquement », d'employer, moi qui n'étais qu'un jeune opérateur, un procédé qui était un secret d'anciens. Il y a eu un certain nombre d'autres truquages caméra dans *Marienbad*. Nous avons fait plusieurs truquages avec des images composites, avec des caches-contre-caches; on voyait plusieurs fois Delphine Seyrig dans la même image. De nos jours on préfère faire les truquages au laboratoire, ce qui est dommage parce qu'il faut contretyper l'original. Tandis que quand on fait un truquage « à la caméra », sur le plateau, on obtient directement, sur le négatif original, une image de meilleure qualité. Mais il faut avouer que nous avons eu des débuts très difficiles dans *Marienbad*. Les premiers jours ont été très durs. Resnais s'accusait lui-même, tout était de sa faute. Il a fallu refaire un plan qui vraiment ne lui plaisait pas du tout. C'était très mauvais, c'était même tout à fait exécrable (il devait s'agir d'un plan en extérieurs plus ou moins nuit, avec Delphine Seyrig devant une balustrade), et là il a fallu recommencer. J'ai quand même ce souvenir un peu douloureux. Heureusement, ça s'est bien arrangé depuis. Et je bénéficie des retombées puisque des gens me demandent encore maintenant à cause de *Marienbad*.

Les couleurs de Stavisky... *ont-elles nécessité un travail de laboratoire particulier?*

---

1. Philippe Brun revient plus loin sur l'un de ces truquages à la prise de vues.

Non. Là encore, tout a été fait « à la caméra ». Nous nous chargions sur le plateau de donner à l'image le caractère que souhaitait Resnais. Vous savez que Resnais aurait volontiers tourné *Stavisky*... en noir et blanc, ce qui, commercialement, n'a pas été possible. Il m'a donc demandé de faire en couleurs une image archaïque, un style d'image qui suggère quand même le cinéma d'avant la guerre, de l'époque de Stavisky, c'est-à-dire 1933-1934. Puisqu'on tournait le film en couleurs, il ne renonçait pas du tout à la couleur (ça se dit beaucoup de nos jours : « *On le fait en couleurs, mais il faut que ce soit en noir et blanc* ») ; au contraire, il adoptait la couleur et s'en servait, mais avec cette référence au cinéma de l'ancien temps. En particulier, nous avions pris le parti de « diffuser » l'image, ce qui apportait une certaine douceur [1]. Après avoir essayé toute une petite ribambelle de trames de soie noire, nous en avons retenu deux, et nous nous mettions d'accord avec Resnais pour tourner telle scène avec la « Bianchini » et telle autre avec l'« Italienne » (j'avais trouvé chez Bianchini un bout de soie noire que je mettais devant l'objectif, et j'avais dû acheter dans une grande surface un petit foulard de soie *made in Italy* que nous appelions l'Italienne). Il y avait une petite différence à laquelle Resnais et moi étions sensibles. C'était en hommage aux manières archaïques. Mes grands ancêtres, les grands opérateurs du passé, utilisaient des diffusions. Que ce soit dans le cinéma américain, européen ou français, les gros plans des vedettes étaient extraordinairement diffusés, tramés. Ça faisait partie du style, même en rupture de ton avec l'image, ce que nous, nous ne faisions pas. Nous tenions à la continuité.

Resrais voulait aussi se rapprocher de la bichromie, à la façon des couvertures de journaux de l'époque ou de certains films en technicolor bichrome comme Masques de cire *de Michael Curtiz, qui date de 1933.*

---

1. La diffusion ou *soft focus* consiste à adoucir l'image en plaçant devant l'objectif de la caméra une glace ou un morceau de tissu, le plus souvent de tulle ou de soie.

Je ne m'en souviens pas, et je vais vous expliquer pourquoi. Pendant de nombreuses années, Kodak et Eastmancolor, qui est par ailleurs une excellente pellicule, ça a été la dictature, car il n'y avait rien d'autre. Enfin Fuji est venu, ce qui nous a permis de disposer d'une pellicule plus douce. Mais ils essaient tous de se ressembler – sans y arriver tout à fait, heureusement –, et Agfa-Gevaert est aussi excellent qu'Eastman. C'est dommage! Nous aimerions qu'il y ait différentes qualités de pellicule, comme jadis au temps du noir et blanc, de façon à adapter les moyens techniques au genre de films que nous voulons faire. Les chercheurs de laboratoire prétendent être des scientifiques extrêmement rigoureux, alors qu'il me paraît tout à fait évident que le caractère même de l'image Eastmancolor, c'est la civilisation américaine. Une pellicule, ce n'est pas uniquement des chiffres et un rendu exact des couleurs, c'est un fait culturel. Donc à chaque fois qu'on commence un film on cherche à définir sa manière, son style... et on voudrait bien faire autre chose que de l'excellent Eastmancolor. Alors on se demande : « *Et si on faisait du bichrome?* » Voilà pourquoi je n'ai pas de souvenir particulier de *Stavisky...* : ça nous arrive cent fois d'avoir envie de faire autre chose. Mais il est vrai que nous avons regardé des images et des films de l'époque, encore que là aussi il y aurait bien des choses à dire, puisque les films anciens que nous voyons maintenant sont généralement des tirages actuels établis à partir de négatifs vieillis, souvent dégradés, ce sont des reproductions, des copies de vieilles images.

Il y avait aussi une recherche d'archaïsme ou de classicisme dans Mon oncle d'Amérique, *où les personnages sont presque toujours « décrochés », détachés de l'arrière-plan.*

C'est bien possible. C'est ce que j'appelle ordinairement « faire cinoche ». Il y a un certain style d'images cinématographiques de l'ancien temps où on mettait systématiquement des contre-jours sur les têtes pour les « décrocher ». Mais dans *Mon oncle d'Amérique* la commande était surtout : « *On ne fait pas de la belle image.* » Il n'y avait pas d'effets, c'était pur et simple, sans recherches spéciales. C'était, encore une fois, ce qui se trouvait devant la caméra qui déterminait la lumière. L'image de *Mon oncle d'Amérique* n'a rien d'exceptionnel, elle est simplement professionnelle, très correcte, de bonne qualité.

C'est peut-être anecdotique, mais quand nous sommes allés dans le laboratoire de Laborit, Resnais m'a dit qu'il comptait tout simplement sur moi pour que notre comportement de professionnels de cinéma l'aide, en somme, à diriger Laborit. Car pour Resnais, Laborit était un acteur de son film au même titre que Nicole Garcia, Roger Pierre et Depardieu, c'était un des personnages de son histoire. Laborit avait eu l'occasion de recevoir une équipe de reportage dans son laboratoire, de parler devant une caméra de télévision. Nous, ce n'était pas un reportage, il s'agissait de mettre en scène des rats, pas seulement Laborit, et notre comportement, notre manière d'être, la manière dont je faisais la lumière et l'image devaient avoir le caractère sérieux, compétent, professionnel qui aide le metteur en scène à obtenir le résultat qu'il cherche. Je trouve ça magnifique. Là, vraiment, je me sens actif, utile, dans mon rôle. Quelle merveille!

Vous avez parlé tout à l'heure des couleurs violentes des extérieurs de Muriel, *mais en intérieurs vous deviez aussi relever un défi d'ordre technique avec les murs blancs de l'appartement de Delphine Seyrig, puisque le blanc donne généralement de mauvais résultats sur la pellicule couleur. Comment avez-vous contourné la difficulté?*

Saulnier a fait des murs blancs, c'est tout, et il fallait que je m'en serve. Dans le temps du noir et blanc, on teintait les blancs quand la pellicule n'était pas capable de les « encaisser ». Et les habilleuses, d'une façon générale, teintaient les chemises blanches soit en bleu, un bleu plus ou moins léger, soit en thé : on les trempait dans du thé. Mais depuis qu'il y a la couleur, si on veut du blanc, eh bien il faut mettre du blanc. Que ça m'empêche de dormir la nuit, c'est bien possible. Qu'est-ce que je peux dire d'autre? C'est difficile, c'est « trouillant ». Je ne me rappelle pas. De toute façon j'oublie tout. J'ai une très mauvaise mémoire.

Ça vous arrange!

Non seulement ça m'arrange, mais c'est même un principe de technicien. Il ne pourra jamais m'arriver d'utiliser une pellicule en me trompant sur sa rapidité, parce que je l'ai déjà oubliée depuis longtemps. Par conséquent si je dois tourner, il faut que je me renseigne : « *Combien elle fait d'ASA, la pellicule*? » J'ai oublié. Je ne sais pas. Alors je ne peux pas me tromper. Quand je fais de l'image, j'essaie d'éviter l'« expérience » et la routine.

Ce que je peux tout de même ajouter à propos de *Muriel*, c'est que, comme à chaque début de film, j'ai dû faire mes essais personnels avec la pellicule, d'une part bien entendu parce que j'essaie, comme tout le monde, d'avoir la même bonne émulsion pour tout le film, et d'autre part afin de bien connaître cette pellicule, c'est-à-dire dans ce cas précis afin de savoir jusqu'où elle allait « encaisser » la surexposition des blancs. Lorsque je rencontre un problème comme celui-là, il faut qu'avant de commencer je sache jusqu'où je peux aller trop loin. C'est d'ailleurs en général mon point de vue : savoir jusqu'où je peux aller trop loin. Car je suis persuadé que c'est en prenant le risque d'aller trop loin qu'on fait une image intéressante. Sinon, il s'agit simplement d'enregistrer, ce qui est tout simple. C'est moins intéressant que de prendre des risques.

Il y a une certaine contradiction à affirmer tantôt que le chef opérateur se contente d'éclairer ce qui est devant lui, tantôt qu'une image intéressante se fait en prenant le risque d'aller trop loin.

J'ai des contradictions, je ne le cache pas. J'assume la contradiction.

En dehors des essais de pellicule dont vous venez de parler, faites-vous, avant le tournage d'un film, des essais techniques en studio avec Resnais?

C'est arrivé. On n'en fait jamais assez. Encore qu'en vérité je ne tienne pas non plus à en faire beaucoup, pour la simple raison qu'aux essais on ne peut jamais être dans les conditions véritables du tournage. Nous pouvons faire des essais entre nous, comme les essais de trame dont je vous ai parlé à propos de *Stavisky*..., mais il n'est jamais arrivé qu'on ait assez de moyens pour faire de vrais essais à partir desquels on puisse tirer des conclusions. Les gens se figurent que Resnais a des moyens pour faire ses films, ce n'est pas vrai. C'est toujours très juste sur le plan financier. Par exemple vous savez qu'Alekan, qui devait faire *L'Amour à mort*, s'est dédit trois semaines avant le début du tournage. Il avait beaucoup de raisons. S'il veut les dire toutes, il les dira. Ce que je sais bien puisqu'il m'en a parlé, c'est qu'Alekan, comme tout le monde, croyait qu'avec Resnais il aurait à sa disposition des moyens techniques assez considérables. Alekan est un extraordinaire opérateur, et c'est un inventeur. C'est en grande partie à lui qu'on doit la projection frontale. Et je sais qu'il aurait aimé faire *L'Amour à mort* avec un procédé qu'il a inventé, qu'il n'a jamais pu mettre en application, et qui consiste à utiliser deux caméras en même temps, reliées par un système optique : dans l'une il met de la pellicule couleur, dans l'autre de la pellicule noir et blanc, et il s'agit de faire un mariage entre les deux (je résume très sommairement). Il espérait le faire avec Resnais, et je crois bien qu'il a été déçu de s'apercevoir qu'il n'aurait pas beaucoup de moyens pour faire *L'Amour à mort*. Ce n'est pas la raison pour laquelle il n'a pas fait le film, il avait d'autres raisons extrêmement valables, à commencer par la maquette de son livre dont il devait s'occuper. Toujours est-il qu'on est retombé sur moi, pour mon bonheur. Dois-je reprocher à Resnais de ne pas me choisir à chaque fois ?

Dans Mélo, *Resnais a demandé à Charlie Van Damme de pratiquer un certain nombre de changements de lumière « à vue », qui estompaient le décor et isolaient les personnages. C'est un procédé que Resnais, cette fois sans l'alibi du théâtre, avait déjà employé avec vous dans* L'Amour à mort, *où les lumières baissent sans justifica-*

tion réaliste lorsque Simon explique à Élisabeth comment il est tombé amoureux d'elle, puis au cours de la discussion sur érôs *et* agapè.

Voilà les cas où on aime bien aller un peu loin. Il y avait une commande assez nette, assez précise. Resnais nous indiquait les moments où le décor comptait et ceux où il devait disparaître, devenir complètement sombre, je décidais quels projecteurs allaient s'éteindre doucement, et on changeait le niveau de la lumière sur les fonds pendant le plan, pendant la scène. C'est amusant. De même qu'un bon machiniste connaît le dialogue par cœur et qu'il fait son mouvement d'appareil sur le dialogue en sachant qu'à tel mot il est à tel endroit, de même le chef électricien et ses aides savaient à quel moment on ferait chuter les lumières avec des rhéostats, des résistances. C'est l'idée qui est importante; la manière de le faire, ce n'est pas grand-chose. Au théâtre et à la télévision maintenant on a des claviers, des pianos électroniques, on peut prérégler et tout marche automatiquement. Au cinéma on ne l'a pas encore tellement fait. C'est un peu dommage.

De manière générale, avec Resnais, partez-vous du principe qu'il faut respecter les sources de lumière naturelle, qu'il faut justifier par une lampe ou une fenêtre la lumière de la scène?

D'une manière simple et naturelle je serais tenté de répondre : « *Bien sûr.* » L'opérateur doit recréer les lumières normales, et c'est l'objet de conversations avec le décorateur et l'ensemblier. Je leur demande quelles sources de lumière « décor » ils vont mettre, où seront les ouvertures de fenêtre, etc. En principe, il faut bien sûr que la lumière que je fais corresponde au décor qui est implanté. Cependant l'expérience est intéressante de se tromper exprès, et de faire un effet de projecteur contraire à ce qu'indique la fenêtre, le lustre ou la table. Personne n'ira protester. En réalité on fait ce qu'on veut, ou ce que veut le metteur en scène. C'est du cinéma, on fabrique un spectacle. Si pour des raisons de photogénie je propose d'éclairer d'une façon qui soit en contradiction avec la vraie source de lumière, qu'est-ce que ça peut faire ? Il est peut-être plus important que le visage soit beau et photogénique.

Dans L'Amour à mort, *on peut penser que la tonalité rouge très accentuée des scènes d'amour n'est pas entièrement arbitraire dans la mesure où la lampe, derrière le lit, est recouverte par la jupe rouge d'Élisabeth, mais dans le dernier plan du film, pendant le déplacement d'appareil, le flamboiement rouge sur le mur du presbytère ne nécessite aucune justification « réaliste ».*

Exactement. Je suis assez accommodant, j'aime bien les décisions, les partis pris, et je n'ai pas l'habitude de demander des explications ou des justifications. Lorsque Peter Greenaway, en référence à Vermeer, me disait que la lumière de *ZOO*, chaque fois que possible, devait venir de gauche, ça me suffisait, je n'avais pas besoin d'en savoir plus. Et pour la jupe rouge de *L'Amour à mort*, à partir du moment où il y avait ces manières d'amoureux, il n'y avait qu'à suivre, qu'à imiter, en mettant des gélatines rouges sur les projecteurs. C'est tout simple. Vous savez qu'au cinéma on emploie énormément le mot « tricher » : on dit qu'on va « tricher » une chaise, par exemple en la remontant. C'est un mot que vous n'entendrez jamais sur un plateau de Resnais, car il préfère dire « améliorer ». Resnais ne « triche » pas une chaise, il l'« améliore ». Il a tout un petit vocabulaire personnel, dont fait partie par exemple le mot « amusant », qu'il utilise souvent sur le plateau. Pour indiquer une tonalité de jeu à ses comédiens, il leur dit : « *Ce serait amusant de voir si on ne peut pas faire autrement.* » A chaque film il se livre à des expériences, à des innovations, il essaie des choses que personne n'a jamais tentées avant lui, mais tout cela, il le fait « en s'amusant ».

PHILIPPE BRUN

Cadreur

A l'exception de *Je t'aime je t'aime, Mélo* et *I Want to Go Home,* Philippe Brun a participé à tous les films d'Alain Resnais depuis *L'Année dernière à Marienbad,* faisant le plus souvent équipe avec Sacha Vierny, mais aussi avec Ricardo Aronovich pour *Providence* et Bruno Nuytten pour *La vie est un roman.* Il a également travaillé avec Joris Ivens, Luis Buñuel, Costa-Gavras, Georges Franju, Pierre Kast et Pierre Granier-Deferre. Considérant le cadre comme un métier spécifique et non comme une étape vers l'accession à la direction de la photographie, il n'a fait la lumière du *Fils* de Granier-Deferre qu'en raison de la maladie du chef opérateur initialement prévu.

Resnais vous donne-t-il une ligne générale au départ d'un film?

Oui, à la suite de nombreux entretiens. C'est même l'essentiel du conditionnement, des contacts avant le tournage. On part toujours d'idées un peu abstraites, d'une volonté de voir les choses d'une certaine façon. Si l'on peut dire, dans cette dualité du cinéma, qu'il y a deux styles – Hitchcock, dit-on, avait des *storyboards* et dessinait chaque plan, alors que Jean Renoir, dit-on, avait un rapport très souple avec l'image et la lumière –, Resnais fait partie de la seconde catégorie. Ce n'est pas quelqu'un qui décide qu'on va mettre l'appareil au 40 mm à un mètre vingt dans un plan coupé au genou. Son propos est toujours de partir d'une orientation générale, et de vous la communiquer. Une notion de style s'en dégage, qui va amener à travailler, à chercher des solutions. C'est elle qui va permettre de se guider pendant le déroulement du film en essayant de ne pas s'en écarter, ou au contraire en acceptant une dissonance, une rupture de style : il faut faire de temps en temps le contraire de ce qu'on a décidé, ne serait-ce que pour renforcer cette direction générale.

Vous dites que Resnais serait plus proche de la tendance Renoir. Il découpe pourtant beaucoup.

Oui, il est de la tradition européenne. A vrai dire, ce n'est pas tant le fait d'écrire « plan général » ou « plan rapproché » qui est important, mais celui de souhaiter qu'une scène soit très découpée, ou à l'inverse qu'elle soit tournée en plan-séquence. C'est bien agréable pour l'équipe de pouvoir prendre connaissance de ces indications de rythme par le biais du découpage. Mais je crois que Resnais découpe relativement vite, en quelques jours : la plupart des choix ont été établis auparavant.

Quels documents vous donne-t-il pendant la phase de préparation?

Il n'en donne pas tant que ça. Le cas de *L'Amour à mort* était un peu particulier : il y avait la musique de Henze, qui est une musique sérielle. Resnais m'a donné des disques, il m'a fait découvrir le livre de Leonard Bernstein sur l'histoire de la musique, qui rassemble cinq ou six conférences données à Harvard. Resnais les a aussi en cassettes, il m'a fait écouter les exemples musicaux. C'est une sorte de préparation, de maturation : l'esprit vagabonde sur des données qui sont sans rapport direct avec le film, mais qui vont sans doute déterminer un comportement. Il procède souvent par références, mais sans jamais vous dire : « *On va faire dans le pointillisme, on va faire référence à l'école renaissante espagnole.* » Dans *L'Amour à mort*, il a amené un livre de Munch, qui avait d'ailleurs plus d'importance pour la photographie que pour le cadre, mais il l'a montré à Vierny au bout de quinze jours de tournage. La mise en scène est une série de provocations : on impose un texte à des comédiens, on donne des indications à certains moments, on crée des fausses pistes, on fait attention aux déclics qui peuvent se produire. Resnais fait cela superbement bien.

Selon vous, Resnais créerait des fausses pistes dans le travail?

J'ai le sentiment qu'il doit le faire de temps en temps. Partir dans une mauvaise direction, ce n'est pas si mal. Lorsqu'un comédien sent qu'un morceau de phrase ne va pas et qu'il faut le supprimer, il est évident que parfois ce morceau de phrase était entre parenthèses dans l'un des textes de Resnais. Pouvoir se dire : « J'ai trouvé quelque chose », cela donne une impression de libération, même si Resnais y avait pensé avant. Resnais est très « humaniste », il est très préoccupé par le comportement des comédiens et des techniciens. C'est l'une des raisons pour lesquelles les gens se sentent si confiants à la fin d'un film de Resnais, et ont l'impression d'être mieux que ce qu'ils sont. Mais est-ce qu'il y a manœuvre là-dedans?

Quel est le rôle du cadreur lors des repérages?

Le cadreur? Il donne ce qu'on lui demande, ce qui n'empêche pas qu'il y ait une grande liberté de proposition, limitée par le fait qu'on essaie de faire attention à ne pas dire de bêtises et à ne pas prendre trop d'importance. On se sent concerné, on a le sentiment d'avoir eu toutes les occasions de donner son opinion. La commande est très claire et intelligente, et si de temps en temps vous parvenez à l' « améliorer », vous avez bien rempli votre tâche. Les repérages se passent d'une façon très agréable. On ne peut pas rester dans le côté abstrait du choix d'un style, et c'est au moment des repérages que tout le travail de maturation et de préparation se précise. Le meilleur exemple, c'est *Muriel*. Jean Léon, Sylvette Baudrot, Delphine Seyrig, Resnais, Sacha Vierny et moi-même avons passé cinq jours dans les rues de Boulogne avec une caméra 16, et nous nous sommes projeté le résultat. Par exemple Delphine devait traverser un carrefour : on a fait le plan. Je n'irai pas jusqu'à dire qu'on ait marqué d'une croix dans le béton l'endroit où il fallait mettre la caméra, ni qu'on ait tellement repéré les focales, mais on prenait connaissance des lieux, on s'habituait à une ville.

Le style adopté pour *Muriel* consistait à faire le contraire de *Marienbad*, suivant la bonne loi selon laquelle les metteurs en scène font presque toujours le contraire de ce qu'ils viennent de faire. Chez Resnais, la plus grande rupture, c'est bien celle entre *Marienbad* et *Muriel*. Autant dans *Marienbad* la caméra avait une importance, était un des principaux éléments du film, autant dans *Muriel* la psychologie des personnages devenait prépondérante. L'essentiel du mouvement est donné par les variations des comédiens, et la caméra n'est rien. Or si elle n'est rien, elle ne peut pas rouler : quand ils reviennent de la gare à pied, ils sortent du champ, on les reprend plus loin, ils sortent à nouveau du champ et ainsi de suite. Mais comme le style de Resnais n'est jamais fait d'un entêtement ridicule, nous avions tout de même sept ou huit mètres de travelling près de nous. Si l'envie lui avait pris de rouler, nous savions que nous pouvions le faire. Et Resnais avait prévu une rupture qui est très belle : dans ce film où il n'y a pas un mètre de travelling, tout d'un coup la caméra pénètre dans l'appartement désert et roule jusqu'à ce que la comédienne sorte du champ. C'est ainsi que le film se termine. Nous avions fait ce travelling avec un Cameflex et deux sandows. J'étais assis dans le seul engin qui permettait de passer à travers toutes ces portes : une chaise de paralytique, que les machinistes ont poussée avec beaucoup de talent.

Et le style de *Muriel* comprenait un dernier élément : on ne devait pas modifier la couleur, ni la composition. On plaçait la caméra et on tournait.

On peut en effet se demander dans quelle mesure la

recherche plastique de Muriel *est toujours préméditée. Par exemple, l'un des plans qui utilisent le plus la profondeur de champ est celui où Delphine Seyrig et Jean-Pierre Kérien sont assis sur un banc au premier plan tandis qu'un paquebot traverse la ligne d'horizon. Ce paquebot était-il prévu dans la composition du plan?*

Non. Même si les paquebots ont des horaires, cela ne se commande pas. Pour autant que je me souvienne on tournait la scène, on a dit : « *Moteur!* », et le paquebot a traversé l'image.

Est-ce que Resnais fait lui-même des répétitions à la caméra?

Pas énormément. Quand un mouvement est difficile, le cameraman, dont c'est le métier, a un peu plus de facilité à le faire. Si on n'est pas cameraman, on imagine mieux un mouvement sans avoir l'œil dans le viseur. Le cadre se fait d'un commun accord. Si c'est un plan fixe il n'y a pas de problème, et si c'est un plan un peu plus difficile je montrerai toujours à Resnais le début et la fin. C'est une tradition professionnelle : lorsque vous mettez en place un appareil, vous montrez ce que vous avez fait au metteur en scène, car qu'y a-t-il de plus simple que de se mettre d'accord en regardant dans la caméra? Mais il n'y a pas de règle. Melville par exemple ne mettait jamais son œil dans l'appareil, alors que Becker cadrait jusqu'au dernier moment. Resnais, lui, une fois qu'il a vu la répétition, préfère ne plus regarder dans la caméra. Quelquefois il préfère même être près de l'appareil et prendre son viseur, qui le protège un peu du monde extérieur, je crois.

Quelle est la responsabilité respective du metteur en scène et du directeur de la photographie dans le travail du cadre?

C'est très imbriqué. La grande tradition américaine veut que tout passe par le directeur de la photographie. Cela évite quelquefois des palabres assommantes, qui sont le trait de bien des films français où chacun va donner son avis. La tradition française présente elle aussi des avantages. Un film a un budget, un plan de travail, on ne peut pas tourner n'importe comment et autant de temps qu'on veut. Lorsqu'il n'y a pas de cameraman, ce qui est le cas d'un grand nombre de films français, je me demande comment fait le directeur de la photographie pour assumer les deux tâches à la fois tout en faisant rentrer le film dans son budget. Il me semble que Resnais apprécie ce partage des responsabilités. La mise en place des scènes jouées se fait normalement, par une répétition avec les comédiens. A chaque moment le directeur de la photographie exprime son avis sur un axe de lumière ou sur une position de visage, dans une très grande liberté de comportement, et le cameraman aussi. Une fois que les comédiens sont heureux dans leur texte et maintenant dans leurs déplacements, on est confronté au découpage d'origine. Si les comédiens ont envie de faire des déplacements non prévus, cela va forcément modifier le découpage. Imaginons que pour des raisons dramatiques Resnais ait rêvé d'un plan large avec, très loin de l'appareil, des comédiens qui ne bougent pas, et qu'un comédien le sente différemment et ait envie de courir. A ce moment-là on entre dans le domaine de la contradiction, et la contradiction, cela fait progresser. On découvrira peut-être une troisième solution.

Pensez-vous que pour Resnais la caméra soit au service des comédiens?

Oui, comme pour tout metteur en scène. Les comédiens sont le plus important, tout est à leur service. Enfin, à leur service... Les rapports entre la caméra et les comédiens sont un peu plus subtils et dualistes. On raconte qu'un comédien a demandé un jour à un grand metteur en scène américain, je ne sais plus si c'était Wyler : « *Quelle est ma motivation? Pourquoi dois-je aller à la fenêtre?* », et que celui-ci a répondu : « *Parce que je m'appelle Wyler, parce que vous êtes payé un million de dollars, et parce que je vous dis d'aller de la table à la fenêtre.* » Si on plie perpétuellement les comédiens à un certain esthétisme on tombe dans un cinéma de commande étroite, d'où il peut d'ailleurs sortir de très beaux films. Encore une fois, Hitchcock faisait des *storyboards* dans lesquels le comédien était bien forcé d'entrer. Toujours est-il que pour Resnais il faut que le comédien se sente bien, qu'il ait le sentiment de participer à quelque chose, ce qui va l'amener à jouer d'une certaine façon et à atteindre une certaine qualité. La caméra n'a pas de raison propre d'aller contre une chose aussi importante.

Assistez-vous aux lectures, aux répétitions avec les comédiens?

Oui, souvent. Mais il est rare qu'on puisse aller plus loin : on n'est pas dans les décors, et même s'ils sont en partie terminés il reste encore des finitions à faire. L'idéal serait que le studio soit fini quinze jours avant le tournage pour qu'on puisse y répéter, mais dans le meilleur des cas on assiste aux lectures, ce qui vous donne déjà une bonne approche du texte. C'est très lié à la musique : on peut fermer les yeux. Un film, c'est la rencontre entre plusieurs timbres de voix. Cet aspect-là est primordial.

Resnais utilise-t-il beaucoup le zoom?

Ces dernières années, oui. Je trouve cela indispensable, pour trois raisons.

La première est une raison pratique. Prenons un exemple : on a un rail, on est en mouvement latéral sur les comédiens, et on a affiché sur le zoom la focale 40 mm; on tourne une prise, mais à la deuxième on décide de changer et de mettre 43. Avec une optique fixe, il faudrait bouger le rail. Si nous sommes à une demi-heure du tournage d'un plan, nous avons encore le temps de faire une modification. Mais une fois que les comédiens arrivent, tout va être fait pour eux, car ils font le travail le plus difficile sans lequel il n'y a pas de film. Ils ont leur rythme à eux, ils ont mené leur concentration jusqu'à un certain point. Il serait désastreux de perdre dix minutes, non pas à cause du temps lui-même, mais parce que ces dix minutes se placeraient au plus mauvais moment. Le premier avantage du zoom, c'est donc cette liberté, la liberté de modifier et d'ajuster à n'importe quel moment. Il faut vous dire aussi que les zooms ont beaucoup changé : autrefois ils étaient trop fermés, ils avaient des déformations, ils étaient plus lourds qu'ils ne le sont, et n'avaient pas de moteur pour faire varier la focale. Aujourd'hui, ils n'ont presque plus de ces défauts.

Deuxièmement – on l'a beaucoup fait dans *La vie est un roman,* et énormément dans *Providence* –, chaque fois qu'on peut modifier la focale à l'intérieur d'un mouvement de caméra, on détruit un peu la notion du pied d'appareil. Et je trouve cela très bon pour un film, de même qu'on est toujours en lutte contre cette idée de rectangle noir et de bord de l'image. Modifier le point de vue dans un mouvement, je trouve qu'il n'y a rien de plus heureux. Goût personnel!

Il peut aussi arriver qu'on se serve du zoom à la place d'un travelling avant, ce que je n'aime absolument pas. Le zoom ne remplace pas le mouvement d'appareil, puisqu'il n'y a pas modification de la perspective. Mais dans *La guerre est finie,* où il y avait des « futuribles », des *flash-forwards,* Resnais avait choisi de faire une série de zooms avant. Voilà un cas où l'on contredit la règle : là, on faisait des zooms avant pour donner un certain caractère à une partie du film.

Et la troisième et dernière raison, c'est que si vous voulez vous rapprocher de quelqu'un, vous ne pouvez pas vous passer du zoom. Pourquoi? Vous décidez par exemple d'arriver cadré cou sur quelqu'un sans déformer le visage; or ce n'est pas la courte focale qui abîme le visage, mais le point de vue. A courte focale vous allez être à soixante centimètres du visage, le rapport entre le nez et l'oreille va être désagréable. Vous allez donc choisir une autre focale, et dans le cas d'un travelling avant il faudra que vous reculiez très loin et que vous rouliez longtemps; cela ne sera pas harmonieux. Tandis que si vous pouvez partir à une assez courte focale, rouler deux fois moins et en même temps changer votre focale, voilà un travelling avant dont le rythme, l'harmonie et la dynamique seront de bien meilleure qualité.

Qui décide du choix de l'objectif?

Cela vient des conditions de départ, du style. Il est difficile de vous répondre. Par exemple, *Marienbad* est en scope. A l'époque, les optiques anamorphiques étaient moins bonnes, moins riches. Nous avons donc tourné en 50 scope, qui est l'objectif normalement employé lorsqu'on fait des mouvements. Mais Resnais n'est pas un metteur en scène à effets très prononcés. C'est une caméra assez modeste et peu ostentatoire que la sienne.

Quels étaient les avantages du scope dans L'Amour à mort?

Il s'est très vite imposé. En scope, le gros plan a une puissance, une force qu'il n'a pas en format normal. C'était un film avec peu de personnages, et la villa, avec ces ouvertures et cette forme méditerranéenne, s'inscrivait très bien dans le scope. Je n'ai pas une passion pour ce format, il a quelques inconvénients, mais dans *L'Amour à mort* cela m'a paru un choix très juste. Au bout de deux ou trois jours de tournage j'avais même le sentiment que c'était une grande chance d'être en scope.

Comment se passe le visionnement des rushes?

Les rushes, c'est exécrable. C'est une chose à supprimer. Les défauts que l'on voit (ou que l'on suppose, car il arrive qu'on se trompe) sont multipliés par le nombre de prises, il y a les débuts et fins de plan, et si les rushes sont bons vous êtes très inquiet : c'est que quelque chose ne va pas. Les rushes ne peuvent pas être bons puisque la beauté d'un plan, c'est ce qui l'entoure, le plan d'avant et celui d'après. Un plan ne doit pas exister pour lui-même, il doit s'intégrer dans cette succession – chose très liée à la musique –, dans cette série de sensations d'un temps donné entre deux temps donnés. Il y a eu des moments très durs pendant *Marienbad,* Resnais était très inquiet. Lorsque des choses ne lui plaisaient pas, c'était d'autant plus douloureux que le film était ambitieux. La grande force de Resnais, c'est d'avoir pu maintenir la ligne directrice de *Marienbad* aussi calmement à travers tous ces plans et ces décors répétés. Faire pendant huit jours, dans le même décor, des mouvements d'appareil relativement semblables avec des gens assez identiques, cela donnait un sentiment très curieux. Pendant des journées entières j'avais l'impression qu'on allait trop loin dans la lenteur, et Resnais m'a dit : « *Non, non, on est bien comme ça, on peut continuer.* »

Quelle était cette ligne directrice de Marienbad?

Comme il fallait respecter certaines dates, il y a eu moins de préparation que dans les films suivants, lorsque nous nous connaissions mieux et que les rencontres étaient plus fréquentes. Cela s'est fait en tournant. Il fallait être disponible, se laisser guider par quelque chose de souterrain. C'est un film où la caméra devait être lyrique, avec des compositions un peu baroques puisque nous étions dans le monde de ces châteaux baroques près de Munich. Parfois on créait de fausses perspectives, en remontant une table par exemple (en peinture, cela se fait tout le temps). Il fallait des rythmes très lents, l'appareil s'attardait sur ces courbures, sur ces volutes, sur cet or, cet argent. La caméra roulait beaucoup. Il y a des films où cela ne se voit pas – dans *La vie est un roman* on n'a pas arrêté de rouler et l'image est relativement « arrêtée » –, alors que dans *Marienbad* les déplacements se voyaient. C'est dans ce film que j'ai fait l'un des plans les plus difficiles de ma vie. On partait d'Albertazzi en très gros plan, près d'un miroir où se reflétaient deux comédiens. Vous aviez une bonnette, une lentille coupée qui permet d'avoir un visage net en premier plan et des fonds nets. Voilà comment vous procédez : vous confondez une verticale avec la bonnette au centre de l'image, vous mettez au point 12 net, et la lentille vous ramène le visage d'Albertazzi dans le plan de netteté; derrière lui le mur est flou, mais dans le miroir les deux comédiens sont nets. Cela, c'est le départ du plan. Ensuite l'appareil quittait la bonnette, et les comédiens allaient et revenaient pendant qu'on reculait lentement dans ce salon d'Amalienburg, qui devait être un salon octogonal avec des pans coupés. Nous tournions avec un BNC, une caméra Mitchell à viseur clair, c'est-à-dire avec une parallaxe. On avait trente positions d'appareil, et l'imprécision du viseur clair rendait les choses bien difficiles. Sacha Vierny a beaucoup employé les lentilles coupées dans *Marienbad,* y compris dans certains mouvements d'appareil; autrement dit, on confondait l'axe optique de la caméra et son axe de rotation. C'était très dur et je n'avais pas beaucoup de métier, j'étais tout jeune cameraman.

Est-ce que les miroirs imposaient des truquages?

Non, mais beaucoup de précautions. Toutes les glaces étaient biseautées, et Vierny allait couper les reflets au moyen d'un petit bout de papier noir. Les truquages sont plutôt du domaine de la direction de la photographie que du cameraman.

Comment a été réalisé le truquage de la pièce de monnaie qui tournoie en gros plan dans L'Amour à mort?

On la faisait pivoter sur du verre, et un polaroïd atténuait au maximum le reflet de la pièce sur la lame de verre.

Quels problèmes techniques avait posé le « travelling blanc » de Marienbad, *lorsque la caméra se jette sur Delphine Seyrig après avoir parcouru un couloir interminable?*

Assez peu de problèmes sinon des problèmes de sol. Il fallait s'avancer sur une dolly, et le sol n'était pas en bon état. On a posé des plaques de bois comprimé de 20 mm, on les a peintes pour que ça ressemble à un couloir, et on a roulé là-dessus. Le mouvement devait avoir un certain lyrisme, un caractère érotique. Il fallait aller vite (nous aurions voulu tourner le plan à huit images/seconde, mais cela provoquait un scintillement), et prendre un tournant en conservant le même rythme. C'est un plan spectaculaire, avec une alternance d'images faibles et d'images fortes, mais ce n'est pas un plan difficile. Ce doit être un des plans que nous avons tournés en dernier, peut-être parce que Resnais voulait se réserver le choix entre deux solutions.

Lorsqu'un plan est beau, chargé d'émotion, ce n'est pas lié à la difficulté qu'on a à le faire. Dans *La guerre est finie,* lorsque Yves Montand discute avec les jeunes gens de gauche, il jette une clé sur la table et la caméra panoramique avec la clé. Or quand une clé glisse, c'est un mouvement uniformément désaccéléré, sauf au moment où la force du frottement de la clé sur la table devient plus grande que son inertie, ce qui fait qu'elle s'arrête d'un coup. Pour tourner ce plan vous prenez une très longue focale – et vous le ratez tout le temps. Dans *Hiroshima,* Vierny vous le raconterait mieux que moi, il y a une bille qui descend l'escalier : c'est l'horreur! On y passe des heures, on a l'impression qu'on n'y arrivera jamais. A l'inverse, il y a dans *Providence* un plan très important qui éclaire bien le problème des plans forts et de la récurrence de la mémoire : c'est le grand mouvement d'appareil à la fin du repas. A vrai dire, j'avais du mal à comprendre ce que voulait Resnais. J'étais un peu sceptique, et me demandais si avec une grue on sentirait vraiment les changements de hauteur malgré l'absence de premier plan. Quoi qu'il en soit, nous avons choisi un type de grue et tourné le plan. Or beaucoup de gens m'ont demandé : « *Comment se fait-il que le temps ait changé pendant le mouvement d'appareil, et que l'on retrouve la table sombre alors qu'au début du plan elle était claire?* » En réalité le temps avait changé avant qu'on tourne le plan, mais quand la caméra quitte la table, le spectateur ne sait pas quelle direction nous allons prendre. On fait ce 360° avec la musique, et quand tout d'un coup on redécouvre la table, que se passe-t-il? L'image forte de la table par soleil prime sur l'image de la table sombre. Pourquoi le spectateur, aussi attentif soit-il, se souviendrait-il d'une table sombre, puisqu'on quitte un endroit sans savoir qu'on y revient ? Et cela donne le sentiment que le temps a changé pendant le mouvement d'appareil. Voilà un plan qui est chargé de signification, et qui n'est pas difficile. Quand sir John Gielgud, à la fin de *Providence,* dit « *Just leave, with neither kiss nor touch* [1] », l'émotion vous gagne : c'est un plan poitrine, avec un homme qui parle.

1. « *Maintenant partez, sans baisers ni étreintes.* »

PIERRE GAMET

Ingénieur du son

Sur *L'Amour à mort*, a déclaré Resnais (*Positif* n° 284), « *j'avais aussi Gamet comme ingénieur du son, c'est capital (...). Quelquefois pour une prise supplémentaire j'allais parler aux comédiens et j'oubliais d'aller prévenir Gamet. C'est mal, mais enfin... Après, un peu rouge de honte, j'allais lui dire : " Excusez-moi, Pierre, je ne vous ai pas dit que j'avais demandé ça " et il me répondait : " Non, non, j'avais prévu, ça va, j'ai pas été surpris. " D'ailleurs Gamet, si on le regarde pendant l'enregistrement d'une scène, c'est absolument fantastique : il est tellement concentré sur ce qui se passe que son visage joue l'histoire, pratiquement. Les mains sur le potentiomètre, comme une espèce de pianiste, il participe complètement à l'action intérieure des comédiens. C'est très émouvant à voir.* » Ingénieur du son depuis 1974, Pierre Gamet a notamment collaboré à plusieurs films d'Alain Tanner, Claude Goretta, Bertrand Van Effenterre, Alain Corneau, Costa-Gavras et Jacques Rivette.

L'ÉQUILIBRE DES VOIX

Conformément au rituel d'Alain Resnais, notre première rencontre a eu lieu dans un café des Champs-

Élysées, un ou deux mois avant le tournage de *L'Amour à mort*. Resnais, qui téléphone toujours personnellement à ses collaborateurs, m'avait contacté au préalable en me disant qu'il avait bien aimé mon travail sur les voix dans *Repérages* de Michel Soutter. Ce qui semblait se détacher de notre conversation, c'était le choix des quatre comédiens, des quatre voix : il fallait absolument essayer d'avoir le plus grand nombre possible d'éléments en son direct. Resnais voulait également parvenir à trouver une liaison, une harmonie entre les ponctuations musicales – qui n'étaient pas encore écrites – et les voix des comédiens. A la fin d'une scène, la voix devait se fondre dans une phrase musicale. Il était également important pour mon travail de savoir que Resnais avait choisi le format du scope. Alors que généralement on tourne en scope pour faire de la belle image, pour montrer des décors, lui m'a dit cette phrase qui m'a beaucoup impressionné : « *J'ai choisi le scope parce que je vais faire un film de visages : il n'y a pas de meilleur format pour les gros plans.* » Il allait donc travailler à focale relativement longue, ce qui me permettait d'être très près des comédiens avec mon micro, et de travailler le grain des voix.

Un peu avant le tournage, nous nous sommes retrouvés dans les bureaux de la production avec Sabine Azéma pour enregistrer les répliques *off* de Jean Champion, le père de Simon, lorsqu'il se dispute avec Élisabeth au téléphone. Resnais tenait en effet à mettre en scène lui-même cette voix. Cela ne m'était jamais arrivé, d'habitude c'est un travail qu'on fait à l'auditorium après le tournage. J'avais trouvé un système pour « envoyer » directement les répliques de Jean Champion dans le téléphone. Resnais lui donnait de petites indications et corrigeait tout doucement ses intonations. Sabine Azéma avait vraiment un correspondant, mais tout passait par l'intermédiaire du magnétophone.

Les conditions de tournage étaient absolument délicieuses. Nous nous sommes retrouvés à la campagne, dans une petite maison près d'Uzès où chacun avait ses habitudes. Alain tenait à ce que l'équipe soit en dehors de Paris, de son milieu habituel, et cela a servi le film. Sabine Azéma et Pierre Arditi étaient très unis et se retrouvaient tous les soirs pour travailler leurs scènes du lendemain. Ils écoutaient des cassettes de musique sérielle à longueur de journée, dont certaines depuis très longtemps, et en fonction de la scène qu'ils avaient à jouer le lendemain Resnais leur demandait d'écouter tel ou tel morceau. Alain avait sa petite caravane où il s'enfermait avant chaque scène avec eux; de temps en temps ils écoutaient de la musique ensemble. L'ambiance du film était extrêmement douce. Je n'ai jamais vu cela sur un autre tournage : les assistants ne disaient jamais « *Silence!* » sur le plateau. Dès que Resnais arrivait, le silence se faisait de lui-même. Il n'y a jamais eu un brin de tension sur ce tournage, la présence sereine d'Alain Resnais imposait une atmosphère très détendue, très calme. C'était passionnant d'observer le dégrossissage du plan. Philippe Brun, Florence Malraux, la scripte Hélène Sebillotte [1] et moi, nous nous mettions dans un coin et nous regardions Alain mettre en place toute la scène avec les comédiens qui commençaient à se chauffer. On répétait une ou deux fois pour qu'ils se sentent à l'aise. Ensuite Alain cherchait les places d'appareil avec son viseur et, c'était très beau à voir, Philippe Brun se collait à lui pour l'épauler. Il l'accompagnait dans ses mouvements comme s'il s'agissait d'un ballet. Resnais avait besoin du contact de Philippe derrière lui, c'était vraiment une osmose. Une fois cette mise en place achevée, Sacha Vierny éclairait, et Philippe Brun exécutait au moins une dizaine de répétitions mécaniques pour les mouvements d'appareil; puis c'était le rituel d'Alain Resnais, qu'il ne partage avec aucun autre metteur en scène : avant chaque répétition, il prononçait tranquillement les mêmes mots : « *Répétition : action!* »

---

1. Hélène Sebillotte, la scripte de *Mon oncle d'Amérique* et de *L'Amour à mort*, a souvent travaillé avec Michel Deville et Alain Corneau et surtout avec Pierre Granier-Deferre et Édouard Molinaro.

À L'AFFÛT DES RÉPLIQUES

Ce qui me préoccupait, c'était d'enregistrer les voix de la façon la plus pure possible. Je me servais d'un micro que j'affectionne particulièrement, un micro Beyer 160 à double ruban avec lequel je travaille depuis toujours. Il est critiqué par d'autres ingénieurs du son parce qu'il manque un peu de « gain [1] » mais il est extrêmement bien directionnel, ce qui permet d'atténuer les petits bruits parasites, et je trouve qu'il restitue bien la tessiture, la chaleur d'une voix. A mon avis les micros statiques sont un peu plus durs et plus secs, alors que ce micro-là a une belle présence, une belle rondeur. Alain aime bien travailler dans la pureté. Il déteste tous ces petits bruits anecdotiques de fourchettes et de cuillers qu'on entend pendant les repas, il passerait son temps à les gommer. Ce qui explique le fait que la plupart de ses films aient été postsynchronisés : l'ingénieur du son a beau faire son travail du mieux qu'il peut, il est souvent obligé, en fonction d'un cadre, d'enregistrer le bruit réaliste qui se trouve sous son micro. On ne peut pas passer son temps à tout gommer, à mettre des feutres partout. C'est avant l'enregistrement qu'il faut maîtriser tous les bruits parasites, faire attention à une portière qui risque de claquer, et demander aux comédiens, qui ont pourtant déjà tellement de choses à faire, d'essayer d'éviter les bruits quand ils déplacent un accessoire. C'est un travail de chaque seconde. Sans compter les bruits de la mécanique du tournage : le ronronnement de la caméra (il y avait un tel silence sur le plateau que je l'entendais sans arrêt), le crissement de la dolly poussée par les machinistes, le bruit de trois personnes qui se déplacent sur des plaques de bois autour de la caméra. Par moments il y avait tellement de bruits de mécanique que j'étais obligé de fermer complètement pendant les silences, et d'être à l'affût des

1. D'autres types de micros, et notamment les micros « statiques » (c'est-à-dire alimentés par une source électrique de faible puissance) dont Pierre Gamet parle plus loin, donnent en effet des signaux électriques beaucoup plus élevés que le M 160 Beyer, appareil dont la vocation première était d'enregistrer les cordes des orchestres symphoniques.

répliques : quand je sentais qu'un comédien allait commencer à parler, j'allais « chercher » sa réplique et je refermais aussitôt, je revenais le chercher, j'allais chercher un autre comédien et ainsi de suite. La mise en scène était tellement précise qu'elle pouvait seulement être modifiée par la nuance de jeu des comédiens, par une variation de niveau d'une prise à l'autre. Je travaillais à l'oreille : c'était à moi d'évaluer dans l'instant même ce qu'allait faire un comédien, de donner un peu plus ou un peu moins de niveau selon que le comédien allait freiner ou au contraire allait donner un peu plus de voix. J'étais extrêmement concentré sur le jeu des comédiens ; j'essaie toujours de les sentir, de respirer avec eux.

Tout ce travail sur les voix demandait aussi infiniment de précision et de finesse de la part du perchman. Je travaillais avec Bernard Chaumeil, qui est un perchman unique. C'est une collaboration de dix années : on a commencé sur *La Dentellière* de Goretta en 1976, et depuis on ne se quitte plus. Bernard aime se définir comme le « cadreur du son » : de même que Philippe Brun est le premier spectateur avec sa caméra, il est le premier spectateur avec son micro. Il va même encore plus loin, il va souvent prendre des répliques qu'on n'entend pas à la caméra, surtout dans *L'Amour à mort* où le dialogue était tellement chuchoté, tellement fin par moments qu'un grand nombre de phrases étaient inaudibles pour l'équipe. La grande qualité de Bernard, c'est de toujours travailler le plus près possible du cadre, en prenant des risques pour mieux capter toutes les finesses de la voix. Il est parfois à deux centimètres d'une limite : si le cadreur décide de recadrer un peu, le micro va rentrer dans le champ. C'est un jeu diabolique ! Avant d'arriver à être bien placé sur un comédien, nous sommes dépendants de tout ce qui entoure la fabrication d'une image, car c'est toujours la lumière qui l'emporte. La perche est un petit obstacle au bon passage de la lumière, mais il faut bien que nous arrivions à travailler aussi. Et Bernard est d'une extrême habileté pour éviter un projecteur, aller « chercher » un comédien, prendre une phrase, reculer aussitôt, contourner un autre projecteur, et jongler sans cesse à travers tout ce faisceau de projecteurs.

ENREGISTRER LE SILENCE

J'avais beaucoup de discussions avec Alain, mais elles n'étaient jamais d'ordre pratique. Il me donnait parfois de petites indications (« *Pierre, si vous pouviez, peut-être, enregistrer ce son-là direct, ce serait formidable* »), mais toujours au conditionnel. Il exprimait un souhait, et c'était à moi de tout mettre en œuvre pour le satisfaire. Souvent je demandais à Bernard entre deux prises s'il ne pouvait pas aller encore un tout petit peu plus près, et il me répondait que c'était impossible : c'était donc à moi d'aller jusqu'au bout avec le potentiomètre, mais il vient un moment où on ne peut plus. Je crois que *L'Amour à mort* est l'un des films de Resnais qui contient le plus de son direct. Malgré tout, Resnais a parfois dû recourir au doublage. La fragilité du son direct tient à ceci : quand on découpe une séquence, on découpe aussi le son, et cela peut poser des problèmes de raccord sonore. Par exemple, quand nous avons tourné dans le cimetière, le texte était enregistré très bas alors qu'il y avait beaucoup de vent dans les arbres, ce qui était d'ailleurs magnifique à l'image. J'ai pris le maximum de risques, mais au montage le champ avait peut-être un peu moins de vent que le contrechamp, et j'ai l'impression qu'ici par exemple Resnais a préféré synchroniser une ou deux phrases. J'avais également enregistré des sons seuls, des qualités différentes de vent dans les arbres. J'ai fait les ambiances nécessaires au film : de belles ambiances crépuscule près de la maison, des silences nuit, et beaucoup de sons seuls du torrent, des gargouillis avec une tessiture différente. J'ai mis la bonnette antivent à l'intérieur de la ruche d'abeilles de façon à les enregistrer de façon très présente, mais je ne me doutais pas qu'elles prendraient autant d'importance. Alain est très sensible aux bruits pourvu qu'ils soient isolés ; ce qu'il n'aime pas, ce sont les bruits réalistes mélangés. Quand Élisabeth part en bicyclette, j'ai mis le micro sur la roue arrière pour enregistrer le cliquetis du vélo, si bien qu'aux rushes on n'entendait que ça. C'est une décision que j'avais prise moi-même au tournage, en anticipant sur le fait que cela puisse plaire à Resnais, et il se trouve que cela lui a plu. Au tout début du film, Élisabeth sort de la maison comme une bombe, paniquée, et à ce moment précis un avion à réaction est arrivé, parfaitement synchrone avec le mouvement d'appareil. Aux rushes c'était étonnant car personne ne s'y attendait. Cela donnait une dynamique au plan, mais c'était le hasard total du son direct. Je pensais que cela n'intéresserait pas Alain, d'autant plus que c'est un plan qu'on avait recommencé plusieurs fois. En fait cet accident sonore a dû lui plaire, et c'est cette prise qu'il a gardée.

Une fois tous les éléments réunis, je laisse toujours le choix à la sensibilité du monteur son. Je me suis attaché à fournir une bande-son la plus pure et la plus propre possible, afin qu'éventuellement Resnais puisse la retravailler. Mais dans ce film il n'a laissé que les voix. Même la ville a été gommée (on avait tourné une scène en extérieurs, mais elle a été supprimée), on ne l'entend et on ne la voit pratiquement pas. C'est tout juste s'il y a une ambiance très, très fine, et quelques sons seuls de temps en temps. Pour moi, *L'Amour à mort*, autant qu'un film de visages, est un film de silences.

ALBERT JURGENSON

Monteur

« Quand on tourne un plan, la mise en scène consiste presque toujours à imaginer ce qui va se passer quand on aura fait la collure. » (Alain Resnais, *Écran* n° 27.)

Chef monteur de tous les longs métrages d'Alain Resnais depuis *Je t'aime je t'aime*, Albert Jurgenson a également monté presque tous les films de Gérard Oury et d'Yves Boisset. Il a aussi travaillé, entre autres, avec Marcel Carné, Henri-Georges Clouzot, Peter Brook, Michel Soutter, André Delvaux, Claude Miller et Jeanne Moreau.

Est-ce que le travail du monteur commence à la lecture du scénario?

Pour moi, non. Aucunement. Les idées ne me viennent qu'au moment où je vois la pellicule impressionnée, pas avant. Quel que soit le scénario, je le lis, et je l'oublie aussi vite que je l'ai lu. J'ai eu le temps de me faire une opinion, mais je ne me souviens jamais d'une façon précise de ce qu'il contient. Ce qui fait que je vois les rushes pour ainsi dire sans savoir ce qui va se passer. C'est le seul moment où je peux me sentir concerné par le film, car à force de voir et revoir les mêmes images on n'a plus l'esprit clair. Quand je vois les rushes, j'ai un choc; après, c'est fini. Je n'ai plus d'idées avant le premier montage, où à nouveau j'ai une impression très forte. A ce stade, le film existe déjà. S'il n'est pas bon, il n'y a rien à faire. On pourra toujours améliorer, fignoler, faire son travail jusqu'au bout, on voit tout de suite si la courbe du film est belle ou non.

Depuis longtemps j'avais envie de ne pas lire un scénario. C'est ce que j'ai fait sur *L'Amour à mort*. Je n'ai pas vu les rushes non plus. Jean-Pierre Besnard, mon assistant, a tout assemblé pendant le tournage. Je n'ai vu personne, je n'ai rien su du tournage, d'autant plus qu'il avait lieu hors de Paris, à Uzès. J'ai commencé à travailler le jour où nous devions faire le choix. J'ai vu le film dans sa continuité, en rushes, avec beaucoup de prises. Et j'ai monté *L'Amour à mort* dans l'ordre, au fur et à mesure.

C'est une manière de monter que vous aimeriez répéter sur d'autres films?

Oui [1], à cela près que cela devient un prétexte pour vous donner moins de temps. Les délais de montage sont raccourcis actuellement sur tous les films, pour des raisons économiques. Aujourd'hui on ne passe pas suffisamment de temps sur un film. La réflexion n'existe pas, sauf avec Resnais qui connaît l'importance du montage et qui se réserve toujours un temps de réflexion. C'est sur les films d'Alain que j'ai le plus de confort : un confort nécessaire, qui vous permet d'épurer, de laisser les idées venir. Je n'ai donc pas eu à me plaindre d'un manque de temps sur *L'Amour à mort* ni sur aucun autre film d'Alain.

Est-ce qu'on ne confond pas parfois, surtout dans le cas des films d'Alain Resnais, ce qui relève de la construction préalable et ce qui relève du montage? Est-ce qu'un très grand nombre des décisions de montage n'ont pas...

... n'ont pas été prises avant? Si. Les constructions des films de Resnais, extrêmement complexes et simples à la

1. Depuis le présent entretien, Albert Jurgenson a en effet procédé de la même façon sur *Mélo* et sur *I Want to Go Home*.

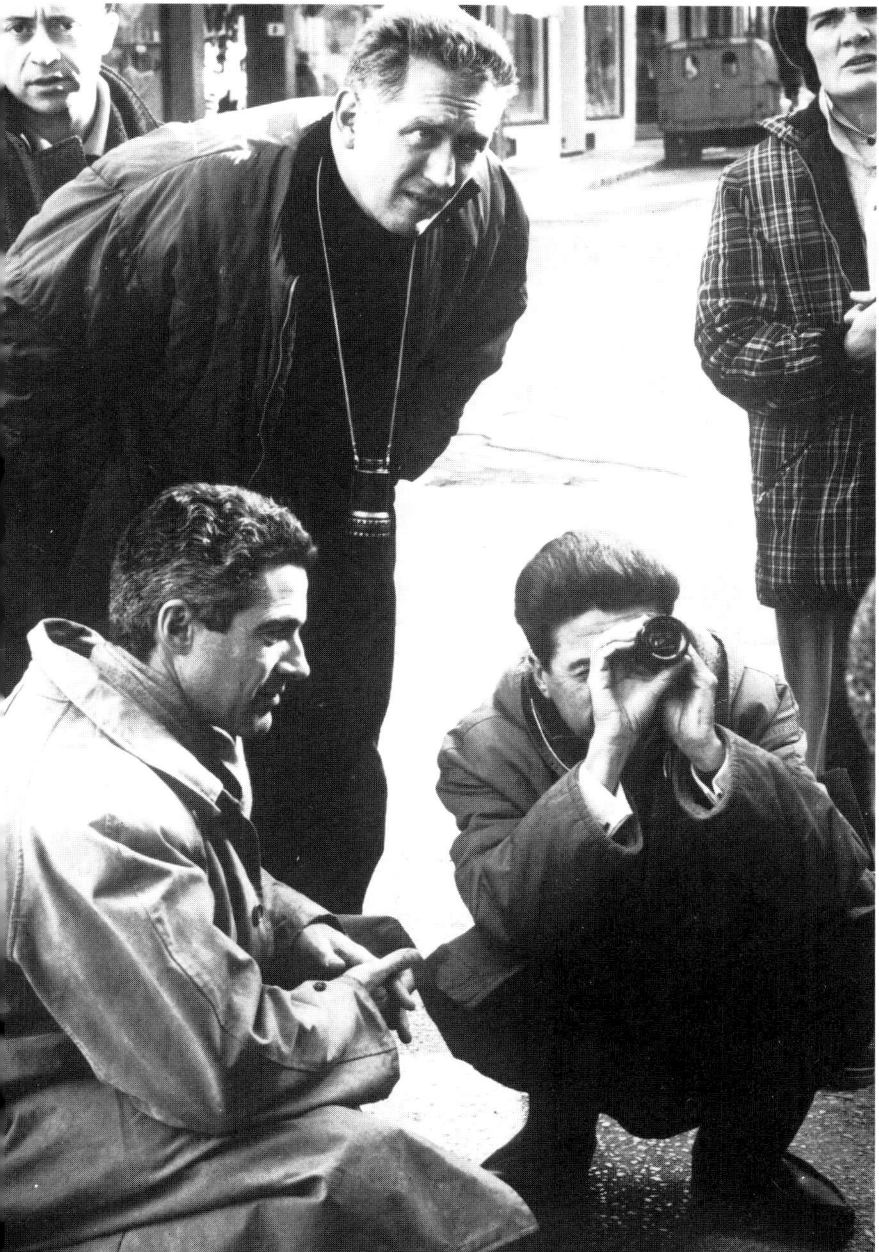

1. Tournage de *Muriel ou le temps d'un retour :* Jean Léon, Philippe Brun, Sylvette Baudrot et, accroupis, Sacha Vierny et Alain Resnais.

2. Alain Resnais et l'équipe japonaise d'*Hiroshima mon amour*.

3. L'équipe de *L'Année dernière à Marienbad*.

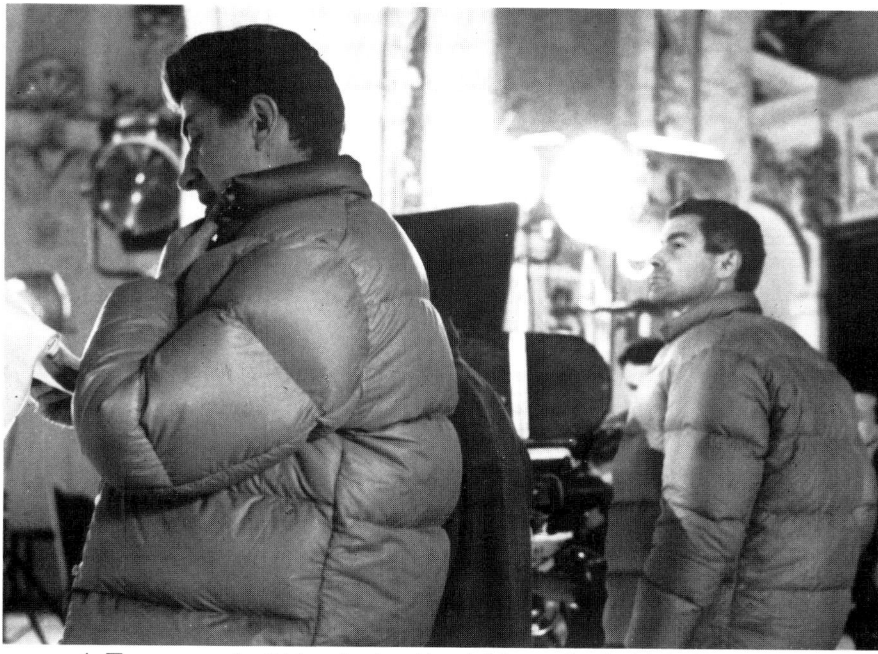

4. Tournage de *L'Année dernière à Marienbad :* Alain Resnais et Sacha Vierny.
5. *L'Année dernière à Marienbad.* A gauche de Giorgio Albertazzi : Pierre et Lucie Barbaud, Helena Kornel, Françoise Spira et Gilles Quéant. A gauche de Sacha Pitoëff : Karin Toeche-Mittler. A sa droite : Davide Montemuri.

6. *L'Année dernière à Marienbad :* projet de décor de Jacques Saulnier.

7. *L'Année dernière à Marienbad :* Jean Lanier et Françoise Bertin.

8. Tournage de *Muriel ou le temps d'un retour :* Delphine Seyrig, Jean-Pierre Kérien, Sylvette Baudrot et Alain Resnais.

9. *La guerre est finie :* Paul Crauchet, Yves Montand et Jacques Rispal.

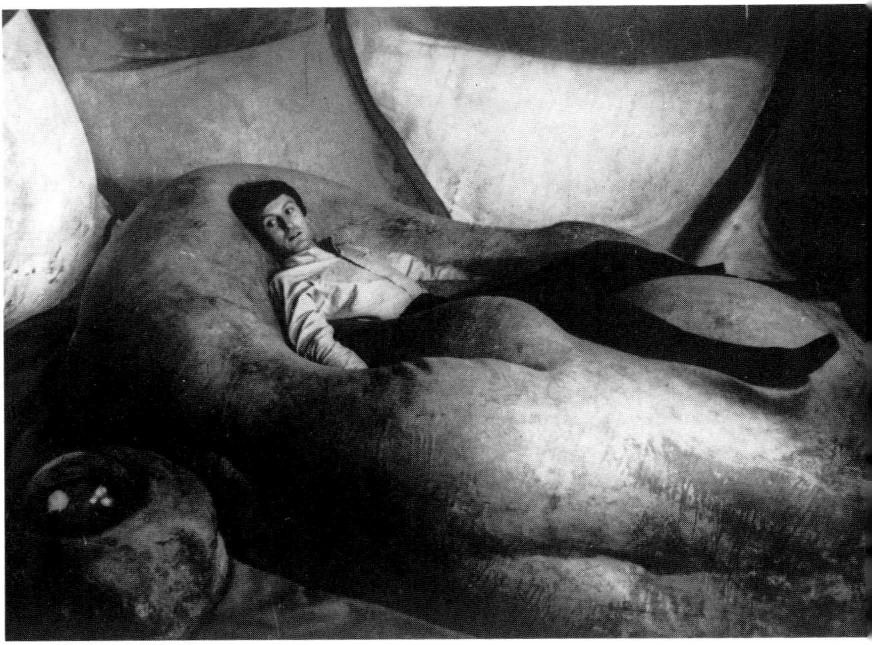

10. *Je t'aime je t'aime :* Claude Rich.

11. *Stavisky... :* Charles Boyer et Anny Duperey.

12. Tournage de *Providence :* Ellen Burstyn et Alain Resnais.

13-14. *Providence :* photos de repérages d'Alain Resnais.

15. *Mon oncle d'Amérique:* Nelly Borgeaud et Nicole Garcia.

16. *Mon oncle d'Amérique:* Gérard Depardieu, Jean Dasté et Gérard Darrieu.

17. *La vie est un roman :* Fanny Ardant et Ruggero Raimondi.

18. *La vie est un roman :* Ruggero Raimondi et Fanny Ardant.

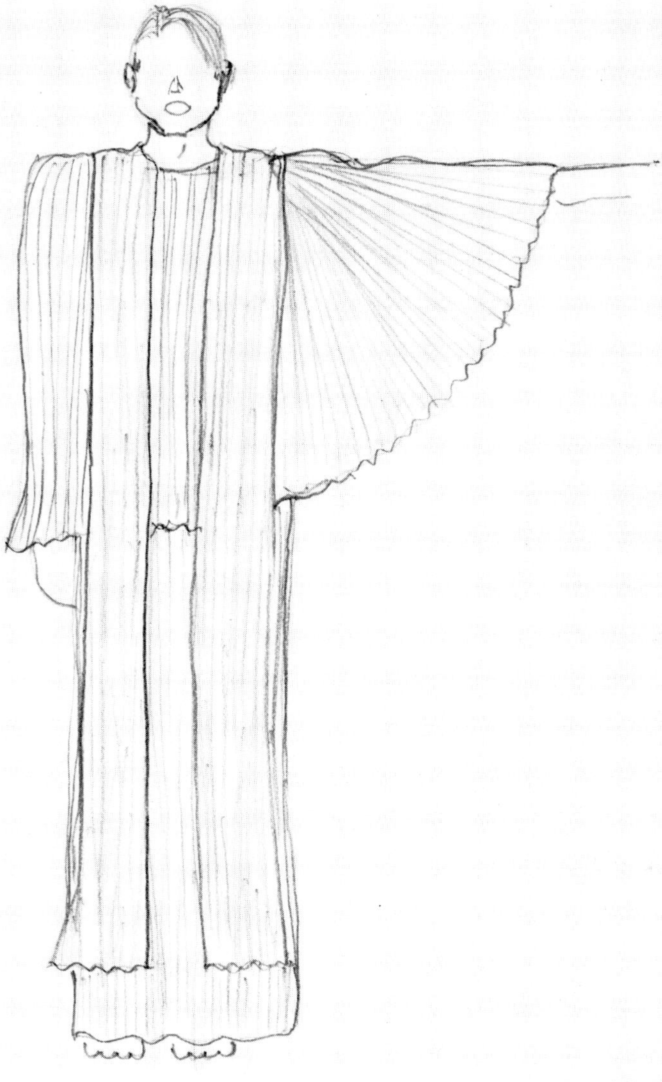

19. *La vie est un roman :* maquette de costume de Catherine Leterrier.

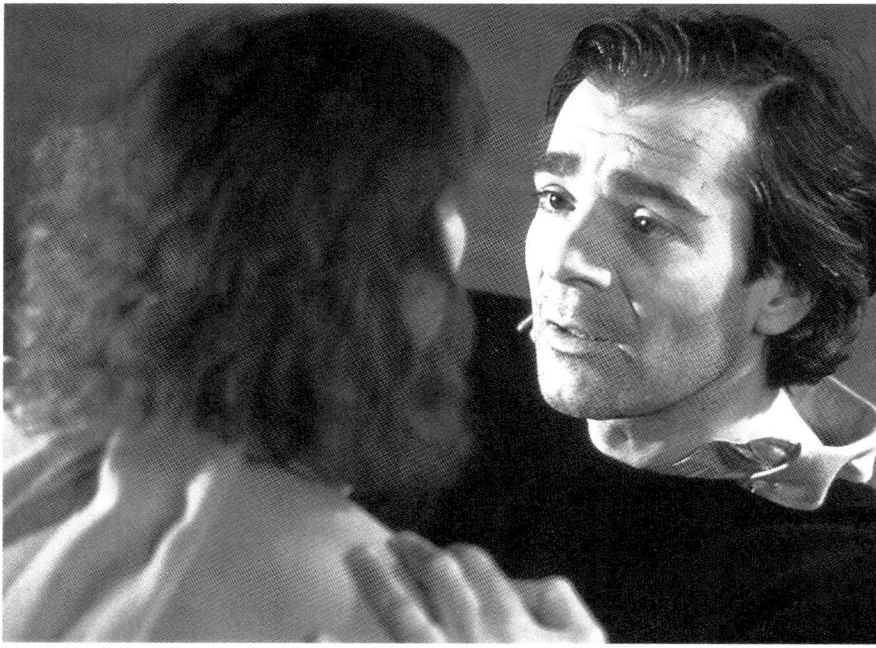

20. *L'Amour à mort :* Sabine Azéma et Pierre Arditi.

21. *L'Amour à mort :* Fanny Ardant, Sabine Azéma et André Dussollier.

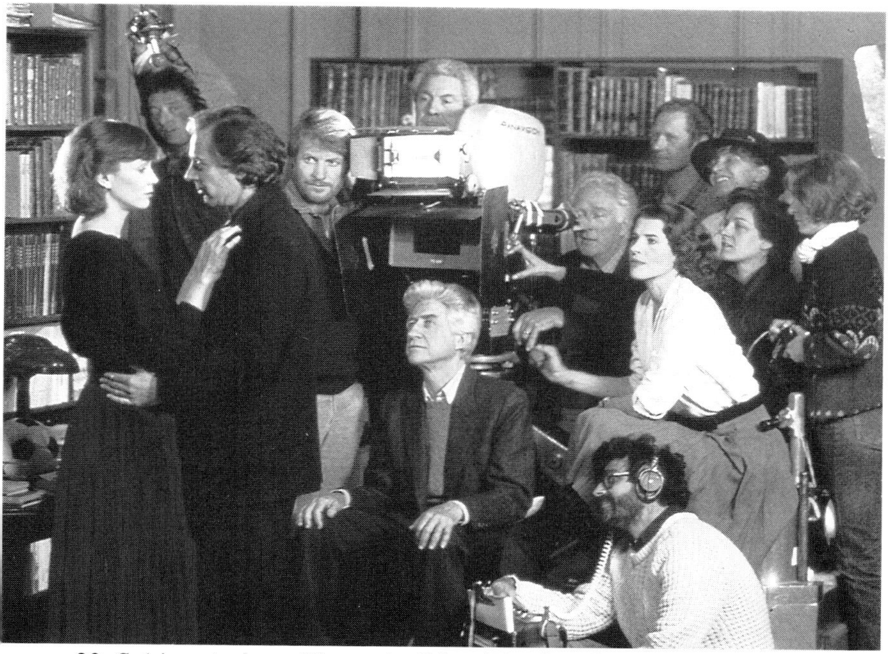

22. Sabine Azéma, Pierre Arditi et l'équipe de *L'Amour à mort.*

23. *Mélo :* André Dussollier, Sabine Azéma et Pierre Arditi.

24. *Mélo :* André Dussollier et Sabine Azéma.

25. *Mélo :* Fanny Ardant, Pierre Arditi et Sabine Azéma.

26. Tournage de *I Want to Go Home:* Gilbert Duhalde et Alain Resnais.

27. Tournage de *I Want to Go Home:* Alain Resnais, Thi-Loan Nguyen, le coiffeur Patrick Villain et Gérard Depardieu.

28. Tournage de *I Want to Go Home:* Alain Resnais.

29. Tournage de *I Want to Go Home:* Alain Resnais et son équipe.

fois, existent dès le découpage. Ce ne sont pas des idées qui peuvent brusquement vous venir au montage.

Est-ce qu'il n'y a pas malgré tout des films dans lesquels vous avez, sur la construction finale, une marge d'intervention plus forte que sur d'autres?

Elle était beaucoup plus importante dans *Mon oncle d'Amérique*. Les éléments qui devaient s'imbriquer étaient tellement complexes que tout ne pouvait pas être prévu dans le découpage. C'étaient des tournages (et même des non-tournages : les extraits de films) pratiquement indépendants les uns des autres, et qui devaient se rejoindre au montage. La fiction a d'abord été tournée, puis les rats, puis les interventions de Laborit. Alain ne savait pas toujours ce que Laborit allait dire précisément : il ne lui avait pas donné un texte précis mais l'avait laissé parler, en sachant tout de même quels thèmes il voulait lui faire développer dans telle ou telle partie du film. Alain avait laissé des plans d'une durée très longue auxquels viendrait s'adjoindre un texte *off* de Laborit. Par exemple, on voyait Roger Pierre et Nicole Garcia s'éloigner tout au bout de l'île, et c'était interminable : ils n'en finissaient pas de marcher. De même, quand la troupe de comédiens dont fait partie Nicole Garcia charge un vieux camion avant de partir en tournée, c'était un plan extrêmement long. Ces deux plans m'avaient frappé quand j'avais vu les rushes, mais il y en avait beaucoup d'autres. Enfin, l'intervention des extraits de films n'aurait jamais pu être préméditée de manière aussi précise. Nous savions qu'il y aurait Gabin, Danielle Darrieux et Marais, mais jamais les images n'ont été sélectionnées avant le tournage. La place de ces interventions « cinémathèque » n'était pas du tout définie d'une manière précise, sinon au tout début du film : nous savions que le *curriculum vitae* des personnages serait accompagné de plans de Darrieux pour Roger Pierre, de Marais pour Nicole Garcia, de Gabin pour Gérard Depardieu. C'était un montage très complexe en fin de compte : je me trouvais avec du gruyère, il me manquait toujours quelque chose. L'intérieur même d'une scène de comédie pouvait être interrompu par une intervention de Laborit, par les rats ou par une image de cinémathèque. Il était donc très difficile de rythmer une scène. Tant que nous ne disposions pas, par exemple, du texte de Laborit qui accompagnait les images, il était très difficile de juger. Ce que nous avons fait, Jean-Pierre Besnard et moi, c'est de couper les plans normalement : on indiquait dans la marge que tel plan durait encore une minute, que nous pouvions utiliser si besoin était. Tout cela était très dirigé, pas du tout incertain, mais Alain avait laissé une grande marge, ne sachant pas toujours à quel endroit ces « tournages » parallèles allaient se superposer, se continuer. On ne peut pas dire que la construction de *Mon oncle d'Amérique* ait été établie au montage, mais elle a été profondément régénérée à ce moment-là.

Avez-vous participé au choix des plans d'archive?

Alain avait un certain nombre de films en tête, il a fallu qu'on les voie. C'est Martine Armand, une collaboratrice de Claude-Jean Philippe à Antenne 2, qui a commencé à déblayer le terrain en fonction de grands thèmes généraux : Gabin en colère, par exemple. Nous ne savions même pas, en demandant un film, s'il contiendrait quelque chose qui pouvait nous intéresser. Parfois nous ne pouvions pas les obtenir : il n'y avait plus de copies, ou en très mauvais état, les droits étaient perdus, les producteurs ou les ayants droit étaient morts. Trouver des films, en fin de compte, c'est très compliqué. Et bien sûr nous ne pouvions pas disposer de tous les films en même temps, ce qui nous a valu un va-et-vient interminable : pendant tout le montage, ces films entraient, sortaient... Un jour, Alain m'a demandé de lui retrouver un plan de *Mayerling* où Charles Boyer donnait une gifle à Danielle Darrieux. J'ai revu le film de Litvak : à aucun moment il ne la giflait. Le sentiment y était mais jamais, physiquement, il ne le faisait, ce qui montre combien notre vision d'un film peut être déformée. Nous nous sommes retrouvés à la tête d'un matériel considérable. J'ai sélectionné des grandes parties de film qui semblaient intéressantes. Mais en un sens tout pouvait paraître intéressant : cela dépendait de l'endroit où on le plaçait. Je pouvais trouver des plans de Gabin qui m'intéressaient, je les faisais tirer, et, trois jours après, je recevais un autre film qui rendait caduc le choix que je venais de faire. Nous sélectionnions parfois une bobine entière. Ensuite, j'ai ramené tout ce matériel dans la salle de montage afin de l'avoir sous la main. Petit à petit, j'ai resserré, et j'ai fait des propositions très précises à Alain, en lui montrant ce qu'on pouvait tirer de ces plans par rapport au montage du film.

Une fois un film terminé, les réactions recueillies à l'issue des premières projections privées peuvent-elles conduire Resnais à apporter des modifications de détail au montage final?

Je ne pense pas. Il a fait un film, il le montre : c'est tout. En fait, on organise très peu de projections. Bien sûr il vient un moment où les producteurs, aussi gentils soient-ils, sont curieux de voir ce qu'ils ont fait. Mais si ça ne tenait qu'à Alain, il ne montrerait pas le film. Pour ma part, je n'écoute pas les réactions, car cela me troublerait. Certaines personnes donnent leur avis, mais c'est qu'elles sont liées au film et à Resnais. Cela dit, si je dis à Alain que l'image est très bien, mon avis ne l'intéressera pas. De toute façon c'est quelque chose dont je ne lui parle jamais. Je sais que ce n'est pas ce qu'il attend de moi, comme il n'attend pas de l'opérateur qu'il lui parle du montage. Tient-il jamais compte de quoi que ce soit? Il avance tout droit. Il ne tiendra compte d'un avis que s'il y a déjà un germe dans sa tête. De toute façon, avec Resnais comme avec les autres metteurs en scène, mais avec lui c'est peut-être encore plus net, on ne parle jamais du film. On parle d'autre chose, des comédiens, des autres films, ceux que l'on va voir ou qu'on a déjà vus, mais jamais de la trame du film auquel on travaille. Par exemple, j'avais été très frappé chez Hitchcock par l'un des profils de Kim Novak dans *Vertigo*. Les profils, c'est très difficile. J'en avais remarqué un de ce genre dans un des films d'Alain et nous en avons parlé, mais sans rapport avec ce que nous faisions.

Travailler avec Alain, c'est amusant, on rit beaucoup. Mais ce qui rend le travail de montage particulièrement intéressant avec lui, c'est qu'il accorde une très grande importance à un domaine auquel très peu de metteurs en scène font attention : le son. Et ça, c'est infiniment rare. Par « son » je n'entends pas uniquement la musique, mais également les effets sonores, les dialogues et même le silence. Il a une manière de dépouiller le son... Un principe qui me vient de lui, c'est de ne jamais mettre plus d'un son en même temps. Cette règle, qui paraît simple, est pratiquement toujours respectée dans ses films. Quand il y a de la musique, il n'y a pas de bruits, par exemple. La manière dont on monte les sons sur les films d'Alain est absolument exemplaire. Je n'ai pas travaillé avec tous les metteurs en scène, mais en France la plupart ne savent pas de quoi ils parlent. Leur musique, n'en parlons pas. Ceux qui traitent bien le son ne sont souvent pas des Français, mais des Belges ou des Suisses : Delvaux, Soutter, la bande des Suisses. D'ailleurs c'est par les Suisses que j'ai connu Gamet, l'ingénieur du son de *L'Amour à mort*.

Quel rôle pratique joue la division en « actes » chère à Resnais?

Aucun. C'est simplement une question de scénario.

Le générique de Je t'aime je t'aime *crédite deux noms au montage, celui de Colette Leloup et le vôtre. Quels furent vos rôles respectifs?*

Je connaissais Alain depuis très longtemps, mais c'était la première fois que je travaillais avec lui. J'avais un autre montage à terminer quand il m'a demandé de faire *Je t'aime je t'aime*. Comme je ne voulais pas refuser, nous avons demandé à une amie commune, Colette Leloup, si elle pouvait préparer le travail. Tout le travail préliminaire a donc été assuré par Colette (elle s'est aussi occupée, je crois, du montage son d'un bout à l'autre), et quand je suis arrivé il ne me restait à accomplir qu'un travail de manipulation très rapide. C'était un film qui mettait avant tout en évidence une manière de monter, en faisant appel à des principes bien déterminés. Claude Rich était toujours à l'intérieur du plan, il n'y avait jamais de montage à l'intérieur de ces blocs. Chaque plan était une séquence : je n'avais pas ces problèmes de raccord que posent pratiquement tous les films, mais uniquement à ordonner un certain nombre de plans. Une fois que j'avais mis tous les plans l'un derrière l'autre en respectant l'ordre prévu par Resnais, on ne pouvait juger du résultat qu'en voyant le film dans sa continuité. C'est ce que nous avons fait, et nous avons commencé à modifier le montage. Nous aurions pu travailler pendant dix ans sur un tel film : comme le récit n'avait pas de continuité apparente, nous étions toujours tentés d'essayer autre chose. Chaque plan pouvait être déplacé. Il n'y avait jamais de raccord direct avec le plan qui suivait, excepté au tout début du film et dans les conversations entre les savants, qui étaient des séquences découpées « normalement ». Nous nous sommes arrêtés lorsque cela nous a paru pouvoir fonctionner.

Le montage de Providence *était lui aussi très morcelé, mais le panoramique sur la propriété de John Gielgud apportait à la dernière séquence une respiration inattendue.*

Providence, c'était aussi très complexe. C'est un film tourné non seulement en France, mais aussi en Belgique et aux États-Unis. Deux plans qui se suivent peuvent très bien avoir été tournés l'un en Belgique, l'autre à Providence. Je n'ai d'abord monté que des parties homogènes, comme le procès du début qui se passait dans un seul lieu. Mais j'ai attendu d'avoir tous les éléments pour monter les plans de Gielgud et les images mentales, autrement c'était impraticable. Le seul moment « classique », respectant une chronologie normale, c'était la séquence finale dans le parc. Cela dit, quand j'ai vu aux rushes le panoramique de la fin du déjeuner, ne me souvenant plus du scénario, j'ai cru que c'était la fin du film. Je crois l'avoir dit à Alain que cela n'a pas du tout impressionné : je pensais que jamais cela ne tiendrait le coup, que les spectateurs allaient se lever et sortir de la salle. Vous voyez combien on peut se tromper!

Comme la plupart des films de Resnais, Stavisky... *et* La vie est un roman *entremêlent différentes histoires ou différents niveaux de réalité: Stavisky, Trotski et la commission d'enquête dans le premier film, et, dans* La vie est un roman, *les trois « époques ». Est-ce que, là encore, vous avez monté l'une de ces séries d'images avant d'y ajouter les autres?*

Dans le cas de *La vie est un roman*, j'ai commencé par monter le début (l'arrivée des voitures, la présentation de la maquette), puis les séquences tournées chez Forbek une fois le château construit. Et, ce qui change le problème, la musique avait déjà été enregistrée. Le play-back, ça vous tient la colonne vertébrale du montage. Mais *La vie est un roman* m'avait semblé plus abrupt à la lecture. Je pensais que le spectateur serait remué à chaque changement de période, tant les décors, le jeu des acteurs et même la lumière étaient différents. Je m'attendais à un choc terrible. En fait, aucun choc ne s'est produit. Je me suis longtemps demandé si le public avait toujours réalisé qu'on lui racontait trois histoires différentes.

Quant à *Stavisky...*, j'ai d'abord monté, pour des raisons pratiques, les séquences Stavisky. Mais je dois vous dire que, hormis des cas très précis, je n'ai pas beaucoup de souvenirs concernant l'ordre du montage, car les plans vous arrivent de tous les sens et de tous les côtés (souvent, vous ne savez même plus où est leur place). Je monte en séquences séparées, sans vraiment tenir compte d'un ensemble. Une fois la séquence montée, de manière tout à fait relative, je la mets de côté car je n'ai en main ni ce qui précède ni ce qui suit. J'ai plusieurs petits groupes en attente, que je reprends d'ailleurs de temps en temps, en leur donnant un rythme qui est uniquement celui de la séquence, et non celui du film. Petit à petit le puzzle se forme, je bouche les trous, je commence à assembler tous ces morceaux, et à modifier le montage entre deux séquences. J'arrive ainsi à un premier montage, que je vois en continuité. (Je ne vais pas en projection avant, je fais tout le travail dans ma salle.) J'ai alors un équilibre général du film, et avec le réalisateur on s'aperçoit que certaines séquences sont trop longues, non pas en elles-mêmes mais par rapport à ce qui précède ou ce qui suit. Il faut alors modifier l'intérieur de ces séquences, ou même les déplacer. C'est une fois que tout est assemblé que je peux commencer à avoir une pensée différente. D'ailleurs, c'est pour moi le moment le plus intéressant ; avant, sans être un travail de routine, c'est beaucoup moins créatif.

Le choix des prises a tout de même son importance.

Le choix, je le fais avec le réalisateur. J'aime qu'il me dise d'une façon précise ce qu'il souhaite. On est très souvent d'accord, mais mon goût n'est pas forcément le sien. Lorsque deux prises contiennent un jeu d'acteurs très différent, il se peut que je préfère l'une, mais tant que je n'ai pas l'avis du réalisateur cela ne m'intéresse pas. C'est lui qui décide. Une fois que le choix est fait – c'est primordial, en effet –, je n'ai plus besoin du réalisateur jusqu'au moment où je vais lui présenter le premier montage. Nous avons alors une discussion, et c'est là, je l'ai dit, ce qui m'intéresse plus que tout.

Voilà donc comment je monte : je monte sans idées arrêtées. On me donne une séquence, je la monte, c'est tout. Une image pour moi appelle une autre image. Une idée n'appelle pas une autre idée. Je n'ai pas besoin de me dire : « Cette séquence doit être angoissante. » Comme cette angoisse sera dans les images, c'est en me fiant à une première image que je pourrai la raccrocher à une autre image elle aussi chargée d'angoisse. A chaque fois que j'ai voulu, à la demande d'un réalisateur, développer une idée donnée, je suis tombé à côté. Alors que si je me laissais entraîner par les rapports d'images et de sons, ça coulait merveilleusement bien. Par exemple, les mains avaient une énorme importance à la fin de *Providence*, au moment du retour à la « réalité », à la vie quotidienne. On passait de la main de David Warner dans la benne à ordures à la main de John Gielgud appuyée sur le fauteuil, dans le parc. Ou bien, dans *Mon oncle d'Amérique*, Roger Pierre à un moment laisse tomber l'ancre de sa petite barque sur des galets, et le bruit raccordait avec un autre son qui venait tout de suite avant, celui du vase que Nicole Garcia casse sur le montant du lit. C'est un raccord qui n'était pas prévu. Si vous donnez aux spectateurs un point d'attache, ils suivront. Même l'histoire n'a plus aucune importance. Un film, c'est comme une bobine de fil que l'on dévide : tant que vous tirez, ça vient. Dès que le fil casse, tout est fini. Le plus dur, c'est de commencer à attraper un bout de pellicule. Et l'une des plus belles choses à faire dans le montage, c'est de passer d'un point à un autre sans que le spectateur s'en aperçoive, sans qu'il sache comment il est sorti d'une séquence pour entrer dans une autre.

Le jeu de Dirk Bogarde dans Providence *était-il très varié d'une prise à l'autre?*

Non, ça ne m'a pas frappé. En revanche, le jeu des comédiens de *L'Amour à mort* variait considérablement d'une prise à l'autre. J'en ai parlé à Alain : ces différences étaient voulues, il leur avait demandé de faire une prise pour eux-mêmes. Il aime beaucoup voir les comédiens jouer de façons différentes, il prend plaisir à être sur un plateau. Les comédiens partaient donc dans un jeu qui me paraissait excessif, mais qui ne l'était peut-être pas du tout. Excessif n'est d'ailleurs pas le mot : c'était un jeu plus extériorisé, correspondant peut-être à la nature de chaque comédien et à ce que, pris par une certaine action, ils pouvaient avoir envie de faire. Le film s'y prêtait, je crois. Voilà donc un exemple de l'importance du choix avec le réalisateur : j'avais mon idée et il se trouve que c'était aussi celle de Resnais, mais imaginez qu'il n'ait pas eu la même conception générale du film... *L'Amour à mort* serait parti dans une direction totalement différente. Mais nous avons arrêté notre choix dès le début et nous nous y sommes tenus. Une fois l'optique générale du film établie, il était certainement difficile de prendre une prise « excessive », car cela aurait créé un décalage par rapport à l'ensemble d'une interprétation.

Comment avez-vous monté les intermèdes musicaux, les « particules » de L'Amour à mort*?*

Comme je vous l'ai dit, je n'avais pas lu le scénario. Lorsque j'ai commencé à travailler nous avons fait le choix, mais uniquement de ce qui avait été tourné avec les acteurs. Le découpage indiquait des « interludes » (c'est après coup que Resnais les a appelés des « particules ») qui ne devaient jamais avoir la même longueur. Alain avait des idées sur ce qu'il allait faire, mais ce n'était pas encore concrètement réalisé. J'ai d'abord monté le film dans la continuité. Nous l'avons vu sous cette forme, il devait faire une heure dix. Ces interludes étaient d'une grande importance pour la construction dramatique, mais on ne pouvait s'en rendre compte qu'en les mettant dans le film. A défaut, nous avons décidé de disposer la même longueur de « noir », quatre secondes je crois, aux endroits prévus par le scénario. Nous avons revu le film, et nous avons pu commencer à changer, à bouger ces morceaux de noir accompagnés de silence. Nous en avons supprimé (à l'origine il y en avait davantage), nous en avons déplacé d'autres. Jusqu'au moment où cela nous a paru convenir, sans être la solution définitive évidemment (le noir n'est jamais noir au cinéma, sinon comparativement à autre chose). Nous avons alors fait venir Henze qui a vu le film à la table de montage, en prenant des notes. Alain lui indiquait qu'il voulait quinze secondes de musique à tel endroit, trente secondes à tel autre, que la musique devait exprimer tel ou tel sentiment. Henze est reparti, et nous a donné rendez-vous à Londres pour enregistrer sa musique un mois et demi plus tard. Entre-temps Resnais avait tourné ces fameux interludes. Après des essais il avait décidé de faire ce que vous avez vu. Mais ces intermèdes ne me servaient à rien tant que je ne connaissais pas la durée des interventions musicales. J'ai donc simplement classé les interludes par genre : très fourni, peu fourni, presque noir... Puis nous avons été à Londres pour l'enregistrement de la musique. Henze avait composé le nombre d'interludes prévu, mais sans toujours respecter à la seconde près le minutage que Resnais lui avait donné, ce qui est normal. Il n'était pas question de changer l'ordre, de les intervertir. J'ai d'abord monté toutes les musiques à l'intérieur des sons (on avait mixé avant, car pour différentes raisons c'était très complexe), puis j'ai monté les images – c'est-à-dire les interludes – en fonction de la musique et de sa longueur. Et une fois le film fini, nous avons été les premiers surpris par le résultat.

Ces interludes ne permettaient-ils pas de dilater et compresser le temps à volonté?

Si, naturellement. Il y avait des ellipses. Mais je crois qu'il s'agissait surtout de prolonger des sentiments à travers la musique, ou de les contracter afin de passer tout de suite à autre chose. Alain avait envie depuis très longtemps de faire en sorte que les spectateurs écoutent la musique. Il fallait tout de même mettre quelque chose sur la pellicule, autrement le film s'arrête. Mais cette image (ou cette non-image) était encore trop figurative pour lui. Il y a eu une méprise au sujet de ce film : on a voulu donner une interprétation à ces images alors qu'il ne fallait pas en donner. On m'a souvent demandé ce que ces « particules » signifiaient. Je ne sais pas, je n'ai jamais su ce que cela voulait dire. Ce qu'Alain voulait, c'est que ce soit neutre.

L'alternance entre la fiction et les intermèdes musicaux paraît simple, mais certaines ellipses sont assez déconcertantes. Il arrive que deux séquences ne soient pas séparées par des interludes, mais reliées par deux plans de Sabine Azéma qu'aucune continuité ne réunit. Inversement, certaines séquences sont morcelées, comme la longue scène d'explication entre Sabine Azéma et Fanny Ardant au presbytère : les interludes permettent de rac-

corder abruptement différents moments d'une même conversation, en sautant les étapes intermédiaires.

Il faut éviter, dans un film, de rester entièrement fidèle à un principe d'un bout à l'autre. Si vous avez trouvé un système, par exemple de passer par un « noir » pour faire des ellipses, le spectateur saura, lorsqu'un noir arrive, que cela entraîne une ellipse. Tandis que si vous mettez un noir sans pratiquer d'ellipse, ou si vous en faites sans passer par un noir, il restera éveillé. Ce qui me déplaît quand je vais au cinéma, c'est que le plus souvent tel plan va être suivi de tel autre. Vous avez une mécanique du découpage sans originalité. Il ne faut jamais établir un système figé, il faut toujours surprendre. Ce qui m'intéresse dans le montage n'est pas de faire les pieds au mur ni de produire du jamais vu, mais de faire en sorte que les images ne soient pas ronronnantes. En fait, je crois qu'en tout et pour tout j'ai un seul principe de montage : ne pas ronronner.

C'est peut-être ce principe qui a entraîné dans L'Amour à mort *tout ce travail de ciselage pour passer de la musique au son au moyen de procédés très variés. Au début du film par exemple, le démarrage de la voiture déclenche la musique, presque comme une première cellule musicale.*

C'est très voulu. Tous ces enchaînements sont faits au montage (c'est Jean-Pierre qui a monté les sons). Il ne fallait pas charger, et si possible un son devait en déclencher un autre. J'aime travailler sur les sons, ils jouent beaucoup dans la respiration d'un film. Je change parfois le rythme à l'intérieur des phrases : quand vous passez *off*, vous pouvez raccourcir ou allonger des silences. Le son est porteur de 50 % de la qualité du montage.

Est-ce que l'emplacement des particules pouvait être déterminé plutôt par le rapprochement de deux sonorités que par la volonté de couper l'image à tel endroit?

Oui, puisque j'ai monté les particules après avoir monté

la musique, en fonction de l'ambiance qui semblait s'en dégager. Dans les passages de la fiction aux particules, c'est coupé très rapidement. Il ne fallait pas qu'on puisse sentir que la fin de la scène approchait. Les fins de scène étaient toujours coupées d'une manière sinon provocante, du moins abrupte. La musique démarrait aussitôt comme le prolongement de la parole ou du bruit. J'ai laissé quelques pauses, toujours pour ne pas être systématique, mais très peu. J'avais peur que les gens ne se lassent.

Parfois la musique arrivait même juste avant la fin d'un bruit, par exemple le bourdonnement des abeilles qui rappelait l'atmosphère de la musique.

C'était prévu. Alain en avait parlé à Henze, lui avait dit que la musique devait se superposer au nid d'abeilles puis démarrer comme si elle en était la continuation. Mais c'est quelque chose qu'on a fait très rarement, quatre ou cinq fois peut-être.

La pièce de monnaie qui tournoie...

La pièce de monnaie aussi était chevauchée par la musique, oui. Henze n'avait pas entendu le son, mais là encore Alain lui avait expliqué le principe. J'avais pensé que la pièce de monnaie risquait justement de faire fin de séquence. Il fallait donc que ça enchaîne rapidement, d'où cette superposition. Il y a un autre détail que j'aime beaucoup : quand on enterre Arditi, un plan commence dans le noir, cela ressemble à un « noir », mais c'est le cercueil qui arrive. Je trouve ça formidable.

L'effet était prévu au tournage?

Certainement, oui. Je ne saurais pas très bien dire pourquoi, mais j'aime particulièrement toute cette séquence qui suit la mort d'Arditi. Je la trouve très belle.

Elle est rythmée par l'alternance de la musique et des mots que répète sans cesse Sabine Azéma : « Je te le promets. » *C'est d'ailleurs le seul endroit où un même fragment musical est répété deux fois de suite. Est-ce que c'est une décision de montage?*

Alain avait demandé à Henze qu'il y ait cette répétition, qui devait en effet accompagner les répétitions de Sabine Azéma et de son texte. Vous voyez, ses idées étaient très claires en ce qui concerne la musique. D'ailleurs je considère *L'Amour à mort* avant tout comme une tentative de plus, de la part de Resnais, de faire structurer un récit par la musique.

Après La vie est un roman, *on pouvait en effet se demander comment il parviendrait à mettre encore plus en avant la musique...*

C'est ça, et il l'a mise encore plus au premier plan.

Est-ce que les références musicales jouent un rôle dans vos séances de travail avec Resnais?

Non. Je n'ai pas une culture musicale suffisamment forte pour le suivre. Je suis très sensible à la musique, et j'ai découvert l'opéra il y a exactement six mois, en travaillant avec Delvaux. Alain m'apprend beaucoup de choses. Il écoute tout, et très sérieusement. Il lit des livres, il suit l'histoire de la musique et son évolution. J'ai l'impression qu'un beau jour il s'est dit : « *J'aime la musique : maintenant je vais m'y atteler.* »

Dans quelle mesure avez-vous participé au choix du compositeur Arié Dzierlatka pour Mon oncle d'Amérique*?*

C'est moi qui l'ai présenté à Resnais. J'avais fait *Repérages* avec Soutter, et la musique d'Arié, que je ne connaissais pas, m'avait beaucoup plu. J'avais donné des cassettes enregistrées à Alain, mais il l'avait déjà repéré. Il est rare qu'il ne connaisse pas un musicien, surtout s'il compose pour le cinéma. Mais il change de musicien à chaque film. C'est épuisant : il faut qu'il en trouve. La musique de *Providence* devait être écrite par un musicien que Resnais adore, Stephen Sondheim, le compositeur de *Stavisky*... Il y a eu un moment de panique, car Sondheim n'était pas libre, et Resnais est arrivé à la fin du montage image sans savoir qui allait écrire la musique. C'est Alain Lacombe, à qui Resnais a téléphoné, qui lui a conseillé de prendre Miklós Rózsa. J'ai été particulièrement impressionné par la très belle valse au piano qu'a composée Rózsa pour cette scène de réception un peu bizarre où Bogarde se promène parmi les invités. C'est ahurissant : la respiration de la musique et le rythme intérieur des images sont absolument identiques. Cette concordance m'a d'autant plus ébloui qu'elle n'avait pas été artificiellement recréée au montage. C'est le musicien qui a su trouver le rythme exact des images, des déplacements des acteurs et de la caméra. Le montage, croyez-moi, n'y est pour rien.

M. PHILIPPE-GÉRARD

Compositeur

Né en 1929, M. Philippe-Gérard a notamment étudié la musique avec Dinu Lipatti (piano), Ernest Ansermet (direction d'orchestre) et Frank Martin (contrepoint, composition et fugue). La musique de film ne représente qu'une partie de ses activités puisque, chef d'orchestre, producteur d'émissions à la radio et à la télévision, compositeur de musique de scène et de ballets, il est avant tout connu pour le millier de chansons qu'il a composées pour des interprètes comme Édith Piaf, Marlene Dietrich, Frank Sinatra, Juliette Gréco, Yves Montand et Jeanne Moreau, pour ne citer qu'eux. En dehors de nombreuses partitions destinées à des téléfilms ou à des courts métrages de cinéma, il a écrit la musique de douze longs métrages, parmi lesquels *Du rififi chez les hommes* de Jules Dassin (en compagnie de Georges Auric), *Folies-Bergère* et *Le Feu aux poudres* d'Henri Decoin, et plus récemment *La Carapate* de Gérard Oury. Alain Resnais s'est adressé à lui pour écrire la partition musicale de *La vie est un roman,* puis, dans *Mélo,* la musique « en situation » du cabaret Casanova.

En quels termes Alain Resnais vous a-t-il présenté le projet de La vie est un roman *et l'expérience musicale que le film représentait?*

La vie est un roman m'est apparu au départ comme une sorte d'opéra moderne, mais le mot n'a jamais été prononcé ni par Resnais ni par moi. J'ai été très surpris de recevoir un jour un coup de téléphone d'Alain Resnais, que je considérais comme l'un des plus grands cinéastes mais que je ne connaissais pas personnellement, et qui m'a dit : « *Ici Alain Resnais, je suis metteur en scène de cinéma, et j'aimerais vous rencontrer. Je travaille à un projet, mais je ne sais pas du tout si le film se fera et je ne peux vous donner aucune garantie. Est-ce que vous accepteriez de prendre le risque de me consacrer une partie de votre temps pour y penser avec moi?* » J'ai répondu avec enthousiasme que j'étais plus qu'intéressé, que ce serait pour moi une joie folle que de le rencontrer. Nous avons donc commencé par nous voir, je ne dirais pas tous les jours, mais enfin presque tous les jours, dans l'après-midi. Naturellement il m'a expliqué que la musique aurait beaucoup d'importance, mais nous n'avons pas vraiment parlé de cette dimension du film : cela restait sous-entendu, en filigrane. Au début les discussions n'ont pas tellement concerné le film lui-même, mais surtout la musique, l'univers musical. Il a voulu explorer à travers moi toute une série de notions musicales qu'il avait en lui, et j'imagine qu'il voulait aussi s'assurer que nous serions bien sur la même longueur d'onde. Et à la suite de ces conversations qui étaient vraiment passionnantes, j'ai découvert que Resnais, selon moi, est un musicien. Si je trouvais une carte de visite où il était inscrit « Alain Resnais, musicien », je ne serais pas plus étonné que si j'y lisais « Alain Resnais, cinéaste ». J'ai d'ailleurs fini par le lui dire : « *Alain, vous êtes un musicien. Vous n'avez pas ce qu'on appelle la scolastique, vous ne possédez pas la technique que vous auriez eue si vous aviez suivi des cours très poussés au Conservatoire, mais vos notions de musique sont vraiment très profondes, très structurées, et je vous avoue que je suis très impressionné, car j'ai l'impression de parler avec un maître musicien.* » Il m'a répondu qu'il n'était pas du tout musicien, qu'il était simplement un amateur de musique; mais je n'en considère pas moins que c'est un musicien, et j'irais même plus loin, je dirais que Resnais est un créateur musical. Je n'irai pas jusqu'à dire que c'est lui qui a écrit ma musique, mais il a une façon de suggérer les choses qui est telle qu'au moment même où il m'exposait certaines séquences de *La vie est un roman* la musique était en train de se créer en moi comme si je la recevais de lui. Je n'osais pas le lui dire (est-ce qu'il aurait compris?), et pourtant c'est de cette façon que cela se passait. Resnais a le don de s'exprimer de telle sorte que la musique découle presque tout naturellement de ce qu'il demande à un musicien. Il m'approfondissait une séquence en me parlant du climat et du style qu'il voulait lui donner, et le lendemain ou le surlendemain je lui jouais des choses qui, en réalité, m'étaient venues au moment même où il me parlait.

Entre-temps le projet était devenu une réalité, c'est-à-dire qu'on savait que le film allait se faire. Nous avons alors commencé à travailler beaucoup plus concrètement, mais l'essentiel était déjà fait. Cette espèce de ton général était donné, et le reste était un travail plus habituel, plus professionnel : il s'agissait de résoudre des problèmes dont nous connaissions déjà les dimensions. Au fur et à mesure que les idées me venaient, je les jouais à Resnais sur mon piano, et je dois dire qu'à part peut-être une fois, qui était d'ailleurs tout à fait au début, il n'y a jamais eu de hiatus entre nous. J'avais commencé par l'*Air de la nourrice* : Gruault avait déjà écrit le texte, et en somme il suffisait presque de faire une chanson comme j'en avais fait avec Mac Orlan, Éluard ou Aragon. Or la première version que je lui ai proposée faisait peut-être justement un peu trop chanson. Resnais paraissait tout à fait prêt à l'accepter telle qu'elle était, mais j'ai bien senti que s'il en avait le pouvoir il en aurait gommé certains aspects. Je n'ai rien dit sur le moment, mais j'ai totalement supprimé cette première version, et le lendemain je l'ai accueilli en disant : « *Écoutez, vous aviez raison. J'en ai fait une autre, et je crois que c'est beaucoup mieux.* » Et effectivement, quand je lui ai joué l'air définitif, il l'a adopté tout de suite. A part cet*Air de la nourrice* qui a donc été notre première « réalisation » commune, presque tout le reste, au fur et à mesure que je le lui jouais, lui paraissait évident. Je ne devrais pas le dire, parce que c'est un peu prétentieux de ma part, mais j'avoue que j'ai trouvé ça un peu normal : c'était le résultat d'échanges très approfondis que nous avions eus ensemble, tout avait été dit, et il était normal que ça se traduise musicalement par la même harmonie qui avait présidé à nos échanges parlés.

Quels sont les musiciens que vous avez évoqués dans vos conversations avec Resnais?

Je dois dire qu'ils étaient nombreux!

Nous avons d'abord évoqué Mozart, parce que ça me paraissait la lettre *a* de l'alphabet musical. C'est le cheminement de ma vie musicale : quand je pense musique, je pense d'abord à Mozart. C'est celui qui résume le mieux à lui seul toute la musique – y compris la musique de notre époque, aussi bizarre que cela puisse paraître –, c'est celui qui a donné de la création l'image la plus complète, la plus totale, et c'est celui qu'on peut le moins expliquer. Je n'ai pas pu résister, je ne sais pas pourquoi, au désir d'en parler à Resnais, et je me suis aperçu que plus je lui parlais de Mozart et plus ça l'intéressait. Il avait lu beaucoup d'ouvrages sur Mozart, il avait réfléchi à tout ce qui concernait son œuvre, y compris les livrets de Da Ponte, et sur les quarante ou cinquante jours au cours desquels nous avons simplement confronté des idées musicales et esthétiques, je crois qu'il y en a bien une quinzaine qui ont été consacrés à Mozart.

La présence de Mozart dans la partition de La vie est un roman *n'est pourtant sensible qu'à la toute fin du film, dans cette petite ritournelle qui reprend le thème de la chanson* Je crois à l'amour.

C'est à cet endroit qu'elle transparaît le plus et qu'elle prend son habillage de l'époque, mais si on cherche plus en profondeur on peut la discerner encore plus quand Élisabeth arrive avec sa maquette pour faire sa petite démonstration. Il y a à ce moment-là un tout petit dessin musical qui va prendre beaucoup d'importance pendant toute cette scène, que Pierre Arditi va reprendre en chantonnant « *Pom-pom, pom-pom* », et qui va devenir le *Rock du colloque.* Ça me paraît être l'un des éléments les plus mozartiens de la partition dans la mesure où je me suis permis d'utiliser, comme Mozart, des éléments extrêmement dépouillés, d'une simplicité telle qu'on ne peut pas faire plus simple (*do-ré, do-mi*), et de les imbriquer les uns dans les autres, de les superposer, de les emmêler, si bien qu'il se crée un univers particulier qui s'articule en fonction de ces éléments.

Alain, lui, a beaucoup insisté sur Richard Strauss pour l'époque Forbek. Nous avions tout d'abord circonscrit le domaine dans lequel la musique de *La vie est un roman* allait évoluer, et qui est malgré tout un domaine historique puisque l'action se situe à trois époques, dont les deux premières sont bien déterminées (1919 et 1982) tandis que la troisième ne l'est pas du tout puisque c'est une époque imaginaire. Et quand nous avons parlé de l'époque Forbek, c'est de Richard Strauss que nous avons parlé plus que de n'importe quel autre. Je ne dirais pas que Strauss ait imprimé une influence quelconque sur ma partition, mais au départ il était très important. Entre les lignes il y avait aussi Mahler, Wagner, et j'ai apporté d'autres notions, en particulier Ravel, qui a joué dans ma vie un rôle essentiel puisque dans les trois dernières années de sa vie il a bien voulu superviser mes premiers pas musicaux. J'ai suggéré à Resnais de donner des bouffées de Ravel à cette espèce de fatalisme straussien et mahlérien qui découlait du château de Forbek, et d'ajouter à ce côté germanique le côté français et presque universel dans la féerie que Ravel peut apporter. Il m'a répondu : « *Mais oui, n'hésitez pas, d'ailleurs ça s'y prête parfaitement. Les invités de ce château sont soumis à toutes sortes de traitements, on leur fait respirer des parfums étranges, on leur donne des élixirs, et Ravel convient tout à fait à ce côté un peu magicien.* »

Le concert des nouveaux-nés, des invités qui vagissent après avoir bu la liqueur d'oubli, fait penser aux miaou de L'Enfant et les Sortilèges.

Absolument. Je ne l'ai pas fait exprès, ça s'est trouvé comme ça. Quand les invités de Forbek montent les escaliers ou passent dans les couloirs, il y a aussi des voix, des groupes d'hommes et de femmes, qui sont des évocations un peu angéliques de visions païennes et qui me paraissent assez ravéliennes dans leur orchestration, en particulier pendant la fameuse réunion autour de la piscine, lorsqu'on leur fait boire ce breuvage bleu.

J'avais aussi pensé à Stravinski, et l'endroit où on y penserait le plus est sans doute ce passage, que personnellement j'adore – je ne sais pas du tout ce que le public peut penser parce que c'est très inhabituel dans un film –, où l'action s'est arrêtée, où les trois musiciens traversent les couloirs et où il y a 2 mn 40 de pause musicale. C'est un interlude musical, pratiquement.

C'est beaucoup plus qu'un interlude, c'est ce que j'appellerais la musique du bonheur : le temps est complètement suspendu, les invités de Forbek font l'expérience d'un « nouveau bonheur » où tout est harmonie, et le trombone nous fait partager leur pâmoison.

Vous rejoignez Resnais, car je crois que c'est aussi ce qu'il préfère musicalement. Ce trio est venu de façon tout à fait spontanée. Resnais m'avait dit : « *Il faut trois musiciens. Le producteur sera content de ne payer que trois cachets de figurants. Évidemment s'il y en avait quatre ou cinq on irait peut-être plus loin sur le plan musical, mais j'aurais moins de possibilités de les filmer comme je voudrais. Bon, trois musiciens : qu'est-ce que vous en dites, qu'est-ce que vous suggérez ?* » Il a tout de suite été d'accord pour le violon. Il s'est inquiété de savoir comment on allait transporter une harpe, mais il suffisait de transposer : ce ne serait pas une harpe symphonique, mais une harpe éolienne. Et quand je lui ai parlé du trombone, au départ il était un tout petit peu étonné : «*Ah, vous croyez, un trombone?* », et puis peu à peu l'idée s'est imposée à lui. J'ai donc commencé à travailler là-dessus, et quand j'ai attaqué le violon j'ai pensé à un violon de Stravinski, je ne sais pas pourquoi. Stravinski a véritablement métamorphosé le violon, dans *L'Histoire du soldat* bien sûr, mais aussi dans le *Concerto pour violon.* Chaque fois qu'il a voulu pousser un peu la technique des cordes, on retrouve les doubles cordes, les triples cordes... Ça m'a passionné de suivre ses traces.

Dans un entretien avec Le Monde de la musique, *Resnais raconte d'ailleurs que le premier disque qui l'ait fait réagir, quand il avait huit ou dix ans, était le* Concerto pour violon *de Stravinski. Pour en revenir au* Trio des musiciens, *le thème joué au trombone n'est pas du tout stravinskien.*

Dans mon esprit, c'est plutôt Ravel. C'est cette sonorité que le trombone prend dans le *Boléro* quand il attaque le thème, cette blancheur du timbre qui est assez proche de Ravel de la façon dont l'a joué Raymond Katarzynski, professeur au Conservatoire de Paris (Franck Gali était au violon, et Lily Laskine à la harpe). Ça a été pour moi un des moments les plus agréables que d'écrire ce *Trio des musiciens*, et je ne pensais pas que Resnais aurait pu le conserver dans son intégralité. Ça ne fait pas du tout longueur, au contraire on a l'impression de pénétrer dans cette ambiance tellement bizarre du château Forbek, cette ambiance qui m'a d'ailleurs permis d'aller encore plus loin que Strauss et Stravinski. La partie Forbek de *La vie est un roman* était vraiment fascinante sur le plan musical, puisqu'elle se situe à l'époque la plus riche de l'histoire de la musique. C'est le XXe siècle qui commence vraiment (le XXe siècle en musique ne commence pas forcément en 1900, mais plutôt en 1913 ou 1914 [1]). C'est ce qui a nourri nos premières conversations avec Alain : il fallait aborder un peu tous les courants musicaux qui se mêlaient à cette époque, car il y avait dans cette période une sorte de tourbillon de toutes les écoles musicales qui coexistaient, et pas toujours pacifiquement :

1. Rappelons que la première séquence de *La vie est un roman*, où Michel Forbek présente à ses amis la maquette du « Temple du bonheur », est précisément située en janvier 1914, quelques mois après les premières exécutions publiques du *Sacre du printemps* de Stravinski, de *Jeux* de Debussy et de *Pierrot lunaire* de Schönberg.

le postromantisme allemand et Richard Strauss, Debussy, Ravel, Stravinski, le jazz, Schönberg et l'école de Vienne... La musique à tonalité suspendue, en fait, était déjà embryonnaire dans Mahler et dans la musique viennoise d'avant la guerre de 14-18, et Schönberg l'a concrétisée. J'ai senti que ce serait bien d'aller jusque-là, et Resnais m'a donné son accord. Il est passionné par tout ce qui est dodécaphonique, ce qui du reste est étonnant de la part de quelqu'un qui n'est pas entré sur le plan technique dans la scolastique musicale (il m'a d'ailleurs demandé non pas des cours mais des démonstrations au piano, avec Sabine Azéma quelquefois). Et quand arrivent les premières anicroches, les premières fausses notes, si je puis dire, de l'expérience Forbek, c'est-à-dire au moment de la mort de Raoul, la musique dodécaphonique s'est tout naturellement glissée là-dedans. Je ne peux pas dire que j'ai fait quelque chose de comparable à ce qu'Alban Berg a fait dans *Wozzeck* ou dans *Lulu*, mais j'ai quand même essayé de tout construire et de tout justifier par rapport à cet univers si particulier qu'est celui de Forbek.

Est-ce que Verdi était aussi une des références musicales du film?

Verdi? Au départ, non. Mais effectivement il est intervenu dans nos préoccupations par la suite, et cela transparaît par exemple dans l'arrivée de Gassman à moto. Verdi est venu là-dedans presque *ex abrupto*, mais c'était nécessaire. La personnalité de Gassman a quelque chose de très extérieur, de très spectaculaire, qui évoque un peu certains personnages de Verdi, en particulier dans *Falstaff*.

Je pensais plutôt au Trouvère.

Vous voulez parler de l'époque imaginaire, lorsque le roi veut faire trancher la tête de l'enfant? Tout à fait d'accord. Mais là encore c'est involontaire, je ne l'ai constaté qu'après coup. Si on voulait vraiment faire toute une partition avec une lucidité permanente, je crois qu'elle perdrait de sa force évocatrice et de son impact. Une fois qu'on a terminé on redevient un auditeur, un spectateur, et on se dit : « Tiens, c'est bizarre, l'ombre du *Trouvère* s'est introduite là-dedans. » Mais ce n'est jamais le fruit du hasard. Toujours en acceptant de se livrer au petit jeu des liens de parenté, quand nous avons fait une conférence de presse à l'issue d'une projection de *La vie est un roman,* quelqu'un a dit qu'il avait pensé à deux compositeurs, qui étaient Bartók et Honegger. Pour Bartók il faudrait vraiment aller chercher très loin, peut-être dans ces passages pseudo-dodécaphoniques du château. Bartók n'a jamais été complètement dans la dodécaphonie, mais il l'a souvent frisée, et effectivement on peut trouver quelques analogies avec la sonorité des cordes de la *Musique pour cordes, percussion et célesta.* Mais pour Honegger, c'est vrai que dans le générique final, dès le panoramique sur l'arbre et que les gosses commencent à chanter « *Et cætera, et cætera* », il y a cette espèce de *fugato* qui s'organise dans une sorte d'élévation de l'esprit, de la joie et de la pureté, et je suis obligé de constater que, sans avoir cherché à pasticher Honegger, j'ai rejoint malgré moi certaines de ses préoccupations.

Ce fugato *reflète la structure du film : il y a trois voix qui se répondent, comme trois époques qui s'entremêlent.*

Quand Resnais m'a parlé de la fin du film, j'ai d'abord pensé à une valse, mais très éloignée de *La Valse* de Ravel, une valse au contraire un peu enfantine, un peu à la Poulenc, qui allait tournoyer, virevolter autour d'un élément très simple, dans le genre de l'élément mozartien dont je vous ai parlé. Je lui ai joué une version déjà assez élaborée, et ça lui plaisait bien. Puis les choses ont suivi leur cours, l'idée du *fugato* m'est venue, je lui ai suggéré cette autre possibilité, et la valse s'est estompée et a rapidement disparu.

En revanche le film s'ouvre avec une valse, la Valse *vénéneuse.*

Dès les premières réunions que nous avons eues autour d'un piano, quand Resnais me parlait de cette atmosphère un peu malsaine, disons-le, du château Forbek, de cette atmosphère qui me faisait penser – sans que je lui en aie jamais vraiment parlé – à des relents de nazisme, j'ai pensé à une valse nauséabonde, maladive. Je la lui ai jouée, en m'attendant à ce qu'il me dise qu'il ne voyait pas le rapport que ça pouvait avoir avec son film, et au lieu de ça il m'a dit : « *Mais il y a du venin là-dedans, il y a là quelque chose de venimeux... On devrait appeler ça la* Valse vénéneuse*!* » On ne savait pas du tout où cette valse viendrait, ni même si elle allait trouver sa place dans le film, et ce n'est qu'au tout dernier moment, dans les semaines qui ont précédé l'enregistrement, que j'ai proposé à Resnais de la mettre au générique de début. Il a trouvé que ça s'enchaînerait bien avec son premier plan, avec les croassements du corbeau, et nous sommes tombés d'accord.

Le thème de la Valse vénéneuse *revient par la suite dans le film.*

Vous abordez l'un des problèmes les plus douloureux qu'un musicien puisse rencontrer quand il écrit la musique d'un film, à plus forte raison lorsqu'un film coûte aussi cher sur le plan musical. *La vie est un roman* est un film qui a coûté une fortune. Il y a un minutage énorme, et il y a des formations instrumentales très différentes qui ont nécessité un nombre considérable de sessions d'enregistrement en studio, si bien que l'éditeur, qui était à la fois l'éditeur graphique et l'éditeur phonographique [1], a dû dépenser près de 700 000 francs [2]. Il aurait donc voulu que le thème de la *Valse vénéneuse* revienne le plus souvent possible dans le cours du film afin de le mettre dans l'oreille du spectateur et d'amortir partiellement les

1. Dans le cinéma français, les frais d'enregistrement de la musique ne sont généralement pas à la charge du producteur, mais à celle de l'éditeur musical, le compositeur n'étant rétribué – sans aucune garantie financière – que sous la forme des droits d'auteur.

2. A titre de comparaison, le budget musical de *Providence* s'élevait à quelque 200 000 francs, et celui de *Mon oncle d'Amérique* à 70 000 francs.

frais énormes qu'il avait engagés. C'est ce qui se passe presque toujours dans les grandes productions, en particulier américaines : le spectateur retrouve en sortant de la salle le thème qu'il avait déjà entendu au générique de début, et tout naturellement il fait un détour chez le disquaire et il achète l'album de la musique originale. Mais Alain voulait que ce ne soit jamais la même musique qui revienne, il fallait toujours que je trouve quelque chose de nouveau. Je lui ai dit que cela désolerait l'éditeur, mais il n'a rien voulu savoir. Il est vrai que j'ai glissé très légèrement ce thème par exemple quand Forbek tout à fait au début accueille les invités dans le jardin d'hiver, mais le vœu d'Alain est respecté et aucun thème ne revient jamais tel quel.

C'est-à-dire que lorsqu'un thème réapparaît, il est toujours modifié, et parfois méconnaissable.

Absolument. Si j'avais voulu appliquer la technique de répétition hollywoodienne, à ce moment-là il fallait donner le thème chaque fois ou presque dans sa conception initiale. Alain avait raison, c'est beaucoup plus fort qu'il y ait une progression et qu'on ne réentende jamais les mêmes choses.

Quels ont été vos choix pour l'instrumentation?

En dehors de choix tout à fait spécifiques, comme le *Trio des musiciens*, il s'agissait avant tout de différencier les deux époques. Dès le départ, Resnais a beaucoup insisté pour qu'il y ait des cordes dans la période Forbek. C'étaient en grande partie des formations à base de ce qu'on appelle le quatuor, c'est-à-dire les contrebasses, violoncelles, alti et premiers et deuxièmes violons. Il fallait qu'il y ait cette pâte du quatuor (à quoi il faut ajouter la harpe), ce qui rejoignait sa conception initiale inspirée de Richard Strauss. Dans la partie contemporaine, il y avait une base de percussions, de batterie, et des solistes : guitare, vibraphone, et beaucoup de piano (souvent je jouais moi-même), de flûte, de piccolo. Des xylophones aussi, pour les enfants, et bien sûr des voix, mais traitées sur un plan totalement moderne. Jean-Michel Defaye, qui fut Grand Prix de Rome, a collaboré à l'instrumentation de certaines séquences plus spécifiquement symphoniques, mais aussi à la direction d'orchestre des grandes formations, ce qui m'a permis de tout coordonner directement de la cabine d'enregistrement. En dehors des cordes et des voix, que nous avons essayé de grouper et d'enregistrer en même temps, c'étaient toujours des formations différentes. Ça a pris beaucoup de temps, et les frais étaient énormes. Pour les voix, nous avons pris des solistes qui étaient tous absolument fabuleux, et dont beaucoup avaient figuré dans la fameuse *Sinfonia* de Berio. Il y avait aussi cette soliste admirable qu'est Cathy Berberian. J'ai toujours eu une telle admiration pour cette femme qu'un jour j'ai suggéré à Alain de lui faire jouer la nourrice (elle n'était pas libre pour tous les jours de tournage prévus et c'est donc quelqu'un d'autre qui fait la nourrice quand elle ne chante pas, mais c'est tellement bien fait qu'on ne le remarque pas). Au début elle n'avait pas l'intention de chanter car elle ne pouvait plus lire de partitions nouvelles : elle avait des troubles de la vue, elle était incapable de lire, et à plus forte raison de déchiffrer des petits points sur une portée qui changeaient sans arrêt. Alors elle m'a demandé de lui jouer l'air de la nourrice, et elle l'a appris d'oreille. Il a fallu beaucoup de séances pour mettre ça parfaitement au point (Cathy Berberian est très exigeante, elle aussi, ou plutôt elle l'était puisque vous savez qu'elle a disparu quelque temps après). Quant à la chanson d'Élisabeth, Sabine Azéma a une certaine voix, mais elle n'avait pas encore eu l'occasion de la travailler suffisamment pour vraiment chanter dans un film. Il a donc fallu que je trouve une voix qui corresponde non seulement à son physique, mais à tout ce qui se dégage d'elle dans le personnage d'Élisabeth, et après une trentaine d'auditions j'ai finalement trouvé cette fille merveilleuse, Fabienne Guyon, qui joue maintenant dans *Little*

Shop of Horrors [1]. Resnais est venu à toutes les séances d'enregistrement, et en particulier pour toutes ces scènes très délicates où les voix interviennent *a cappella*, par exemple au début du film. C'est très étonnant la façon dont Resnais a fait arriver la musique : ce sont des gens qui parlent et tout d'un coup il y en a une qui chante (« *Un palais? Un château?* »), mais on ne sait pas très bien si c'est de la musique ou non. Là il fallait vraiment que Resnais assiste à l'enregistrement : c'était comme s'il avait un acteur, et il était impensable qu'un acteur interprète un passage de son film sans que ce soit lui qui le dirige.

A d'autres endroits du film, l'orchestre intervient avec le même rôle d'accompagnement que dans une chanson ou dans un opéra, mais au lieu que le texte soit chanté c'est un texte parlé, par exemple quand le petit Frédéric s'emporte contre les cacateurs et les voleurs de trésor, ou lorsque Forbek s'écrie avec exaltation : « La cité du bonheur, la cité du bonheur, la cité du bonheur! » *Du seul fait qu'elle soit placée en rapport rythmique avec la musique, la voix parlée apparaît en fait comme une voix musicale.*

Dans les deux exemples que vous me citez, c'était de la musique écrite avant le tournage et sur laquelle Resnais a placé le texte. Il fallait faire en sorte que jamais on n'ait l'impression que la musique commence ou s'arrête pour laisser la place au parlé, il fallait éviter cette césure très désagréable qu'on trouve dans certaines comédies musicales où on passe abruptement du numéro musical à une scène de comédie et inversement. Il fallait que tout ça forme une sorte de magma dans lequel on ne puisse pas tellement discerner les éléments parlés des éléments chantés. C'est si l'on veut une autre acception de *Sprechgesang*, cette expression que Schönberg a créée au moment de *Pierrot lunaire* et qui par la suite a pris des

---

1. *La Petite Boutique des horreurs* est l'adaptation sous forme de comédie musicale du film homonyme réalisé par Roger Corman en 1960. Il est à remarquer que Fabienne Guyon a également tenu l'un des rôles principaux d'*Une chambre en ville* de Jacques Demy, film « en chanté » réalisé quelques mois avant *La vie est un roman.*

proportions absolument fabuleuses dans toute la musique contemporaine. Dans *La vie est un roman*, on pouvait considérer certains passages parlés comme étant déjà une expression musicale, comme étant déjà un élément de la partition. Le monologue d'Élisabeth, par exemple, devient peu à peu musical, la musique est déjà là, est déjà installée avant même qu'elle se mette vraiment à chanter. Sur le plan de l'enregistrement ce sont évidemment les Américains qui sont les plus forts dans ce domaine, qui ont le mieux réussi ce passage en douceur qu'on n'arrive même pas à déceler. On s'en rend compte par exemple dans *My Fair Lady* quand Rex Harrison passe insensiblement du parlé au chanté, la musique étant déjà sous-jacente. Eux l'ont fait d'une façon géniale, et de plus ils disposaient de moyens techniques que nous n'avons jamais eus en France. Et j'avoue que je suis très fier d'avoir réussi à m'en approcher dans certains passages de *La vie est un roman*. C'est ce qui permet au film, je l'espère, d'être crédible d'un bout à l'autre, d'avoir une unité.

Cela signifie qu'en dehors du play-back certains passages purement instrumentaux étaient eux aussi composés avant le tournage?

Un certain nombre d'interventions musicales sont postérieures au tournage, tandis que d'autres ont été faites avant et ont servi de « climat » au tournage. J'avais enregistré certains passages de la musique sur cassette, au piano, et Alain les a fait jouer sur le plateau, pour s'imprégner de l'ambiance mais aussi, je pense, pour s'aider à concevoir la mise en scène de certaines séquences.

C'est ce qui pourrait expliquer un effet ponctuel particulièrement marquant, même si on n'en est qu'à moitié conscient à la première vision. Lorsque le colloque s'effondre et que les enseignants commencent à se disperser, le directeur du colloque est complètement désemparé, et le comédien Robert Manuel a les bras agités d'un battement nerveux qui coïncide exactement avec le rythme du Rock *du colloque.*

Cette musique avait été réinjectée sur le plateau pendant le tournage, et Robert Manuel en était saturé et j'espère exaspéré. Je ne sais pas si c'est lui qui l'a traduit par ces gestes ou si c'est Resnais qui le lui a suggéré [1], mais à un moment c'était vraiment extraordinaire parce que non seulement ses bras scandaient le tempo du rock mais il avait aussi un rictus, un tic nerveux qui arrivait exactement en mesure. Cette fameuse septième bobine était très complexe sur le plan musical et sonore. C'était très délicat, on a fait plusieurs versions au mixage, et on n'était pas tout à fait satisfaits. Jurgenson a dit : « *Il y a une longueur, il faut à tout prix couper quelque chose* », et quand Jurgenson dit qu'il faut couper, c'est vraiment qu'il faut couper ! J'étais très anxieux. Je ne voulais pas défendre ma musique par principe – ça arrive tous les jours qu'on coupe des quantités de musique – , mais dans ce cas précis c'était une musique élaborée avec tellement de soin, c'était mathématique, chaque mesure ou chaque groupe de mesures correspondait à un plan ou à un groupe de plans, et si on coupait là-dedans cela risquait d'avoir pour conséquence que tout l'ouvrage, que tout l'édifice s'écroule. Nous sommes donc allés à la table de montage, et il s'agissait précisément de ce passage où le rictus de Robert Manuel est animé d'un tic musical, d'un tic rythmique. Cet effet arrivait sur quatre mesures : on a coupé deux mesures, et on conservait la construction architecturale de la partition. La septième bobine, c'était vraiment le crescendo, la clé de voûte de l'édifice.

Ensuite, la musique ne reparaîtra pour ainsi dire plus dans l'épisode contemporain, sinon sous la forme d'une ritournelle ou d'une boîte à musique. Cela donne l'impression d'un mécanisme qui se grippe.

C'est Resnais qui l'a voulu. Après cette nuit délirante qui se termine tragiquement, il y a un effondrement, un inaboutissement, et cela devait se traduire par des débris,

1. Alain Resnais attribue l'entière paternité de ce jeu de scène au comédien.

des lambeaux de musique, par des éléments séparés du contexte comme peuvent l'être des poutres qui se sont séparées de l'édifice et qui sont tombées par terre un peu au hasard.

Au beau milieu de cet édifice, l'irruption du Rock du colloque *(*« P'tit con, vieux con, grand con, merde! »*) est une énorme provocation.*

Les paroles étaient déjà très provocatrices... J'avoue que j'ai très vite pensé à un rock. Qu'est-ce qui caractérise vraiment, sur un plan musical, l'époque actuelle? Je crois que c'est le rock. On peut dire évidemment que c'est Boulez, Stockhausen ou Xenakis, mais c'est assez peu significatif pour un public qui n'est pas forcément initié à l'évolution historique de la musique. Le rock était donc tout indiqué pour donner la dimension historique de l'époque 1982. Très vite j'ai dit à Resnais : « *Voilà, cette petite particule* do-ré, do-mi *qui est chantée par Élisabeth au départ et qui a commencé à jeter le schéma du colloque, pourquoi ne pas la faire se développer sur un rythme de rock? Ça s'y prêterait très bien, et ça correspond à la provocation du texte.* » Au début il a eu quelques réticences, j'ai eu l'impression qu'il craignait un dérapage. Mais quand je lui ai expliqué, en tant que « technicien musical », que je voulais me servir du rock uniquement comme d'un élément rythmique, il a très rapidement admis la chose et il est devenu évident qu'il fallait que ce soit un rock.

A partir du moment où Élisabeth présente sa maquette, il y a une sorte de combat entre les deux thèmes – « Pom-pom, pom-pom » *et* « Je pars, je pars » *– et finalement c'est la conjonction des deux thèmes qui donne l'explosion du* Rock du colloque.

C'est exactement ce que j'ai souhaité faire, c'est-à-dire une sorte d'affrontement entre ce que musicalement on appelle sujet et contre-sujet, et qui est le principe de la fugue de Bach. Une fois que le sujet et le contre-sujet se sont affrontés de diverses façons, ou bien ils se conjuguent ou bien ils se neutralisent, et en l'occurrence ils se neutralisent dans la mesure où ils sont écrasés par ce rock qui est une sorte d'aboutissement caricatural de cette fameuse petite particule *do-ré, do-mi*. C'est en tout cas un aboutissement technique.

Musicalement, le Rock du colloque *reprend le thème de Sabine Azéma et de ses partisans (les trois enfants et Pierre Arditi), mais si l'on s'en tient aux paroles c'est le discours de ses adversaires qui se poursuit : c'est donc un aboutissement, une conjonction des deux thèmes ensemble. D'un autre côté, les* « Je pars ! » *renvoient aussi à l'époque 1919, lorsque les invités de Forbek crient ou plutôt chantent :* « Assez ! Assez ! On s'en va ! On s'en va ! » *Il y aurait donc des correspondances entre les deux époques.*

Ce mouvement de jaillissement, d'expulsion qui se traduit ou par «*Assez* ! » ou par « *Je pars !* », ça m'a paru être musicalement deux variantes du même élément, d'autant plus qu'il y avait deux syllabes dans les deux cas. Je les ai traitées, techniquement, comme l'aurait fait un peintre qui cherche à créer un équilibre entre l'ombre et la lumière. Il y a d'autres correspondances entre les deux époques, mais qui sont plus floues, moins évidentes à première vue. Quand la nourrice sort de l'arbre après le passage du car (c'est le *glass-painting* de Bilal que vous avez au-dessus de vous), il y a un petit passage que j'aime beaucoup : c'est une espèce de jungle, de concert exotique où des oiseaux se superposent à toute une faune un peu magique, et qui a une certaine harmonie de par la multitude des éléments qui la composent. Et ce qui est condensé à cet endroit, je l'ai développé tout à la fin de l'époque Forbek dans le trio des filles qui sont hors du temps et qui chantent toujours «*Amour-bonheur* » dans le jardin d'hiver, alors que tout est complètement bouleversé. Une partition est toujours composée d'un certain nombre d'éléments qui peuvent se croiser, s'entrecroiser à l'infini.

La preuve en est que, mis à part les interventions du parlé-chanté, la musique de l'époque 1982 se réduit tout compte fait à deux éléments : d'une part la chanson Je crois à l'amour *qui revient insensiblement sous d'autres formes, et d'autre part le combat dont nous avons parlé entre le thème de la maquette et le «* Je pars », *qui donne le* Rock du colloque.

Exactement.

Il y a proportionnellement beaucoup moins de musique dans l'épisode contemporain que dans celui de Forbek, et à plus forte raison que dans l'épisode légendaire qui, lui, en comporte sans arrêt.

Dans la partie légendaire, la musique était pour ainsi dire le support essentiel. Quelque chose qui n'existe pas, qui n'a jamais existé, ne peut avoir une certaine consistance et une crédibilité pour le spectateur que dans la mesure où la musique supplée à tout ce qui n'est pas. Autrement dit, cette « irréalité » de la musique est essentielle pour tout ce qui se passe dans la tête des enfants, et qui est un peu le fil conducteur du film. En ce qui concerne Forbek, il y a dans cet épisode un côté opéra qui ne pouvait être que confirmé et affirmé par la musique. On peut y voir aussi une sorte de rite, et ce rite – que l'on pense à des chanteurs tibétains, à une procession religieuse ou à une cérémonie africaine – ne devient réellement spectaculaire, à mon avis, que grâce à la musique. Dans la période contemporaine, enfin, c'est le contraire : pour qu'elle soit réellement crédible, il faut que la musique n'intervienne que justifiée par la situation. Bien sûr ce colloque prend une allure tellement délirante que la musique finit par devenir un élément dramatique, mais ce n'est jamais de la musique de fond.

C'est-à-dire que la musique, dans la période 1982, est toujours une musique vocale, accompagnée ou non : elle appartient toujours aux personnages, la seule exception étant, tout à la fin, la petite ritournelle dont nous avons parlé. Les chants à bouche fermée, pour leur part, caractérisent la période 1919, lui donnent sa couleur propre.

La plupart des personnages qui gravitent autour de Forbek – ils sont très nombreux – ne s'expriment pas personnellement, ils ne participent pas au dialogue des interprètes principaux. Ils sont là pour faire masse, pour écouter, pour approuver ou même désapprouver, mais ils n'ont pas une existence individuelle bien formulée. Cette psalmodie à bouche fermée leur donnait une certaine épaisseur et leur permettait si je puis dire de s'exprimer malgré eux, puisque pendant le tournage ils ne chantaient pas et ne faisaient même pas semblant. C'est moi en tant que musicien qui leur ai donné cette voix qu'ils n'avaient pas. C'est leur voix intérieure qui s'exprime.

Vous avez fait remarquer que les temps légendaires servaient de fil conducteur, de pivot au film : musicalement, on ne passe jamais directement de 1982 à 1919, mais de 1982 aux temps légendaires ou de 1919 aux temps légendaires.

Il y a deux ou trois exceptions à la fin, mais que je n'ai pas en tête sur le moment. Tous ces problèmes d'enchaînements étaient bien sûr très importants puisque l'un des principes sur lesquels repose le film était de voler d'une époque à l'autre en faisant presque abstraction du temps, et de les faire s'immiscer l'une dans l'autre sans qu'il y ait jamais d'anachronisme trop brutal. Les temps légendaires étaient donc le moyen de superposer les deux époques, Forbek et l'institution Holberg. Il fallait parfois jurer et créer un contraste violent qui se sentait, mais le plus souvent il fallait au contraire continuer et passer d'une époque à l'autre sans même qu'on puisse vraiment s'en rendre compte. Lorsqu'on passe de Forbek, qui est blessé à la tête, au roi qui va avoir la tête tranchée, c'est par l'intermédiaire d'un bruit de rafales, celui d'un jeu électronique qui fait partie de l'univers des enfants. C'est une région qui est un peu un *no man's land*. Au cinéma j'aime bien faire intervenir les bruits comme des éléments de l'orchestre, de la musique, et dans ce cas précis c'est ce que nous avons fait : la musique avait été conçue pour s'enchaîner au jeu électronique. De même, dans la scène où Sabine Azéma s'habille dans la salle de bains pour aller rejoindre Gassman, on entend des gouttes d'eau qui tombent en rythme scandé. Je n'y suis pour rien, mais c'est une forme de musique, de percussion, et sans ces gouttes d'eau il aurait manqué une certaine dimension à la scène.

Aviez-vous un minutage précis à respecter pour les chansons et pour toute la musique destinée au play-back?

Avant le tournage? Non. Simplement je me conformais aux textes que Gruault avait écrits. Parfois on a coupé ou au contraire rajouté certains bouts de phrase, mais pour l'essentiel c'était un texte définitif. En revanche, comme je vous l'ai dit, un certain nombre d'interventions musicales ont été composées après le tournage, après que j'ai vu le film à la moviola, et rejoignent donc l'acception plus habituelle de ce qu'on appelle musique de fond. A ce moment-là il est évidemment essentiel d'avoir en mémoire le déroulement de chaque séquence pour pouvoir composer la musique, mais sans trop s'appesantir sur les véritables détails du montage cinématographique, sans retourner tout le temps dans la salle de montage, sinon votre musique risquerait d'en pâtir et d'être une musique illustrative. Or il ne fallait surtout pas faire de l'illustration sonore. A mon avis il ne faut jamais en faire, mais moins encore dans un film comme celui-ci. S'il y avait eu, à quelque moment que ce soit, une illustration sonore de ce qu'on voit sur l'écran, le film s'effondrait, et j'ai l'impression que Resnais aurait pu me maudire et me virer comme un malpropre. Toute cette musique composée après coup devait donc s'intégrer dans l'ensemble de la partition de telle sorte qu'elle n'ait pas l'air d'être de la musique de fond. C'était passionnant, pour un musicien, d'être le chef d'orchestre de toute cette conception musicale si complexe, et d'articuler ces trois moments différents qui étaient le fait de la musique préalable, puis de la musique préalable « play-backée » pendant le tournage, et enfin de la musique postérieure au tournage. Il fallait que tout ça ait l'air d'une organisation unique.

Dans le cas de Mélo, *les trois morceaux que vous avez composés pour la scène du cabaret russe ont-ils été écrits avant ou après le tournage?*

J'ai écrit avant le tournage ces trois morceaux que nous avions déterminés d'un commun accord avec Resnais, et que j'ai ensuite perfectionnés puis enregistrés. Les acteurs entendaient au piano, pendant le tournage de cette scène, les thèmes qui allaient être les thèmes définitifs. Autrement dit c'est une musique préalable, qui n'est pas une musique dite « de fond » ou *background music*. Et ce qui m'a étonné, c'est que, alors qu'elle intervient si peu sur le plan de la quantité, j'ai reçu peut-être plus de lettres, et de lettres souvent très émouvantes, pour la musique de *Mélo* que pour celle de *La vie est un roman*.

Le Casanova, comme me l'a expliqué Resnais, était en 1926 un établissement assez connu qui se situait avenue Rachel à Paris. A cette époque il y avait beaucoup de cabarets qui étaient russes et qui ne l'étaient pas, c'est-à-dire que l'« orchestre tzigane » était souvent composé de musiciens de Pigalle qui n'étaient pas plus tziganes que vous et moi, sauf peut-être le violon solo et le chef d'orchestre, et qui jouaient un répertoire très cosmopolite. Nous avions convenu avec Alain qu'il y aurait trois parties dans cette intervention musicale. La première serait un fox-trot assez sautillant et assez gai, dont seule la fin figurerait dans la scène, et pour lequel j'avais pensé à quelque chose qui serait un peu entre *Tea for Two* et *I Can't Give You Anything But Love*. Ce fox-trot n'avait pas une grande importance dans la mesure où il ne faisait que préluder au long dialogue sur la banquette entre Azéma et Dussollier (puis Arditi qui les rejoint), et où évidemment c'est le texte qui est le plus important, la musique étant destinée à rester au second plan comme un accompagnement lointain mais tout de même suffisamment perceptible. Puis, tout d'un coup, l'orchestre attaque le morceau principal, qu'on devine déjà puisque Arditi annonce l'arrivée du bandonéon, et qui est un tango. Entre le fox-trot et le tango il fallait un mouvement lent, comme toujours dans une sonate par exemple, et celui qui s'imposait était évidemment le slow, qui est devenu un *Slow slave*. Et quand j'ai fait écouter ce *Slow slave* pour la première fois à Alain au Studio des Champs-Élysées, tout d'un coup il a bondi en s'exclamant « *Ça, je connais !* » : à un moment, il y a exactement les deux ou trois premiers accords du générique de *La vie est un roman*, auquel j'avais voulu rendre hommage. Les cinéastes font quelquefois des clins d'œil sur le plan visuel ou sur celui des dialogues (le dernier film de Truffaut en est rempli, y compris à l'égard de *La vie est un roman)*, et les musiciens n'ont aucune raison de ne pas faire eux aussi de petites allusions de ce genre.

Mais le moment le plus important est bien sûr le tango, qui caractérise l'apogée de la relation amoureuse entre Sabine Azéma et André Dussollier. Le tango est un genre de musique tout à fait passionnant, contrairement à ce qu'on peut penser quand on va en écouter dans un bal ou dans une boîte de nuit. C'est vraiment quelque chose de très particulier, qui remonte à plusieurs siècles, qui est à la fois une chanson et un rythme, et qui traduit souvent des états d'âme absolument dramatiques. Ce sont souvent des histoires sentimentales, mais je me suis laissé dire qu'au départ c'était aussi des chants revendicatifs, et que c'était dansé entre hommes, un couteau à la ceinture. C'était à la fois une danse et un affrontement, et ça se terminait quelquefois par des coups de couteau et du sang qui coulait... Pour un musicien, le tango permet d'exprimer des sentiments très différents et très intenses dans un seul morceau, et c'est ce qui se prêtait le mieux à ce changement de ton, à ce crescendo qui se manifeste dans leurs rapports quand Azéma dit à Dussollier : « *Eh bien tu vas me prendre dans tes bras !* » et qu'ils vont danser ensemble. Le tango lui-même comporte trois motifs : un premier motif assez passionné et langoureux, un deuxième qui est très brutal, haché, avec des scansions de cordes et des moments de silence qui sont aussi importants que les accords qui les précèdent, et ensuite il y a ce que dans le scherzo d'une sonate on appelle un trio. Ce troisième motif n'a pas eu le temps d'apparaître parce qu'il y avait, je le savais dès le départ, des impératifs de minutage tout à fait légitimes. Le tango devait être interrompu et en même temps ne pas finir, on devait avoir l'impression qu'il se prolongeait dans le silence afin de donner un certain rythme, une certaine animation à la séquence suivante où toute cette exaltation est complètement retombée. De la même façon, le fox-trot était amené à la fin de la séquence précédente par Dussollier qui commence à jouer du Bach. J'avais pensé à ces accords de Bach quand j'ai écrit le fox-trot, et j'avais prévu un passage qui était destiné à prendre éventuellement le relais de la sonate de Bach. J'ai donc composé les trois morceaux en entier en me disant que Resnais pourrait en faire ce qu'il voudrait. Je sais qu'il aime bien les écouter avant le tournage des scènes auxquelles ils correspondent pour pouvoir bien s'imprégner du climat.

Vous avez procédé de la même façon, dans La vie est un roman, *pour la musique d'ambiance de la pizzeria belge : dans le disque il y a tout un morceau qui dure 4 mn 15* [1]*, et dans le film elle disparaît au bout de 30 secondes.*

A l'origine on n'avait pas déterminé la longueur de la musique. Ce n'était cette fois rien d'autre qu'un fond sonore, qui peut-être se prolongerait pendant toute la scène. Puis, avant même que je la lui joue, Resnais m'a dit que cette musique ne viendrait qu'au début de la séquence, pour donner une petite couleur pittoresque et ridicule, et qu'on la ferait disparaître assez rapidement. J'ai quand même décidé, par conscience professionnelle, d'écrire ces 4 mn 15 de musique napolitaine. Si jamais il avait voulu qu'elle revienne à un moment ou à un autre, il fallait qu'elle puisse continuer dans le silence et qu'ensuite

---

1. Le disque de *La vie est un roman* (Trema 310.143) comprend la plupart des interventions prolongées de la musique de Philippe-Gérard, à l'exclusion de passages plus brefs de transition et de tout ce qui touche au parlé-chanté.

elle n'ait pas l'air de reprendre là où elle avait été interrompue. Au mixage d'ailleurs il a changé l'endroit, il a voulu la faire disparaître à un autre moment, et c'est fait d'une telle façon qu'on ne s'en aperçoit pas.

Vous avez donc assisté au mixage?

Je dois dire qu'en général un compositeur est *toléré* au mixage, parce qu'on considère qu'il n'a pas suffisamment de largeur d'esprit pour envisager l'œuvre dans sa totalité, et qu'il va vouloir défendre sa musique au détriment de l'ensemble. Pour certains compositeurs c'est vraisemblablement exact. Pour ma part, j'ai la prétention d'oublier mon rôle de compositeur pour me mettre à la place du réalisateur et du spectateur d'un film. Quand le mixage a lieu, j'y suis donc convié par Resnais, et toléré par un certain nombre d'autres cinéastes. Je ne dis rien, sauf quand on me demande mon avis pour résoudre tel problème. On avait aussi des conversations pendant qu'on rembobinait la bobine, mais on était pratiquement toujours d'accord. Quelquefois, comme pour la bobine 7 de *La vie est un roman*, il y a des problèmes à résoudre, et là, avec Resnais, le compositeur a sa place entière.

Est-ce que Resnais a utilisé toute la musique qui avait été enregistrée pour La vie est un roman*?*

Non. Il y avait plus de musique qu'il n'en est resté, pour la bonne raison qu'Alain a dû vouloir resserrer certains passages ou certains enchaînements, et que la musique destinée à accompagner ces passages a disparu par la même occasion. Les chœurs à bouche fermée, par exemple, étaient beaucoup plus importants qu'ils ne le sont restés en fin de compte, et malgré cela on a l'impression d'une totalité, ça ne laisse pas une impression de manque. J'ai trouvé ça extraordinaire de sa part qu'il ait réussi à conserver un déroulement musical cohérent tout en répondant aux besoins purement cinématographiques du montage, et à plus forte raison dans la mesure où la musique de *La vie est un roman*, si l'on excepte la musique napolitaine, sort complètement du rôle qu'elle joue la plupart du temps au cinéma, c'est-à-dire soit une intervention réaliste, justifiée par l'histoire mais assez limitée dans le temps, soit au contraire une sorte d'accompagnement sous-jacent. Ce n'est pas le seul exemple, il y en a heureusement beaucoup d'autres, mais c'est quand même quelque chose d'assez spécifique, et qu'on ne peut assimiler à aucun genre déterminé, que ce soit un genre musical ou cinématographique. Évidemment on peut penser à l'opéra à cause de son parfum, de ce château qui est plus un décor qu'un vrai château, de ces personnages de l'époque 1919 qui sont habillés avec des costumes qu'on pourrait trouver dans les vestiaires de l'Opéra. L'époque Forbek a quelque chose de l'opéra précisément par ces conventions, mais ce sont des conventions plus scéniques que musicales. Et à partir du moment où il y a des interventions musicales qui sont au premier plan, qui interviennent dans la mise en scène de Resnais, on est tout naturellement conduit à penser opéra, de même que l'époque 1982 a un parfum de comédie musicale. Mais on en est très loin. Il y a un peu d'opéra et un peu de comédie musicale dans la forme définitive de *La vie est un roman,* mais ce n'est ni l'un ni l'autre. La musique est une dimension du film, comme l'histoire ou la dramaturgie. C'est davantage qu'un personnage, ou peut-être serait-ce une sorte de personnage mythologique qui s'appellerait tantôt Harmonie, tantôt Ouragan ou Cataclysme. On pourrait penser à une sorte de musique de spectacle shakespearien, genre *Songe d'une nuit d'été,* on pourrait parler de film musical, mais ce serait donner à la musique plus d'importance qu'elle n'en a, ce qui serait préjudiciable à la conception que Resnais et Gruault ont donnée au film. Mais je continue de penser que Resnais ferait ou fera un jour un vrai film musical, et que ce film, personne ne pourrait le faire mieux que lui.

ALAIN RESNAIS

« *Musicien* »

« Je ne suis pas du tout musicien, je n'ai pas d'oreille. Je ne peux pas lire une partition. Je ne peux jouer d'aucun instrument... »

(Alain Resnais, *Le Monde de la musique* n° 28, p. 60.)

« Il m'est arrivé de composer comme ça, dans ma tête, un allegro de forme sonate, certains jours, quand je suis dans un bon état de concentration. Mais j'utilise toujours des formes anciennes. Je n'ai jamais imaginé d'œuvres sérielles... »

(Alain Resnais, *Le Monde de la musique* n° 28, p. 63.)

Alors que la présence d'une partition musicale à l'intérieur d'un film relève le plus souvent d'une convention, Alain Resnais, en faisant entrer de façon très précise la musique dans une construction dramatique, rend cette musique non pas contingente mais nécessaire : la musique est une partie organique du film, sans elle celui-ci s'écroulerait. Dans *La vie est un roman* et *L'Amour à mort*, Alain Resnais, on l'a vu, a pris le parti de mettre la musique au premier plan : les personnages de *La vie est un roman* alternent la parole et le chant, mais « *sans que ce soit ni une comédie musicale ni un opéra* », tandis que la fiction de *L'Amour à mort* est régulièrement interrompue – ou

« prolongée », puisqu'il s'agissait de considérer que la musique était « *un morceau du récit* » – par des interludes musicaux accompagnés d'images non figuratives, celles d'un tourbillon de particules blanches sur fond noir. Au-delà de ces deux expériences, l'ensemble même de son œuvre témoigne du rôle déterminant que Resnais accorde à la musique, qui lui permet, à la toute fin de la chaîne de fabrication, de donner au film sa véritable ossature.

A quel moment de la préparation ou de la réalisation d'un film le choix d'un compositeur intervient-il?

Théoriquement il devrait intervenir dès le début de l'écriture du scénario. Quelquefois cela s'est passé de cette façon, je le savais d'avance. Il est vrai que d'autres fois j'ai attendu d'avoir l'image, de mieux sentir ce que nous avions obtenu avec la caméra et les comédiens, pour être sûr de mon choix. Je n'ai donc pas de règle. Le choix de Hans Werner Henze par exemple s'est fait dès que l'architecture générale de *L'Amour à mort* a été écrite, et celui de Philippe-Gérard pour *La vie est un roman* est lui aussi venu très vite puisque nous avions du play-back, si bien que la partition musicale naissait en même temps que le scénario. Pour *Stavisky...*, mon choix s'est porté sur Sondheim pour ainsi dire avant même l'écriture du scénario; je dirais presque que c'était une « condition » de tournage. En revanche j'ai longtemps hésité pour *Hiroshima mon amour*. Je trouvais que Giovanni Fusco « appartenait » à Antonioni. Cela me gênait d'aller chercher si loin le compositeur, je me disais que je trouverais peut-être quelqu'un d'autre, un Français, mais en fin de compte j'ai jugé que c'était celui dont j'avais envie. Le montage était entièrement achevé quand nous nous sommes décidés à lui téléphoner.

Quels sont les instruments de travail dont disposent les compositeurs de vos films?

De la vision du montage définitif, du minutage qu'on leur propose, de nos séances à la table de montage. On passe généralement deux à trois jours en salle de montage à regarder tout le film en s'arrêtant, en précisant les endroits où on a envie de points de synchronisme avec l'image. Pour *Stavisky...*, Stephen Sondheim a disposé d'une copie vidéo que nous avons faite directement sur la table de montage et qu'il a emportée avec lui à New York. Il l'avait posée sur son piano et il travaillait en regardant l'image défiler. Henze, lui, avait emporté des cassettes avec toute la bande parole de *L'Amour à mort*, si bien qu'il connaissait les intonations de tous les comédiens et qu'il pouvait s'en inspirer dans sa musique.

Je donne aussi au compositeur tout le film avec une image par plan, en indiquant au crayon gras ce que nous avons décidé ensemble, les endroits où la musique commence et où elle s'arrête. Je fais ça systématiquement, sauf peut-être pour *L'Amour à mort* puisque là les emplacements musicaux étaient fixes, décidés d'avance. Étant donné la construction du film, c'était forcément plus précis. On ne pouvait pas raccorder deux séquences sans musique si celle-ci était prévue à cet endroit. Mais ça n'arrive qu'une fois dans une vie, un cas comme ça. D'ailleurs il n'y a pas de musique dans *Mélo*. C'est mon premier film sans musique, ou du moins sans musique d'accompagnement. Il me paraissait impossible, à moins d'un pléonasme, d'ajouter de la musique dans un film où l'on entendait déjà quelques notes de Bach et de Brahms jouées par des musiciens qui sont les personnages du film. Il me semblait que la rencontre aurait été désagréable, et d'autre part, comme je sens, à tort ou à raison, une espèce de musique dans le texte de Bernstein, cela rendait très difficile une musique complémentaire.

Est-ce que dans La vie est un roman *l'expérience musicale que vous aviez en tête précédait l'apparition d'un thème ou d'une intrigue?*

Nous n'étions pas sûrs que le film s'appellerait *La vie est un roman* ou *La vie n'est pas un roman*, là-dessus nous avons hésité un certain nombre de semaines peut-être, mais dès le début j'ai dit à Gruault que ce qui était amusant, c'était de voir si on pouvait alterner des passages chantés et des passages joués. Ça, c'était le point de départ du film. L'histoire n'est venue qu'après.

Et dans le cas de L'Amour à mort*?*

L'Amour à mort est lui aussi parti de cette construction musicale, et le thème est venu très vite après, le lendemain peut-être.

Dans L'Amour à mort, *parallèlement à la séparation d'Élisabeth et de Simon, vous séparez entièrement la musique et la fiction; à la fin du film Élisabeth va rejoindre Simon dans la mort, et c'est à ce moment précis que pour la première fois vous faites se rejoindre cet autre couple si longtemps séparé, celui de la musique et de la fiction.*

C'est en effet l'une des premières choses qui ont été rédigées; je ne veux pas dire écrites, mais notées tout de suite dans nos cahiers. Cette idée qu'à la fin on ferait cet effet-là, que pour la première fois la musique viendrait sur l'image, à un moment d'ailleurs où l'image est presque entièrement non figurative.

Et où elle rejoint donc les plans « noirs », non figuratifs, des particules en suspension. Quel effet donnait L'Amour à mort *sans la musique?*

C'était très pénible pour moi car on avait l'impression que tous les comédiens jouaient « à côté », qu'ils détonnaient. C'était le côté évidemment difficile de *L'Amour à mort* : il a fallu faire un montage et ne connaître le film complet qu'après. Beaucoup d'intonations ne se sont trouvées justifiées qu'une fois la musique mise en place. Surtout les fins de séquence, puisque les comédiens savaient précisément à quel moment Henze allait intervenir, et que cela modifiait leur jeu dans les dernières répliques. Quand il n'y avait que des « noirs » et du silence, cela provoquait un véritable malaise.

Nous avions cherché avec les comédiens des correspondances de jeu, à travers des discussions sur la musique. Nous avons surtout travaillé du côté de l'école de Vienne (elle commence maintenant à être connue et populaire, mais elle ne l'était pas au moment de *L'Amour à mort*), et aussi du côté de Henze lui-même, tout simplement. Les comédiens connaissaient des compositions de Henze qui pouvaient les guider dans leur interprétation. En tout cas c'est ce dont j'ai essayé de les imprégner.

Vous cherchiez à les mettre dans l'atmosphère d'une musique qui n'était pas encore composée...

Voilà.

... puis quand vous montrez le film à Henze vous lui proposez l'atmosphère des comédiens, mais qui n'est autre que la sienne propre.

C'est ce que j'espère évidemment. J'essayais de faire en sorte qu'il y ait des interinfluences, des interactions. Il y a un moment amusant où Sabine Azéma, en songeant sans doute à Henze, joue quelques notes au piano. Je pensais qu'on le postsynchroniserait, mais non, ça excitait Henze qui a dit : *« C'est un très bon motif; je le garde. »* Si bien que c'est le son direct qu'ensuite Henze réutilise et intègre dans sa musique.

Mais ce hasard, cet accident...

Ce n'est pas un hasard complet puisque justement les comédiens connaissaient Henze. C'était un jeu, oui.

Ce jeu, donc, rompait l'autonomie de la musique de Henze. La musique est censée alterner avec la fiction, et en fait les parallèles se rejoignent.

Je n'y vois pas de contradiction. L'idée était que le récit se poursuive par la musique, et que tout l'indicible, ce qui ne peut être dit ni par les images ni par les mots, soit contenu dans la musique. L'alternance dialogue-musique, dialogue-musique, c'est ça qui m'avait attiré dès le départ. D'habitude la musique est « sous » la parole, sous l'action. Dans *L'Amour à mort* au contraire c'était une tentative – réussie ou non, je ne sais pas – de les faire se succéder l'une à l'autre, d'établir un relais. J'avais envie de voir si on pouvait écouter de la musique, j'allais dire « toute nue ».

Dans Providence, *l'une des raisons d'être du long mouvement de grue à la fin du repas n'était-elle pas déjà de proposer au spectateur d'écouter la musique?*

C'était donner au musicien la possibilité de dire quelque chose uniquement par la musique, c'est vrai. J'aime bien ce genre de plages musicales. Dans les courts métrages il y a aussi des moments où tout à coup la voix s'arrête et où on ne s'occupe plus que de la musique.

*A l'époque d'*Hiroshima mon amour *vous teniez parfois des propos qui paraissaient annoncer* L'Amour à mort, *notamment lorsque vous parliez de la version sonore de* J'accuse *où Abel Gance, pour donner au projectionniste le temps de rembobiner, avait prévu à la place de l'entracte une scène de cinq minutes sans image qui était censée avoir lieu dans les tranchées de Verdun.*

Je ne le sens pas comme une influence. Si on cherchait des filiations, c'est peut-être plus prétentieux, mais ce serait le *Macbeth* de Welles. A un moment il avait mis des nuages, des brumes pour qu'on entende bien un passage extrêmement lyrique. Je ne l'ai vu qu'une fois, mais cela m'avait beaucoup frappé.

Vous arrive-t-il parfois de suggérer une instrumentation au compositeur?

Très légèrement.

Dans le cas des six instruments de L'Amour à mort?

J'ai suggéré que cela devait être une très petite formation – je ne sentais pas un orchestre –, mais cela aurait pu être quatre instruments aussi bien que douze. Est-ce que je demande beaucoup de choses à un musicien? Je lui dis que je sens de la musique à tel endroit et à tel autre, je lui donne des minutages, mais lui peut les discuter. Je n'ai que très peu de connaissances en musique et je le regrette, ça me gêne beaucoup; ça ne me permet pas de donner autre chose que des impressions.

Les compositeurs avec lesquels vous avez travaillé ne semblent pas partager cet avis. Hans Werner Henze par exemple avait déclaré au moment de L'Amour à mort : *«Alain Resnais détient une connaissance exacte de ce qu'il attend de la musique. Il en donne les détails scène par scène à travers un programme précis et va jusqu'à nommer les instruments. Il a besoin de quelqu'un qui réalise ce qu'il envisage déjà dans son plan. »*

Je crois qu'il me fait beaucoup de crédit, mais enfin c'est vrai que j'avais annoté toutes les interventions de la musique, non pas pour les lui imposer ni pour les lui dicter, mais pour lui dire : *« Voilà, moi, ce que j'entends, voilà les instruments ou les formes qui me traversent la tête. »*

A en croire Henze, vous suggérez une construction précise et, sans peut-être aller aussi loin que de choisir chacun des instruments, vous exprimez des souhaits en ce qui concerne l'instrumentation; dans le cas de L'Amour à mort *vous lui proposez – libre à lui de le suivre ou non, mais toujours est-il qu'il l'a suivi – un certain ordre. Vous auriez donc non pas imposé mais à tout le moins proposé la forme d'une composition musicale récente de Hans Werner Henze.*

Je lui ai simplement demandé, sans lui proposer de forme musicale précise, si un compositeur pouvait écrire à la suite une musique fragmentée en une cinquantaine d'interludes. Mais le fait qu'il ait pu ensuite réunir ces cinquante ou soixante morceaux et que ça forme un tout cohérent, ce n'était pas du tout prévu, c'est une surprise. Il est vrai que le film était construit d'avance en trois mouvements : un allegro, un adagio, et un finale qui en fin de compte s'est trouvé être une passacaille.

A vrai dire, un metteur en scène ne peut guère intervenir dans la musique du film, puisque les conditions financières ne permettent jamais d'enregistrer la musique puis d'en parler avec le musicien et d'effectuer des aménagements (je ne parle pas de corrections). Quand on discute avec un comédien ou avec un décorateur, il arrive que chacun fasse un pas vers l'autre. Avec un musicien, c'est un pari : on jette la pièce en l'air, elle retombe, et puis c'est fini. Je n'ai jamais entendu parler d'un film où l'on ait pu changer quoi que ce soit dans la musique après l'enregistrement. Or comme je suis incapable de lire une partition, je ne peux avoir aucune idée de ce qu'est la musique avant son exécution. C'est toujours un moment exaltant que d'arriver au studio d'enregistrement et de découvrir ce qui va sortir.

Vos discussions avec le compositeur ne vous laissent pas tout ignorer de la musique qu'il écrira, ne serait-ce que sur le plan des thèmes.

Un thème joué au piano? Il ne faut pas y attacher beaucoup de crédit. Ce n'est pas un thème qui est important, c'est son rythme, c'est la manière dont il va être traité, dont il va être développé, trituré, travaillé. Ce n'est pas la mélodie qui compte. Cela dépend aussi du compositeur. Cela amusait beaucoup Philippe-Gérard de discuter quelquefois note par note. Je m'amusais malgré ma naïveté à dire que pour tel accord on pourrait chercher autre chose. Et comme cela il m'apprenait beaucoup.

Pour quelles raisons tenez-vous à assister aux séances d'enregistrement?

D'abord par curiosité; ensuite, surtout à l'époque des courts métrages, afin de contrôler le minutage. Dans certains films j'avais beaucoup de points de synchronisme, et pour d'autres ça a moins d'importance. Il est nécessaire que je sois là pour dire qu'on peut garder ce décalage d'une demi-seconde (on projette l'image en même temps) ou qu'au contraire il faut recommencer. Le chef d'orchestre peut penser que du moment qu'il arrive à la fin de la séquence exactement en même temps tout va bien, mais seuls le monteur et moi pouvons dire ce qui est tolérable et ce qui ne l'est pas.

D'un autre côté je peux tout de même dire quelquefois au compositeur que tel instrument est trop sorti, que cette flûte me dérange ou que la batterie me paraît trop présente; et il peut me proposer de supprimer la batterie ou de remplacer la flûte par un hautbois. Rien que pour ça, c'est important d'être là. Quelquefois encore le compositeur peut me donner le choix entre deux interprétations : *« J'ai écrit deux musiques, laquelle préférez-vous? »* Mais cela va peut-être aussi vite de les enregistrer et de choisir au montage.

Une fois la musique enregistrée, le monteur va modifier l'image de façon qu'elle s'adapte le plus précisément possible à la musique. On peut parfois établir de meilleurs synchronismes. C'est rare, mais il peut aussi arriver qu'on déplace complètement une musique, qu'on la fasse voyager. On demande souvent au compositeur plus de musique qu'il n'en faut, et on en enlève au mixage définitif. Cela peut concerner une séquence entière si l'on se dit que la musique affaiblit la séquence. Mais j'ai toujours prévenu le compositeur, je ne fais pas ça en traître derrière son dos.

La guerre est finie *et* Je t'aime je t'aime, *hormis le cas particulier de* Mélo, *sont ceux de vos films qui comportent le moins de musique. Aviez-vous envisagé à un moment ou à un autre qu'ils n'en comportent aucune?*

Non, mais il est vrai que la musique était difficile à intégrer dans *La guerre est finie*. Beaucoup de gens n'ont pas aimé la musique du film, peut-être parce que nous avons essayé de l'y faire entrer d'une manière un peu artificielle. Je me suis demandé par la suite pourquoi la musique était si difficile à articuler, et j'ai trouvé cette raison : c'était un film entièrement subjectif (sauf dans les sept dernières minutes), un film centré autour du personnage principal; or celui-ci – c'était en tout cas mon opinion – n'était pas du tout sensible à la musique. Il y avait donc là une grande difficulté. Quant à *Je t'aime je t'aime*, non, j'ai toujours compté sur la musique pour compléter le film.

Qu'entendez-vous par « compléter le film »?

Comme on ne peut pas utiliser les mots au cinéma de la même façon qu'au théâtre, et que le public ne réagit pas à un langage très musical, il me semble que la musique doit compléter ce que les mots n'ont pas obtenu. Je crois que j'utilise rarement la musique pour renforcer l'émotion d'une scène; non, la musique *remplace* l'émotion d'une scène. A un moment donné l'image sera presque neutre, et c'est la musique qui donnera l'émotion; on peut remplacer dix minutes de dialogue par trois minutes de musique et d'images muettes. La musique va aussi me permettre d'affirmer la construction du montage, de faire mieux sentir la construction du film, de faire comprendre que telle scène est au futur et telle autre au présent, qu'une scène est réelle ou bien imaginaire. Au montage il peut m'arriver de faire écrire au compositeur ce que j'appelle des boucles, des anneaux, des ponctuations, de lui demander trois mesures qui vont me servir à remplacer un fondu au noir ou un enchaîné. Dans *Mon oncle d'Amérique* par exemple, la musique était surtout là pour structurer le montage et le rendre plus évident pour le spectateur. C'était d'ailleurs une musique très ingrate à écrire puisqu'elle n'était pas là du tout pour porter l'émotion. C'était très rarement une musique d'atmosphère et presque d'un bout à l'autre une musique de structure. Cela dit, je n'ai pas d'explication à ce désir : pourquoi ai-je toujours envie d'avoir de la musique dans un film, et pourquoi en tant que spectateur suis-je si souvent heurté par la musique que j'entends dans les salles de cinéma?

Car je suis très rarement content, et même de plus en plus mécontent. Un procédé est en train de prendre une place prépondérante, et en tant que puritain et sectaire je suis furieux : c'est celui qui consiste à mettre de la musique préexistante, à revenir après tout à l'époque du cinéma muet, quand les orchestres jouaient des pots-pourris pour accompagner les films. Maintenant on est là-dedans jusqu'au cou. On a l'impression que les metteurs en scène se sont acheté un phono, qu'ils écoutent de la musique le soir et se disent : « Tiens, ça irait bien dans mon film. » Cela me révulse : j'ai l'impression de voir double, puisque tout d'un coup je me mets à entendre aussi le discours de Schubert ou de Mozart. Le *Quintette* en *ut* majeur de Schubert par exemple est une œuvre que je trouve sinistre, âpre et méchante, et dans *Trois Hommes et un Couffin* on le met pour accompagner un déjeuner entre copains. Dans *L'Année du dragon* David Mansfield a droit à un carton complet au début du générique, mais quand, au milieu du film, dans une scène qui dure bien cinq minutes, on entend sans qu'on nous prévienne une symphonie de Mahler, la *Résurrection*, et que dans le déroulant de fin on voit à toute vitesse : « *Deuxième symphonie de Mahler, disque de Bernard Haitink* », eh bien là j'écume...

Votre reproche porte sur l'emploi d'une musique préexistante, ou sur sa fragmentation?

Sur sa fragmentation, sur le fait qu'on n'ait pas demandé son avis à Mahler ou à Bartók, sur le fait qu'on parle dessus... La superposition des bruits de voiture, de moto ou de pas me paraît scandaleuse – encore qu'on puisse aussi en rire. Là, c'est le metteur en scène qui découpe en tranches une musique connue. Ce n'est pas du tout la même chose que lorsque le compositeur, qui se rapproche alors davantage de celui qui fait une musique de ballet, a en tête les effets qu'il peut obtenir par cette fragmentation. La fragmentation qu'on impose, elle ne peut réussir que dans très peu de cas.

A l'époque de vos courts métrages, vous préfériez employer une partition ininterrompue.

Je ne sentais pas de silence dans les courts métrages que j'ai faits. Il fallait toujours soutenir quelque chose. Je suis certainement plus conscient maintenant de la façon dont je peux travailler avec un compositeur : plus on travaille, plus on se rend compte des problèmes et plus on essaie de les résoudre. Quand j'ai eu la chance que Hanns Eisler vienne de Berlin pour faire la musique de *Nuit et Brouillard*, j'ai beaucoup appris avec lui. C'était une époque où il n'y avait rien sur la musique de film, si ce n'est justement le livre d'Eisler [1]. Je crois que c'est très difficile pour votre génération de se mettre dans la tête que la nôtre ne connaissait pas les lois du montage, et qu'il fallait les découvrir. On essayait d'avoir des tuyaux, on travaillait un peu à l'aveuglette. Il y avait le livre de Karel Reisz, qui m'a beaucoup appris [2], et sur la musique il n'y avait donc que le bouquin d'Eisler, qui a été traduit récemment. J'ai dû l'avoir assez tôt et ça m'a guidé, mais quand j'ai eu Eisler lui-même en face de moi, bien que nous dussions passer par un interprète, j'ai pu poser des questions plus précises.

Est-ce vous qui aviez mis Le Sacre du printemps, L'Oiseau de feu *et du Louis Armstrong sur le* Portrait de Henri Goetz *que vous aviez réalisé en 1947?*

La sonorisation a été faite sans que j'y participe, mais quand je montrais le film chez moi je mettais beaucoup de choses. C'était l'horrible patchwork qu'on faisait avec des disques. A ce moment-là j'étais moins puritain, ça ne me gênait pas, et puis je n'avais pas le choix. Ça calme le public, si je puis dire. (C'était le problème du film muet :

---

1. Écrit en 1944 par Theodor W. Adorno et Hanns Eisler, *Composing for the Films* a été publié en 1947 sous la seule signature d'Eisler, et traduit en français sous le titre *Musique de cinéma* (L'Arche, 1972). Rappelons que Hanns Eisler (1898-1962), qui a été l'élève de Schönberg à Vienne, fut l'auteur de musiques de scène pour Bertolt Brecht et écrivit notamment les partitions musicales des *Bourreaux meurent aussi* de Fritz Lang et de *La Femme sur la plage* de Jean Renoir.

2. *The Technique of Film Editing*, Focal Press, Londres/New York, 1953.

il n'y a jamais eu de film projeté en muet, il y avait toujours au moins un pianiste, et généralement un grand orchestre.) C'est pour cette raison que, connaissant bien la cuisine, je réagis aujourd'hui si violemment quand je la vois utilisée dans des émissions sur France-Culture ou dans des films. J'ai commencé à pratiquer cette technique quand j'avais onze ou douze ans : je faisais des séances de cinéma le jeudi matin à onze heures pour les copains, avec les films de la cinémathèque Kodak, et je mettais des disques.

Qu'aviez-vous demandé à Antoine Duhamel pour la partition de votre court métrage, lui aussi muet, sur Hans Hartung?

Rien de précis, et comme vous le savez sans doute elle n'a jamais été enregistrée. Il y avait le problème du 16 images/seconde, et malheureusement ça n'a pas pu avoir lieu. Je ne l'ai donc jamais entendue. Mais ces films-là n'avaient aucune ambition formelle. Étant jeune j'avais assisté à une représentation de *Ceux de chez nous* au Théâtre de la Madeleine et Sacha Guitry nous avait montré les bouts de film qu'il avait faits sur des peintres comme Renoir, Monet ou Degas et sur d'autres gens célèbres comme Sarah Bernhardt. Je m'étais dit que ce serait peut-être amusant de montrer des peintres quand ils sont jeunes et non pas dans leurs dernières années, et que de plus c'était une bonne raison de frapper chez eux et de parler peinture. J'ai tourné ces films sans penser qu'on allait mettre de la musique là-dessus.

Est-il vrai que vous ayez aussi voulu consacrer un court métrage au compositeur Edgar Varèse?

J'avais commencé un court métrage où il devait apparaître. Je voulais tourner des entretiens avec des musiciens, des écrivains, etc., et une fois réuni tout ce matériel je voulais, par le jeu des regards croisés, faire croire qu'ils étaient dans la même pièce et organiser leurs réponses comme une conversation à plusieurs voix, en inventant un entretien entre cinq personnes qui n'aurait jamais eu lieu. Et j'avais commencé par Varèse, avec Georges Charbonnier. Il devait y avoir deux ou trois bobines 16 mm, sans son parce qu'on n'avait pas d'argent. Ça doit remonter à 1956-57, il me semble.

Quel était le rôle de la musique très fragmentée de Muriel*?*

De reproduire la fragmentation de tout le découpage. Ce que j'aimais chez Cayrol, c'était ce côté haletant, le malaise – un malaise agréable – qu'on trouve dans son style, par exemple avec ce personnage qui a du mal à respirer, qui perd son souffle, le reprend, et fait preuve en même temps d'une grande opiniâtreté; je pensais que l'histoire qu'il écrirait pour moi comprendrait aussi des personnages de ce genre. Cela avait imposé ce découpage en plans fixes (le panoramique était permis, mais il n'y avait aucun mouvement d'appareil, le pied ne bougeait pas, sauf bien sûr dans le dernier plan). Henze s'est beaucoup intéressé à ce découpage, et a écrit une musique qui allait dans ce sens-là.

Alain Robbe-Grillet avait-il apporté des suggestions à propos de la musique de L'Année dernière à Marienbad*?*

Alain Robbe-Grillet avait donné une structure musicale extrêmement détaillée. Que je n'ai pas suivie, c'est vrai. J'avais envie de faire un film où l'orgue serait utilisé d'un bout à l'autre, où il donnerait une impression envoûtante, hypnotique, et où il échapperait à l'idée d'église, d'instrument fait pour parler de choses religieuses. Alors je me suis cramponné à cette idée. Mon premier choix, c'était Olivier Messiaen. J'ai un peu tourné le film à l'ombre de Messiaen, lequel a très gentiment refusé en disant qu'il ne pouvait pas écrire avec un minutage précis, qu'il ne pouvait pas plus faire un ballet qu'une musique de cinéma. Pour rester malgré tout dans cette ligne-là, j'ai donc pris l'un de ses élèves, Francis Seyrig, qui avait travaillé avec lui et sous sa direction.

Pour Hiroshima mon amour, *avant Fusco, vous aviez contacté Dallapiccola.*

Oui, absolument. Il m'a dit, très gentiment lui aussi, qu'il aurait beaucoup aimé, que ça l'aurait beaucoup intéressé, mais qu'il fallait que je lui donne au moins six mois parce qu'il avait des engagements, et que d'autre part il écrivait lentement et que le cinéma c'était quand même spécial. Je n'avais qu'à me décider plus tôt. Je me suis décidé très tardivement.

De même que vous avez fait appel au dessinateur Enki Bilal ou à des scénaristes qui pour la plupart n'avaient pas encore travaillé pour le cinéma, vous prenez parfois des musiciens étrangers au monde du cinéma.

Le cinéma, c'est une chose qu'on fait à plusieurs. C'est un art d'atelier. Il ne faut pas renoncer aux tableaux de Cranach sous prétexte qu'ils étaient dix ou quinze à les faire. Un soir, dans une discussion de ciné-club, un spectateur m'a demandé : *« Mais enfin monsieur, quand vous faites un film, vous prenez un bon scénariste, vous prenez de bons acteurs, un bon opérateur, un bon musicien. Alors, où est le mérite? »* – *« Le mérite* (ce n'est peut-être pas une notion qui m'intéresse), *le mérite, c'est peut-être de les avoir rassemblés. »* C'est vrai que le cinéma est un art qui est né après tous les autres, et qu'il a l'air de participer de beaucoup d'autres choses. La notion de cinéma pur, je peux en parler, mais j'avoue que ça ne me préoccupe pas du tout. L'important est d'arriver à faire un « objet filmique », et qu'il permette de retenir les spectateurs dans la salle. Je cite souvent la réponse récente du dessinateur de bande dessinée américain Milton Caniff à qui l'on demandait : *« Mais votre art, de quel autre art se rapproche-t-il? »*, et qui a répondu : *« Du théâtre, évidemment. »* C'est ce que je soutiens depuis trente ans à son propos. Tout le monde a l'air de penser que c'était le cinéma à cause du dessin et du cadrage, mais je pense qu'il a tout à fait raison et qu'il est beaucoup plus proche du théâtre. Par le décor, le costume et l'attitude de ses personnages, il doit suggérer les intonations de son dialogue. D'ailleurs il écrit le dialogue d'abord.

Lorsque vous prépariez Les Aventures d'Harry Dickson, *le nom de Stockhausen a été avancé. Est-ce une invention?*

C'est une invention. Maintenant je suis d'un avis opposé (peut-être parce que comme tout le monde j'ai fait des progrès en tant qu'auditeur), mais à l'époque d'*Harry Dickson* je pensais que la musique que l'on appelle « contemporaine », « atonale » ou « à tonalité suspendue » – disons la musique depuis 1910-1915 – était une musique qui devait s'écouter en concert mais qui ne pouvait pas avoir un développement dramatique. J'avais demandé à Francis Seyrig de s'évader de la tonalité, c'est vrai, à certains moments de *L'Année dernière à Marienbad* (je n'étais sans doute pas au courant des modes à transpositions limitées qu'a inventés Messiaen, mais je les ressentais physiquement, et comme Messiaen était notre inspirateur je retrouvais ces problèmes); mais les musiques qui se passent *complètement* de la tonalité ne me paraissaient pas pouvoir comporter ce mouvement, ce déroulement dramatique auquel je crois toujours. Si j'ai fait des films où le récit n'est pas chronologique, ce n'était pas pour le plaisir, mais parce que je pensais que cela permettrait d'arriver à une émotion plus forte chez le spectateur; ce n'était pas avec l'idée qu'il n'y aurait pas de développement dramatique et qu'on remettait tout en question. Je ressentais donc une musique comme celle de Stockhausen, que je connaissais mal, que je connais encore mal d'ailleurs, comme ne pouvant pas s'adapter au cinéma. D'ailleurs je pense que cela ne l'intéresserait pas. Travailler avec un musicien qui n'est pas stimulé par la musique de film, ce n'est pas drôle, et cela devient du snobisme : on a un nom célèbre, et il faut que ça marche. Je peux avoir de l'admiration pour Xenakis par exemple, mais j'ai l'impression que faire un film ne le concernerait pas du tout. Il a d'autres angles de recherche. Ce n'est pas parce que l'on demande à un peintre que l'on admire un décor de ballet ou de théâtre que ça va être bien. A l'inverse, il y a des gens qui ne pourraient pas faire de tableaux et qui sont d'extraordinaires décorateurs de théâtre. Il faut être passionné par le spectacle, c'est ça le critère. Henze est un homme d'opéra. Pour des gens comme Sondheim, le spectacle existe.

Dans Les Aventures d'Harry Dickson, *un seul personnage ne chantait jamais, c'était Harry Dickson, et dans* La vie est un roman *un personnage ne chante jamais, et c'est Forbek.*

Ah oui, je n'ai pas pensé à ça. Mais pour être franc, sans les nier, je ne me souviens pas avoir fait des déclarations aussi précises sur *Dickson.* On pouvait imaginer en effet que Dickson soit un récitant perpétuel. Ce qui m'amuse, et peut-être arriverai-je à le faire un jour, c'est non pas que tous les personnages se mettent à chanter, mais une alternance, ce que j'ai esquissé en somme dans *La vie est un roman.* Je trouve qu'on peut aller plus loin. Il doit y avoir chez moi, de toute façon, à la base, une nostalgie de l'opéra. L'opéra est un genre qui m'intrigue énormément et c'est vrai que si j'en avais eu la possibilité j'aurais tout à fait vu *Harry Dickson* comme un opéra-comique : des interventions parlées, et puis des moments chantés. C'est la forme qui m'aurait plu. Mais c'était irréalisable sur le plan financier. Déjà sans la musique c'était un budget trop important, alors qu'est-ce que ce serait devenu ? L'idéal aurait été que les dix dernières minutes soient entièrement chantées. Une espèce de grande valse d'épisodes de sa vie, des reprises de motifs, des éléments nouveaux...

Vous employez le mot « valse » au sens figuré ?

C'est vrai que j'aime beaucoup la forme de la valse. Je lui trouve quelque chose de sinistre, d'inquiétant, comme si ça préfigurait la brièveté de notre existence. La valse de Rózsa dans *Providence,* la *Valse crépusculaire,* est absolument sinistre.

D'où aussi la valse lente de Marienbad, *la valse morbide de* Mon oncle d'Amérique...

En effet. La *Valse vénéneuse* de *La vie est un roman*, la *Valse de mort* de *Stavisky*... Je ne sais pas à quoi ça tient. Ça m'a frappé après coup. Mais la valse du *Chant du styrène* est assez gaie. Peut-être quand même un peu mélancolique ? Mais enfin, ce n'est pas la préfiguration de la pollution future de la planète !

La construction de Muriel *et de* Mon oncle d'Amérique, *avec ces intrigues qui naissent très progressivement d'une sorte de chaos, peut faire songer à l'organisation de la* Valse *de Ravel.*

Oui, c'est vrai. Mais ce n'est pas exprès. Je ne peux pas me cacher que je travaille difficilement, et tout à fait dans la nuit et le chaos. J'ai beaucoup de mal, et j'essaie souvent de garder des idées qui sont venues instinctivement. En tout cas elle est sinistre, la *Valse* de Ravel, vous êtes d'accord ? Dans *Wozzeck* l'espèce de valse – je ne sais pas si c'est une vraie –, ou les éléments de valse dans les *Cinq pièces pour piano* de Schönberg sont tout à fait inquiétants.

En 1946, Arnold Schönberg a été victime d'une grave crise cardiaque ; la mort clinique a été constatée, et il n'a dû qu'à une injection en plein cœur d'être sauvé. Quelques semaines plus tard il entreprenait la composition de son Trio à cordes, *dans lequel il assurait avoir représenté sa maladie et son traitement médical, montrant à Hanns Eisler comment chaque accord illustrait une injection. Cette expérience est-elle entrée pour quelque chose dans la conception de* L'Amour à mort*?*

C'est beaucoup plus surprenant que ça. J'ignorais complètement l'existence de ce *Trio* et l'accident cardiaque, la « suspension de vie » de Schönberg tandis que nous écrivions le scénario. Je ne l'ai découvert qu'alors que tout était à peu près écrit, et je l'ai tout de suite apporté à Gruault. Nous étions tous les deux très excités, car ça avait l'air d'aller à la rencontre de ce que nous cherchions. J'ai beaucoup fait écouter ce *Trio* aux comédiens – eux du coup le connaissaient – et j'en ai parlé à Henze, qui le connaissait évidemment très bien. Et ce qui m'a amusé, c'est qu'après le tournage de *L'Amour à mort* j'ai lu un critique qui n'avait certainement pas pu voir le film et qui disait à propos d'un nouvel enregistrement du *Trio*, par les LaSalle, que ça lui donnait parfois l'impression de « *particules argentées qui flottaient dans la nuit* ». Nous étions nous-mêmes arrivés à ces particules argentées, qui nous ont amené bien des controverses, un peu par hasard et par économie, en tout cas sans idée symbolique puisque tout ce que je cherchais était de montrer au spectateur que le film n'était pas arrêté (s'il n'y avait pas le risque que le spectateur croie à une panne, le noir m'aurait suffi). Alors je me suis dit que peut-être nous nous étions approchés de quelque chose que Schönberg avait senti.

Lisez-vous beaucoup de critique musicale?

Beaucoup, non, mais ça m'intéresse de connaître les disques qui sortent. J'essaie de me tenir au courant.

En dehors des critiques de disques, lisez-vous des analyses musicales?

Oui. J'en ai besoin pour me mettre en condition avant d'écouter quelque chose. J'écoute la musique d'une manière enfantine mais que je trouve intéressante, et qui est d'écouter les musiciens non pas au hasard mais chronologiquement. Je trouve que leurs œuvres se renvoient souvent les unes aux autres, et cela reste mieux dans la tête lorsqu'on écoute l'essentiel d'un compositeur dans l'ordre où il a composé, et en regardant bien ce qui se composait à l'époque, au même moment. Je ne fais pas des tableaux synoptiques, mais je réfléchis à ces questions-là. Je connais la musique en somme de Joseph Haydn à Boulez, j'ai à peu près parcouru tout ça. Peut-être qu'un jour je vais remonter à Guillaume de Machaut et ainsi de suite. Et en ce moment je suis très malheureux. J'ai attaqué un musicien que j'ignorais jusqu'ici parce que je le trouvais trop difficile, et qui est Jean-Sébastien Bach. Or sur Bach il n'y a pas d'analyse musicale. Il existe des catalogues d'œuvres, mais je n'ai pas trouvé d'écrit théorique sur lui. Ce livre existe peut-être, mais pour l'instant je suis à sa recherche. C'est beaucoup plus amusant quand on vous aide à bien percevoir la structure d'une œuvre musicale.

Dans Mélo, *vous avez fait interpréter par vos personnages la* Sonate *op. 78 de Brahms, qui ne figurait pas dans la pièce d'Henry Bernstein.*

Dans ce cas précis je crois qu'on a le droit d'utiliser de la musique préexistante, puisque c'est une musique qui fait partie de l'histoire et qui n'est pas imposée de force sur des images. Quand c'est un personnage qui joue de la musique ou quand Visconti, dans *Violence et Passion,* fait mettre un disque de Mozart à Burt Lancaster, ça ne me gêne en effet pas du tout.

Bernstein, dans *Mélo,* avait donc utilisé, sans doute sur les conseils du pianiste Jacques Février dont il était l'ami, une sonate du musicien belge Guillaume Lekeu, mais je ne pouvais pas m'en servir. Lekeu est connu des « spécialistes » (c'est un bien grand mot), mais pas du grand public, et j'ai pu voir la réaction de gens qui croyaient que c'était un nom inventé. Cela aurait donc créé un moment d'incertitude dans la salle. De plus, Bernstein pouvait se servir de cette sonate pendant les changements de décors, mais je n'avais pas du tout envie d'avoir de longues interruptions entre les tableaux, je voulais au contraire que ça s'enchaîne très rapidement. Je ne pouvais donc utiliser que la toute fin du dernier mouvement pour ouvrir mon second tableau. Or si je prenais la sonate de Lekeu, ces dernières mesures ne correspondaient à rien, ne produisaient aucune impression : on entendait une suite d'accords plaqués, qui, isolément, risquaient même de faire très pompier, et j'ai eu peur que ça ne provoque le rire dans la salle, qu'on ne pense que je faisais un vaudeville et que j'« attaquais » ce type de musique. D'un autre côté, il y a le fait aussi que je n'étais pas très ému par la sonate de Lekeu, mais peut-être à tort puisque je n'avais pas la possibilité d'écouter de bons enregistrements, les disques intéressants étant introuvables à ma connaissance. La sonate de Brahms en revanche est très sentimentale et me paraissait convenir pour ces vingt ou vingt-cinq minutes de contact qu'on peut imaginer entre les deux personnages. Je pouvais croire qu'en la jouant à deux il se passe quelque chose entre la pianiste et le violoniste, qu'il y ait un échange déjà extrêmement sensuel, puisque notre hypothèse de travail était que Romaine n'était pas venue avec un plan déterminé chez Marcel Blanc mais que tout s'était passé pendant l'exécution de la sonate. Il faut dire aussi qu'il n'y a pas un grand choix de musique pour violon et piano, car c'est une combinaison très difficile à manipuler. Ce sont deux instruments, je ne dis pas qui ne vont pas ensemble, mais qui se marient difficilement.

Qu'est-ce qui vous avait suggéré le choix de Penderecki pour Je t'aime je t'aime?

C'était un musicien que j'aimais beaucoup, qui me touchait énormément, et qui me paraissait avoir le lyrisme voulu pour le film. Il a été choisi bien après l'écriture du scénario, peut-être même à la fin du tournage. Quelquefois en effet, je vous l'ai dit, j'attends de voir l'image (ou les rushes en tout cas) pour me décider complètement. Ce qui est compliqué pour le producteur puisqu'à ce moment-là il ne reste que très peu de temps et qu'on ne peut pas arrêter un film pendant un mois pour laisser au compositeur le temps d'écrire la musique. Penderecki est je crois venu d'Allemagne, je lui ai montré le film et lui ai demandé si ça l'intéressait. Le musicien peut toujours répondre oui ou non. Là il a répondu oui, j'étais très ému. Nous avons repris le film à la table de montage, nous nous sommes mis d'accord, et il a emporté les durées avec lui. Il a enregistré à Varsovie, où je suis allé chercher les morceaux de musique. C'est l'un des côtés comiques du cinéma : il est très rare d'avoir un musicien qui habite la même ville que vous.

Sauf à Hollywood...

Oui, encore que Miklós Rózsa m'ait beaucoup amusé en me racontant que lorsqu'il avait fait *Spellbound*, il n'avait jamais rencontré Hitchcock.

Les « ratés » de la musique de Je t'aime je t'aime, *ces sortes de balbutiements qui une fois que l'expérience s'est détraquée accompagnent les moments où Claude Rich se trouve dans la sphère, ont-ils été composés tels quels par Penderecki?*

Oui. Mon monteur Albert Jurgenson et moi avions une espèce de panier, avec différents bobinots de musique. Nous les essayions, nous les changions, nous reprenions des choses en double. Il me semble que nous avons beaucoup fait bouger la musique dans *Je t'aime je t'aime.* Avec l'accord de Penderecki, bien sûr. Nous n'avons pas coupé dans sa musique, non. Mais nous avons déplacé des choses que nous avons mises ailleurs.

Pourquoi avez-vous ressenti le besoin d'exposer le thème principal, ce chœur qui sera ensuite trituré et retravaillé tout au long du film, sur ce trajet en voiture apparemment anodin vers le centre Crespel?

J'y tenais beaucoup. Pour le mystère. Pour la mélancolie du personnage. Il me semblait qu'il y avait un côté inquiétant, fantomatique, dans cette promenade en voiture. Et puis ce sentiment des univers parallèles, des mystères qui nous entourent... Je suis bien solennel pour ce qui n'était quand même qu'une fantaisie! Mais Jacques Sternberg est un angoissé, et moi aussi; la rencontre était facile.

C'est aussi une sorte de glissement aérien, immatériel, peut-être dû au fait qu'on n'entend aucun bruit sur cette voiture qui s'avance.

J'avais été très frappé par une intervention de ce genre dans le *Dom Juan* de Molière monté par Jouvet, où le problème était en effet : comment intégrer les scènes comiques dans une pièce qui est souvent grave et tragique ? Au début de *Dom Juan*, dans cette scène comique avec les paysans, Jouvet et Henri Sauguet avaient tout à coup fait naître une musique qui avait l'air de dire : «*Attention, derrière les apparences, il y a peut-être autre chose.*» C'était très léger, mais très efficace. Et la musique de Penderecki dans *Je t'aime je t'aime* annonce peut-être aussi au spectateur qu'il ne faut pas se fier aux apparences, qu'il y a là autre chose qu'une voiture et des tramways belges que l'on croise.

Prévoyez-vous déjà les emplacements musicaux au stade du découpage?

Oui. Pas à 100 %, bien sûr, mais j'essaie de savoir d'avance quelles seront les plages musicales dans le film. Cela me permet d'en parler aux comédiens : «*Attention, là, vous allez être entièrement soutenu, complété par la musique.*» Si je me refuse à mettre de la musique de disque dans un film, en revanche je n'ai pas de scrupules, pendant que je fais le découpage, à écouter de la musique de Sondheim, par exemple, pour me stimuler. Certains passages de *Stavisky...* ont été imaginés en écoutant des œuvres passées de Sondheim, et particulièrement *A Little Night Music.*

Une comédie musicale presque entièrement composée, sinon toujours de valses, du moins de rythmes à trois temps...

Puisque j'ai une fixation sur la valse, en effet...

Écoutez-vous de la musique sur le plateau?

Ça m'est arrivé. Au moment de *Stavisky...* les petits magnétophones portables commençaient à exister, et je me suis amusé à coller à mon oreille des bouts de musique passée de Sondheim et à essayer de calculer certains déplacements d'appareil, certains mouvements de figurants ou de comédiens en fonction de ce que j'avais dans l'oreille. J'étais peut-être sur une pulsation juste. Mais je ne l'ai pas mis en play-back. Je n'ai pas été jusque-là.

Qu'est-ce qui vous séduisait dans la musique de Sondheim?

Son côté amer au milieu de l'apparence de la douceur et du sucré, son côté « ver dans le fruit ». On croit se trouver dans le monde de Richard Rodgers, et tout à coup on reçoit un coup de couteau au cœur, le tragique fait irruption au milieu de la chanson. On est séduit, très séduit, et je le suis toujours. La dernière œuvre de Sondheim que j'ai vue, *Sunday in the Park with George*, sur le tableau de Seurat, est une chose qui me bouleverse. Aimer Berg et Webern, cela ne me gêne pas du tout pour aimer Puccini ou Richard Strauss. J'arrive très bien à faire coexister ces gens qui s'ils se rencontraient dans un salon... Encore qu'il ne faille pas oublier que lorsqu'il a entendu la création de *Pierrot lunaire*, Puccini aurait dit : « *Il est fort possible que dans dix ou trente ans notre musique soit insupportable et que seul ce type de musique soit aimé du public.* » Il n'avait pas du tout rejeté *Pierrot lunaire.*

Pour en revenir à Sondheim, la fin de *Follies* est l'un des plus grands moments de *spectacle* – je ne sépare pas cinéma et théâtre, je refuse d'en faire des ennemis – que j'ai vécus. Au beau milieu d'une chanson pleine d'insouciance et de gaieté, alors que tout le monde danse et chante autour de lui, John McMartin « oubliait » les paroles et la musique et s'effondrait. Tout d'un coup toute cette apparence de bonheur et de joie de vivre s'effritait complètement, se détraquait *par la musique.* On était complètement figé d'horreur – une horreur de spectacle, ce qui est toujours agréable. Plus tard, grâce au producteur Mike Mindlin, j'ai rencontré Sondheim, et je lui ai dit que je considérais que c'était la plus grande comédie musicale que j'avais vue de ma vie. Il m'a répondu : « *A vrai dire j'ai vu moi-même vos trois premiers films, et il est bien possible que cela m'ait poussé à manipuler le temps, à jouer avec le temps dans le livret de* Follies. » Il y avait donc eu un contact, mais je n'imaginais pas que quelqu'un comme Sondheim avait pu voir mes films. Ce fut donc un entretien très chaleureux, et c'est grâce à cette rencontre qu'ensuite j'ai osé lui téléphoner pour lui demander la musique de ce que je continue à appeler *Biarritz-Bonheur*, car je n'ai jamais accepté le titre *Stavisky...*

Vous aviez pensé au titre Stavisky-Valse?

J'y ai pensé, mais je le trouvais quand même prétentieux. Il aurait été plus juste que *Stavisky...* Je trouve qu'il ne faut pas tromper les spectateurs sur la marchandise.

Le titre définitif comporte cependant des points de suspension : c'est une rêverie sur Stavisky.

Oui, c'est tout ce que j'ai obtenu. Je ne sais pas si c'était ressenti : « *Stavisky, peut-être...* » Nous étions aux deux tiers du tournage lorsque le distributeur, pour des raisons que je comprends très bien, a dit : « *Si vous n'appelez pas le film* Stavisky, *je me retire.* » Il était certain qu'il valait mieux finir le film. Je redoutais que si le film s'appelait *Stavisky* tout le monde aille penser qu'il s'agissait de l'affaire Stavisky, laquelle n'éclate évidemment qu'après la mort de Stavisky. Ça n'a pas manqué en effet, alors que le film a été très bien accueilli en Amérique où le nom de Stavisky n'avait aucune référence. Il me semblait que le générique de *Stavisky...* annonçait la couleur, que la musique prévenait le public que ça n'allait pas être un film historique. Peut-être suis-je plus sensible à la musique qu'une grande partie du public. Je crois avoir dit quelque chose par ce générique, et qui sans doute n'a été perçu que par très peu de gens.

Le générique de La vie est un roman *a lui aussi ce côté « ver dans le fruit ».*

Il est plus neutre, je dirais. Sans couleur spéciale.

Il me semble au contraire que c'est une musique bouleversante !

Mais moi je suis prudent dans ce que je dis! Deux ou trois amis l'ont rejeté... alors je me dis que c'est peut-être moi qui ai tort. Je cherchais à ce qu'il y ait dans cette musique à la fois un côté tragique et un côté Offenbach, un mélange que pour moi Philippe-Gérard a tout à fait réussi. Ce que j'ai trouvé curieux après coup, c'est qu'il y avait beaucoup de rapports entre le générique de *La vie est un roman* et celui de *Providence.* Il y avait tout à coup un aspect Miklós Rózsa dans la musique de Philippe-Gérard, et ce n'est sûrement pas intentionnel. Peut-être un type de sujet amenait-il aussi un certain type de musique. C'est le mystère de la musique : peut-être qu'un jour on décodera tout ça, mais comment se fait-il que Giovanni Fusco ait écrit pour la scène du musée au début d'*Hiroshima mon amour* un thème qui se trouve être pratiquement le même que celui qu'avait utilisé Hanns Eisler dans *Nuit et Brouillard*, alors que Fusco n'avait jamais vu *Nuit et Brouillard*? Peut-être ont-ils tous les deux puisé dans quelque chose qui préexistait? C'est troublant.

Un peu avant la fin de Stavisky..., *alors qu'on ne sait pas encore que l'empire d'Alexandre va s'effondrer, le receveur se rend au Crédit municipal de Bayonne, et tous les bruits de circulation entrent dans une sorte de petite orchestration très funèbre. Est-ce que le bruit n'a pas ici cette fonction d'annonce que vous confiez le plus souvent à la musique?*

Je n'en ai pas de souvenir précis, mais je sais que *Biarritz-Bonheur* est un film totalement funèbre. Ce qui nous avait intéressé, Semprun et moi, c'était ce petit article de Colette qui au moment du suicide ou de l'assassinat de Stavisky avait dit que de toute façon c'était un homme qui n'aurait pas vécu longtemps tellement il était hanté par la terreur de la perte de la jeunesse. Il dormait avec des escalopes de veau qu'il se mettait sur la figure pour garder une peau fraîche, il avait ce côté « vivre au maximum » parce qu'il sentait que la jeunesse allait s'échapper. Nous avons beaucoup parlé de ça avec Sondheim. C'est un film qui est hanté par la dégradation de la mort, par ce travail de démolition qui commence assez tôt sur l'être humain et qui se poursuit jusqu'à la fin.

Ce sentiment de délabrement et de ruine est encore plus sensible dans Providence, *pour lequel vous aviez aussi voulu Sondheim.*

Bien sûr. Mais Sondheim a failli faire aussi *La vie est un roman.* Eh oui ! Quand on a la chance d'avoir fait faire sa première musique de film à des gens comme Henze ou Sondheim on a envie de recommencer. On aime bien cette sensation d'avoir un scénariste ou un musicien qui fait son premier film, ou un acteur qui a son premier grand rôle. Et je n'en ai pas fini avec Sondheim !

Sur *La vie est un roman*, Sondheim a donc hésité quelques jours et m'a dit qu'il ne lui était pas possible d'écrire une musique sur des paroles françaises. Il ne faut pas oublier que Sondheim est autant un parolier qu'un compositeur de musique. On a l'impression que certaines chansons de *West Side Story* sont presque davantage de lui que de Leonard Bernstein : les paroles de Sondheim imprimaient un tel rythme à Bernstein qu'il était presque obligé de faire du Sondheim. C'est très bizarre, ce mélange. Enfin, bizarre... Bernstein et Sondheim sont tous les deux venus à la comédie musicale après avoir reçu un enseignement « classique », ils ont eu la même formation, les mêmes professeurs, à commencer par Milton Babbitt qui, en sus du compositeur, était un théoricien qui attachait énormément d'importance à la composition sérielle. Il y a donc toute une filiation, et ce n'est pas étrange qu'il y ait des rapports entre eux, cela me paraît même une combinaison tout à fait normale. Sondheim, donc, m'avait dit : « *La langue française... Bien sûr je comprends les mots, ce n'est pas un problème, mais je ne vais pas vous écrire le Sondheim que vous voulez, celui que vous attendez. J'ai des racines américaines, les mots américains sonnent pour moi d'une certaine façon, et si j'écrivais sur des paroles françaises ce serait quelque chose de plus banal.* » Réponse très honnête.

Et qui vous a convaincu?

Qui m'a convaincu, oui, complètement. Et quand Sondheim après avoir vu le film à New York a envoyé un petit mot en disant qu'il appréciait beaucoup un certain nombre de passages de la musique, Philippe-Gérard a été très heureux et très touché. Il admirait beaucoup Sondheim.

Vous vous êtes donc tourné vers Philippe-Gérard.

J'avais entendu de la musique qu'il avait écrite pour le théâtre, et il est aussi le compositeur de chansons que j'aimais beaucoup, notamment d'Yves Montand et de Jeanne Moreau. Quand je l'ai rencontré il m'a fait une proposition extrêmement sympathique : « *La seule manière qui puisse vraiment vous décider,* m'a-t-il dit, *c'est que je vous compose des espèces de projets pour le film; si ça vous plaît on ira plus loin, et sinon on se dira au revoir.* » Je ne lui ai pas demandé de passer une audition, bien sûr; c'est lui qui de son côté m'a dit que cela l'intéresserait d'essayer. C'était amusant de travailler d'aussi près avec un musicien, et il correspondait tout à fait à ce que je cherchais pour *La vie est un roman*, c'est-à-dire un musicien qui ait une formation « classique », qui ait fait ses études de contrepoint et d'harmonie au Conservatoire, et qui malgré tout soit aussi un amateur de comédies musicales. Les compositeurs de variétés se refusent souvent à avoir les moindres connaissances en musique « classique » ou « savante ». Philippe-Gérard, lui, avait la double formation, ce qui nous permettait de rester un peu « ambigus ».

Pourquoi n'avez-vous tourné ni opéra proprement dit, ni comédie musicale à proprement parler?

C'est un problème de financement : cela coûte infiniment plus cher de faire une comédie musicale. Tous les metteurs en scène français et européens, et même maintenant des Américains, aimeraient en faire et se disent qu'ils ne trouveront jamais l'argent nécessaire. Je pense aussi que la comédie musicale française est quelque chose de plus difficile, que la langue française a plus de mal à s'adapter au chant. Il doit y avoir un barrage dans le public, ce qui ne permet pas aux producteurs d'envisager ça avec enthousiasme. En tout cas j'essaierais d'éviter de faire de la comédie musicale de nostalgie, de renouer avec les anciennes comédies musicales. Il faudrait essayer de trouver autre chose.

Et l'opéra?

Cela m'intéresserait de faire une création, mais de monter ou de filmer un opéra qui existe déjà, jusqu'ici je ne l'ai pas envisagé. Une autre bonne raison, c'est que je n'ai pas de connaissances musicales suffisantes pour mettre en scène un opéra, que ce soit à la Scala ou devant une caméra. Je serais bien incapable de pouvoir dire si un chanteur a chanté juste ou non, je me sentirais vraiment trop désarmé. On me répond alors que je pourrais avoir un conseiller technique. Peut-être, mais cela me paraît difficile de partager les responsabilités de cette façon. J'ai l'impression que s'il y a une position triangulaire, une mise en scène à deux têtes, le comédien, qu'il soit chanteur ou acteur, doit devenir fou. On peut toujours tout dire, tout le monde a raison sur le moment. En tout cas c'est la raison pour laquelle j'ai tout de suite dit non aux rares et sans doute pas très sérieuses propositions que j'ai reçues de tourner un opéra.

Lorsque vous parliez d'une création, vous vouliez dire un opéra spécialement composé pour l'écran?

Voilà. Et là je serais prêt à prendre le risque. Je tâcherais de trouver des solutions pour pouvoir travailler quand même avec des chanteurs.

Dans Muriel, *Henze avait composé des airs chantés par Rita Streich, mais les paroles qu'avait écrites Cayrol sont censées rester indéchiffrables.*

Non. C'est le phénomène dont j'ai parlé à propos de *La vie est un roman.* Je me suis rendu compte que Henze, comme il avait des racines allemandes, et d'autant plus qu'il ne parlait pas du tout français à cette époque-là, a mis ça en musique comme si c'étaient des mots allemands et n'est pas entré à l'intérieur du texte de Cayrol. J'ai obtenu l'effet que je cherchais par les interventions chantées et je trouve sa musique très belle, mais le fait qu'on ne puisse pas comprendre un seul mot n'est pas intentionnel et à mon avis regrettable.

Vous disiez le contraire à la sortie du film.

J'ai peut-être été hypocrite. Non, demi-hypocrite. Comme beaucoup de gens aiment *Le Voyage d'hiver* de Schubert sans se préoccuper des paroles, je me suis consolé en pensant que ça n'avait pas d'importance. Maintenant je ne suis plus du même avis, je trouve qu'on doit comprendre les paroles. Ce qui est curieux, c'est d'avoir été chercher Henze, comme si la tentation de l'atonalité ou de la tonalité suspendue était déjà présente, obscurément. Dallapiccola, aussi. Je trouvais qu'il y avait là-dedans quelque chose de très prenant, je ne connaissais pas les raisons sans doute mais je devais sentir que c'était une autre atmosphère. Je ne connaissais pas du tout la dernière période de Stravinski, la « trahison ».

Quatre ans avant L'Amour à mort, *à l'époque de* Mon oncle d'Amérique, *vous déclariez encore que la musique dodécaphonique vous paraissait hermétique.*

Au moment de *Mon oncle d'Amérique* je devais en être à Schumann ou à Richard Strauss, avant Debussy en tout cas. Je savais que cette musique existait, mais en pensant que c'était une musique indéchiffrable pour moi. Je n'ai dû l'aborder que deux ans après. Mais il m'était déjà arrivé, avant de savoir que la polytonalité allait exister, d'envisager ce que donnaient des contrepoints polytonaux. Je n'avais jamais imaginé qu'on pouvait se servir du système sériel de la façon dont Webern et Schönberg l'ont utilisé, mais j'ai bien senti quand j'écoutais le *Deuxième Quatuor* de Schönberg, dans le troisième mouvement où tout d'un coup il suspend la tonalité, cette impression d'un souffle d'air, cette musique d'une autre planète dont la rencontre et la visite étaient inévitables. Je suis arrivé tout seul à sentir ce désir d'une évolution du système tonal, j'ai senti qu'il y avait d'autres disciplines, et j'en avais envie. Je ne peux pas croire qu'on puisse rester dans une forme ancienne. Ce que je dis là est très prétentieux, mais, instinctivement, j'ai senti ce qui allait se produire en 1910. Et ensuite, comme un imbécile, je me suis rendu compte que j'en avais déjà entendu sans le savoir, puisqu'à ce moment-là je connaissais quand même Stravinski et Darius Milhaud.

Dans Marienbad, *de même que les décors se transforment à volonté, la musique passe insensiblement d'accents délibérément wagnériens à des moments d'hésitation tonale ou de sérialisme. Dans* La vie est un roman, *le château de Forbek juxtapose les styles architecturaux les plus disparates, tandis que la partition entremêle les styles musicaux. Il y a donc un lien évident, dans ces deux films, entre la conception du décor et celle de la musique. Dans* Providence *au contraire, vous avez à nouveau recours aux décors à transformation, mais ce caractère ne se retrouve pas dans la musique.*

En effet, la musique de Rózsa était cette fois plutôt une musique d'atmosphère. Je me souviens lui avoir demandé qu'il n'y ait aucune percussion, qu'il n'y ait que des cordes. Il en a mis quatre-vingt-deux, je crois, et le producteur parle encore avec terreur de cet orchestre de quatre-vingt-deux cordes. C'était encore une volonté d'hypnotisme, peut-être pour retrouver la musicalité de l'orgue, cette espèce de lenteur envoûtante que j'avais voulue pour *L'Année dernière à Marienbad*. Cela dit, ce n'était pas très original puisque beaucoup de musiques d'Hollywood sont faites principalement à base de cordes. A partir du moment où j'ai appris grâce à Alain Lacombe qu'il était possible d'avoir Rózsa, chose qui me paraissait très irréelle, peut-être que je me suis adapté à Rózsa. J'ai été vers lui.

Providence *est le seul de vos films où les thèmes musicaux soient attachés à des personnages, chacun des cinq personnages ayant son leitmotiv.*

Là, c'est de ma faute. Ça m'amusait de revenir à une tradition plus ancienne ou plus académique, au choix. J'avais justifié ça aussi par le fait que le romancier que j'imaginais faisait partie de ces écrivains comme Lévi-Strauss qui ne supportent le cinéma que s'il ne vient pas du tout s'occuper de leurs plates-bandes, et qui vous disent : «*Ah! Le cinéma, c'est les films policiers, c'est les westerns. Maintenant je ne vais plus au cinéma, parce que les films compliqués qu'on fait sont ridicules, intellectuels.*» C'était la position de Sartre.

En dehors de la partition de Miklós Rózsa, c'est à Jean Schwarz que vous avez demandé de composer les bruits « musicaux » de Providence.

Jean Schwarz est un musicien très intéressant, un musicien « contemporain », comme on dit, qui doit avoir quarante-cinq ans et qui a écrit de la musique de ballet. Dans *Providence* je n'avais pas envie d'avoir de vrais bruits. J'avais besoin, pour cette révolution ou cette guérilla imaginaire, de coups de feu, d'explosions de bombes, et ça m'intéressait beaucoup de m'adresser à un compositeur. Je voulais obtenir une impression de rêve, de réalité recréée. Jean Schwarz nous a donc fabriqué « chimiquement » des échantillons de bruits de charrette ou d'explosion parmi lesquels nous avons choisi sans en connaître l'origine, selon que j'y croyais ou non. J'ai eu beaucoup de plaisir à travailler avec lui. Peut-être un jour ferons-nous vraiment un film ensemble.

L'une des fonctions des bruits dans Providence, *mais aussi bien dans* Stavisky... *ou dans* L'Amour à mort, *n'est-elle pas de servir d'intermédiaire, de faire passer le son de la voix à la musique et inversement?*

On cherche toujours à créer une espèce d'unité. C'est là où je suis en pleine contradiction, et je ne m'en cache pas : je cherche à ce que dans un film tout soit instinctif, que tout marche sur l'association d'idées, que la mémoire ne soit pas chronologique puisque je ne la sens pas comme ça dans la vie, et en même temps j'ai besoin que les choses marchent ensemble, se tiennent. Je ne sais plus qui analysait la musique d'*Un Américain à Paris* et disait que Gershwin était plein de belles idées mélodiques, mais que comme c'étaient des choses qui se succédaient sans être liées entre elles par des raisons profondes, cela donnait une espèce de suite de petits carrés de tissu et non pas une œuvre fermée, complète, solide. C'est peut-être ça qui différenciait les grands musiciens des autres : ils étaient capables d'utiliser un matériel et de lui garder son homogénéité tout en lui donnant une apparence constamment variée, diverse, non répétitive.

Et puis je cherche toujours en effet à ne pas embêter le spectateur, à le mettre dans la situation la plus confortable possible. Je sursaute quelquefois à ces scènes de repas où le micro a beaucoup de mal à ne pas mettre au premier plan les bruits de couteaux ou de fourchettes, alors que dans la vie, quand on mange avec des amis, on n'est pas obsédé par le bruit du repas. Si vous rencontrez quelqu'un dans un café et qu'une conversation s'installe, vous n'entendrez plus les bruits du café, ils vont disparaître. On ne peut pas garder l'ambiance du café pendant toute la scène : ce ne serait pas agréable, mais ce ne serait pas non plus vrai. Ce dont j'ai horreur et que je ne ferai jamais, sauf cas exceptionnel, c'est de mélanger le bruit et la musique. Curieusement la parole et la musique, ça ne me dérange pas. Comme si l'oreille du spectateur pouvait arriver à suivre comme dans un contrepoint les « voix » différentes, la voix des comédiens et celle de la musique. Mais si vous faites entrer une troisième voix qui serait celle des bruits, il y a là quelque chose qui me dérange énormément.

Disjoindre les bruits de la musique, est-ce que ça ne permet pas justement, en les intégrant dans un rythme, de les musicaliser? Dans Providence, *une réplique de David Warner s'achève, une explosion de bombe retentit aussitôt, et c'est elle qui amorce la musique.*

Oui, mais ce n'est pas en superposition. C'est en succession. Les bruits annoncent la musique, terminent la musique. Dans *Mélo* – c'est le seul effet sonore de *Mélo* –, quand Romaine, après avoir entendu la chute de Pierre Belcroix, croit qu'il est mort, le bruit du couvercle qui retombe sur le piano se poursuit, devient une musique et est interrompu par la voix. Mais si on regardait *Citizen Kane* de près, ça doit être plein de choses comme ça. Le fait que Welles ait été un acteur de radio et donc qu'il ait eu une connaissance des effets radio a énormément influencé son montage, et l'on peut imaginer que *Kane* est d'abord une émission de radio sur laquelle on a mis des images. J'ai la bande, ça s'écoute très bien. La musique de Bernard Herrmann s'intègre comme dans une émission de radio.

Au début de Stavisky..., *lorsque Belmondo arrive en ascenseur, cette séquence est entrecoupée de plans montrant les voitures qui conduisent les Trotski à Saint-Palais, et à chaque fois vous interrompez la musique par ces bruits de moteur. La musique est entrecoupée, et pourtant elle se prolonge comme si de rien n'était.*

C'était tout à fait prévu avec Sondheim. La musique, dès le départ, a été écrite pour ça. C'était un effet destiné à bien montrer les deux histoires qui allaient se conjuguer, peut-être artificiellement, à la fin du film (pas artificiellement dans mon esprit, mais nous n'avons peut-être pas trouvé exactement les bonnes manières de réaliser cette interaction de deux histoires si lointaines l'une de l'autre en apparence). Dans *Stavisky...* nous avons aussi interrompu, cassé une musique en deux pour faire un effet dramatique. Quand Stavisky et Arlette marchent sur la plage, tout à coup on arrête ce moment de repos et on passe à Trotski avec une brutalité extraordinaire, et la musique très tendre et très lyrique est coupée par un épisode quotidien qui doit être l'inspecteur à bicyclette. J'ai beaucoup hésité à faire cet effet, j'étais très inquiet car Sondheim ne pouvait pas venir à Paris; j'ai dû me contenter d'un entretien téléphonique avec New York, et Sondheim m'a donné son accord. Voilà donc un cas où la musique a été cassée au montage. Mais elle n'était pas fragmentée. C'était juste pour que ça donne au spectateur un coup au cœur.

Cela rejoint ce dont nous avions parlé au sujet des « interludes » de L'Amour à mort *: malgré cette division en fragments, c'est une forme continue.*

Henze savait exactement à quel moment, à quelle seconde il interrompait. De plus il avait une certaine latitude; il n'était pas à une seconde près, ce que je trouve très intéressant pour un compositeur. S'il décidait qu'il avait besoin de trente secondes au lieu des dix-sept que je lui proposais, il pouvait le faire. Si bien que sa respiration pouvait se laisser complètement porter par l'histoire. Je ne le ressens donc pas comme une fragmentation de l'œuvre. Et la musique de Henze est certainement d'une écriture beaucoup plus dense qu'une musique de film ordinaire.

Le compositeur peut changer complètement la valeur émotionnelle d'un film. En tout cas c'est certainement lui qui rend un film compréhensible. Quand j'ai tourné *Hiroshima mon amour*, il y a eu une période où Giovanni Fusco devait encore travailler et n'avait pas apporté sa musique; les producteurs avaient quand même fait des projections pour tâter le terrain, et les gens en sortaient en disant : « *Oui, c'est un film intéressant, c'est curieux. Évidemment ça ne peut pas passer sur les Champs-Élysées.*

Moi j'ai compris, mais c'est tellement difficile qu'il n'y a aucun espoir au point de vue exploitation. » La grande phrase, c'était : « *Une journée sur les Champs-Élysées, c'est le maximum qu'on puisse envisager* », ce qui était quand même un peu angoissant. Et à partir du moment où nous avons eu la musique de Fusco et où nous avons montré la copie standard, cette réaction a complètement disparu. Tout le monde comprenait. Le film est sorti et a fait une exploitation tout à fait correcte. Mais sans Fusco, *Hiroshima mon amour* serait resté un film de laboratoire.

Troisième partie

Les coulisses de l'atelier : tournage de *I Want to Go Home*

Alain Resnais a accepté la présence d'un œil extérieur sur son plateau – pourvu que cet œil devînt celui d'un figurant – pendant le tournage d'une scène de son nouveau film, *I Want to Go Home.* Ce livre montre donc à présent l'atelier du metteur en scène au travail, et, par-delà le tournage d'une scène précise – celle du vernissage de l'exposition de bande dessinée –, retrace les différentes étapes, échelonnées sur près d'un an, de la création du film, de la remise du scénario à l'enregistrement de la partition musicale. La réalisation de ce texte a été rendue possible grâce au concours de Florence Malraux et de tous les comédiens et techniciens de *I Want to Go Home* [1] qui ont accepté, avant, pendant ou après le tournage, de répondre aux questions suscitées par ce film.

Ce texte, hormis sa conclusion, a été rédigé avant les premières projections du film : le lecteur s'apercevra sans peine des modifications survenues entre le projet initial et le résultat final.

---

1. Je remercie de leurs témoignages Laura Benson, Geraldine Chaplin, Emmanuelle Chaulet, Yvon Crenn, Gilbert Darraux, Gilbert Duhalde, Georges Fricker, François-Éric Gendron, Yann Gilbert, Adolph Green, Lucienne Hamon, Jean-Claude Laureux, Linda Lavin, Nicolas Naegelen, Hélène Robin, Caroline Sihol, Charlie Van Damme et, à nouveau, Jacques Saulnier, Catherine Leterrier, Sylvette Baudrot et Albert Jurgenson.

Après *Mélo,* tourné en quatre semaines et pour sept millions de francs, Alain Resnais met en scène pour le même producteur, Marin Karmitz, un film au budget six fois plus important et qui à tous points de vue se situe à l'opposé du précédent : tourné en douze semaines, dans de nombreux décors et avec une distribution importante, *I Want to Go Home* (*Je veux rentrer à la maison*) rompt avec la réduction des effectifs qui caractérisait *L'Amour à mort* et *Mélo.* Réalisé en France avec une équipe française, le film, qui mêlera comédiens français et américains, sera parlé en majeure partie en anglais. Après trois films successifs faisant appel au même quatuor d'interprètes, Alain Resnais revient à l'alternance des comédiens, mais aussi à celle du scénariste : il travaille pour la première fois avec Jules Feiffer, auteur de bande dessinée et dramaturge américain.

UN AMÉRICAIN À PARIS

Dessinateur satirique virulent dont la principale série, distribuée internationalement, paraît depuis plus de trente ans dans *The Village Voice,* Jules Feiffer a abordé dans les années soixante une seconde carrière parallèle conforme à son goût pour le dialogue, celle d'auteur dramatique. Sans être, comme Jean Gruault, un scénariste de profession, il a écrit pour le cinéma dans les années soixante-dix les scénarios de *Petits Meurtres sans importance* (adapté de sa propre pièce) d'Alan Arkin, de *Ce plaisir qu'on dit charnel* de Mike Nichols et de *Popeye* de Robert Altman. Resnais, qui connaissait tout de Feiffer et l'avait rencontré par le passé, a pris contact avec lui en février 1986, tout en travaillant à d'autres projets, pour lui demander s'il accepterait d'écrire son prochain film. A l'invitation de Marin Karmitz, Jules Feiffer est venu en France au printemps de la même année, et Resnais, comme à l'accoutumée, lui a exposé un certain nombre d'idées et lui a proposé deux titres provisoires, *Stranded on the Riviera* (*Échoué sur la Côte*) et *The Deadly Deadline.* Jules Feiffer écrira trois versions successives du scénario, différentes du tout au tout mais qui conserveront le même personnage principal et qui auront toujours trait à l'opposition entre culture américaine et culture française. La seconde mouture, intitulée *Les Faux Amis,* met surtout l'accent sur la barrière du langage et les confusions qu'elle entraîne, aspect qui restera fortement présent dans le scénario définitif, daté du 20 juin 1988. Pour la troisième fois consécutive chez Resnais, c'est un scénario linéaire, encore que l'histoire soit entrecoupée de scènes imaginaires ou « hypothétiques », à la façon de certaines projections mentales de *La guerre est finie.* De plus, dans le prolongement des *glass-paintings* de *La vie est un roman,* le film confrontera les personnages réels avec deux chats de bande dessinée, Hepp Catt et Sally Catt (Pootie Catt dans le scénario), créés par Feiffer pour la circonstance et qui, incrustés sur l'image, dialogueront avec eux. Resnais, comme à son habitude, a divisé le scénario en actes, mais pour son seul usage : cette division n'apparaît pas dans le scénario de Feiffer et ne servira pas à Resnais dans son travail avec ses collaborateurs. Nous l'adoptons cependant pour le résumé qui suit.

PROLOGUE. Elsie Wellman, une jeune Américaine, prend l'avion pour Paris afin d'étudier Flaubert sous la direction de son maître à penser Christian Gauthier. Elle espère se prouver ainsi qu'elle ne peut être la fille de Joe E. (ou

Joey) Wellman, ce vulgaire auteur de bandes dessinées qui s'est enterré à Cleveland. Pendant le voyage, elle s'aperçoit qu'elle n'a pas réussi à se débarrasser de Sally Catt, une impudente chatte de bande dessinée créée par son père et qui lui apparaîtra périodiquement, dans une bulle, pendant tout son séjour.

PREMIER ACTE. « Deux ans plus tard... » Joey Wellman, soixante-six ans, en compagnie de Lena, sa maîtresse et assistante de vingt ans plus jeune que lui, se rend à Paris où il est l'invité d'une exposition de bande dessinée, mais en réalité dans l'espoir de retrouver sa fille Elsie dont il est sans nouvelles depuis deux ans. Lui aussi est accompagné d'un insolent chat de bande dessinée, le héros de sa série *Hepp Catt,* qui lui prédit que ce premier séjour à l'étranger, dans un pays dont il ne connaît pas la langue, lui sera mortel. A Paris, Joey rencontre mésaventure sur mésaventure et ne songe qu'à regagner les États-Unis. Elsie, l'apercevant avec Lena qu'elle ne peut souffrir, ne se rend pas au vernissage de son exposition, mais Joey est pris sous l'aile d'un professeur au Collège de France, grand amateur de bande dessinée et de culture américaine, qui n'est autre que Christian Gauthier, le directeur de recherche d'Elsie. Le lendemain, après que Joey a enfin revu sa fille qui lui a témoigné son mépris, Christian Gauthier l'invite ainsi que Lena à passer un week-end à la campagne dans le manoir de sa mère Isabelle. Elsie, incrédule, s'y rend de son côté dans l'espoir de remettre sa thèse à Christian Gauthier.

DEUXIÈME ACTE. Au manoir, tandis que Gauthier, qui a réuni quelques amis, ne prête aucune attention à Elsie et à son manuscrit, Joey, sous l'œil réprobateur de Lena, est considéré pour la première fois de sa vie comme un artiste à part entière.

TROISIÈME ACTE. Le soir, en l'honneur de Joey, Gauthier organise une fête costumée dont le thème sera les personnages de bande dessinée. Au terme de chassés-croisés continuels parmi les invités, Joey surprend Lena dans les bras de Gauthier. Sur le point de quitter le manoir, cependant, il noue vraiment connaissance avec Isabelle, la mère de Gauthier. Harry Dempsey, un metteur en scène américain installé en France, qui cherche partout sa femme volage, déclenche une bagarre générale. Les masques tombent. Lena, sous les yeux de tous, déchire en morceaux la thèse d'Elsie qui a entendu Gauthier se moquer d'elle. Sur le chemin de l'aéroport, dans un petit village voisin où il supplée par ses dessins à la barrière des langues, Joey se réconcilie avec la France et avec Elsie, à qui il dessine Sally Catt, qu'il avait créée pour elle alors qu'elle était enfant.

ÉPILOGUE. Elsie, qui voulait devenir française, reprend l'avion pour les États-Unis avec Lena. Joey, qui voulait rentrer à la maison, décide de rester en France avec Isabelle.

Le scénario a beau être signé Jules Feiffer, il porte à chaque page l'empreinte d'Alain Resnais. Il repose sur un principe très conscient et avoué de la part de celui-ci – pour ne pas dire l'un de ses principes de base – et particulièrement marqué dans ses deux premiers films avec Gruault : alterner les mouvements de sympathie et d'antipathie du spectateur à l'égard des personnages, jouer sur un va-et-vient perpétuel entre l'identification et la distanciation ou la désolidarisation. Le scénario de *I Want to Go Home* présente surtout des parentés criantes avec celui de *La vie est un roman,* au point d'en apparaître par moments comme un remake, jusque dans la filiation commune (involontaire mais consciente de la part de Resnais) avec *La Règle du jeu* de Renoir. Comme dans *La vie est un roman,* chaque personnage sera tour à tour attirant et repoussant, touchant et odieux. Chacun, aussi, se montrera vulnérable et verra sa faille dévoilée au grand jour, comme dans *Follies* et d'autres comédies musicales de Stephen Sondheim – la référence esthétique majeure, avec Milan Kundera, de Resnais depuis bientôt vingt ans –, à l'atmosphère desquelles on pense d'un bout à l'autre du scénario.

Au reste, si le scénario, malgré de brèves citations de chansons de Cole Porter, George Gershwin ou Jule Styne, ne fait aucune allusion à ce que sera la musique du film, il est manifeste que *I Want to Go Home* pourra être décrit, ainsi que Resnais le faisait de *L'Année dernière à Marienbad,* comme une « comédie musicale sans chansons ». Les références sont particulièrement explicites à l'égard d'*Un Américain à Paris* : non seulement ce titre résume l'une des idées-forces du scénario, mais *I Want to Go Home* est encadré de deux apparitions de Hepp Catt chantant *I'll Build a Stairway to Paradise* à la façon de Georges Guétary dans le film de Minnelli, et une scène entière – celle de Joey au village – apparaît comme un démarquage, jusque dans le leitmotiv des dialogues (« *You got it* »), de la variation sur *I Got Rhythm* chantée par Gene Kelly en compagnie d'enfants parisiens. Aussi Resnais, pendant l'écriture et la préparation du film, s'est-il constamment imprégné de comédies musicales. *I Want to Go Home* est conçu à l'ombre de la comédie musicale américaine, de Stephen Sondheim, mais aussi de Kurt Weill, le compositeur qui, pour son œuvre américaine au moins autant que pour son œuvre allemande, succéda à Bach dans l'analyse que mène Resnais de l'univers musical. Comme souvent chez Resnais, la musique contribuera à donner *in extremis* son ton et son sens à ce qui n'est encore qu'un scénario. Le texte de Feiffer, en effet, riche en ruptures de ton, ne suffit pas à préjuger de ce que sera le film, et peut donner lieu à deux films différents selon qu'il est mis en scène par un réalisateur américain ou français. Resnais, qui s'est plu à présenter ses films les plus noirs comme des comédies, parle cette fois de *I Want to Go Home* comme d'une « pochade ». Les différentes étapes de la réalisation consisteront à élucider progressivement le ton du film : lequel l'emportera, si du moins l'un doit l'emporter, du doux et de l'amer, du sucré et du salé?

En sus du scénario, Jules Feiffer a remis à Resnais, sur sa demande, les biographies imaginaires des sept principaux personnages. Présentées comme le résultat d' « entretiens » approfondis menés avec les personnages, ces biographies racontent un autre film, une autre histoire – celle qui précède le début de *I Want to Go Home* – et éclairent entièrement la lecture du scénario. Elles ont avant tout pour fonction de démêler l'écheveau des relations entre les trois personnages principaux, Joey, Elsie et Lena, en introduisant un personnage absent du film sinon par allusions : Sophie Wellman, la mère d'Elsie, tombée enceinte de son deuxième enfant alors que Joey était à la veille d'abandonner le domicile conjugal pour rejoindre Lena (il ne le fera effectivement que quelques années plus tard), et qui réussira à éloigner Elsie de son père pendant toute son enfance. Si les comédiens auront le droit de refuser certaines hypothèses, ces biographies, dont le contenu n'effleurera à l'écran qu'au détour d'une réplique, d'un geste ou d'une mimique, gouverneront leur travail de préparation comme celui de l'équipe tout entière. S'y ajoutent une dizaine de pages dans lesquelles Feiffer détaille de façon systématique les goûts des personnages : opinions politiques, lecture de journaux, sports, hobbies, goûts culinaires, boisson, tabac et état de santé... Mais, surtout, goûts artistiques, patiemment énumérés dans chacun des domaines de l'art, Feiffer allant jusqu'à préciser si les personnages connaissent et apprécient ses propres bandes dessinées et les films d'Alain Resnais. Ces notes sur les goûts artistiques revêtent d'autant plus d'importance que le scénario, qui abonde en noms d'artistes et titres d'œuvres, traite de l'opposition entre culture américaine et culture française, entre culture populaire et culture savante – entre artiste et artisan.

LA MISE EN ROUTE

C'est bien avant l'achèvement du scénario définitif que sont choisis les trois principaux comédiens : Adolph Green (Joey Wellman), Linda Lavin (Lena) et Laura Benson (Elsie), qui tous trois travaillent pour la première fois avec Resnais et n'ont jamais tenu de rôle aussi important au cinéma. Comédien et chanteur, « mélange de Roger Pierre et de Gielgud » selon l'expression de Florence Malraux, Adolph Green a écrit avec sa partenaire Betty Comden le livret et les paroles – ou le scénario – d'une quinzaine de comédies musicales pour la scène ou pour l'écran, dont *Un jour à New York, Chantons sous la pluie* et *Tous en scène.* S'il ne chante ni ne danse dans le film – pas plus que Ruggero Raimondi ne chantait dans *La vie est un roman* –, sa présence, à laquelle font écho deux citations de ses chansons dans les dialogues, ne pourra qu'accentuer le parfum de comédie musicale du scénario. Remarquée par Resnais à New York dans la pièce de Neil Simon *Broadway Bound* dont elle tenait le rôle principal, Linda Lavin a joué au théâtre *Petits Meurtres sans importance* de Feiffer en 1968 et a remporté un succès considérable à la télévision avec la série *Alice.* Resnais, pour elle comme pour Adolph Green, a longtemps attendu avant de faire part de son choix à Jules Feiffer, qui les connaissait pourtant personnellement l'un et l'autre, et a pris contact avec eux plus d'un an avant le tournage, une fois la deuxième mouture du scénario achevée. Laura Benson, enfin, comédienne anglaise travaillant en France, a été l'une des élèves de l'École des Amandiers de Nanterre dirigée par Patrice Chéreau et Pierre Romans et a été remarquée par Resnais dans *Hôtel de France* de Chéreau, son premier film. Resnais l'a contactée près d'un an avant le tournage, en se gardant de lui dire qu'il lui destinait le rôle féminin principal de son film, et a d'emblée commencé à travailler avec elle : lectures, improvisations, « interview » par Resnais du personnage d'Elsie Wellman, séances de photographie qui lui permettront de savoir comment l'éclairer. De son côté, Adolph Green viendra à Paris passer une semaine de travail intensif avec Resnais. Deux autres comédiens, français ceux-là, sont également choisis très tôt : François-Éric Gendron (Lionel, un critique d'art caustique) et Caroline Sihol (Dora, la femme volage du metteur en scène Dempsey), avec qui Resnais avait plus envie de tourner qu'il ne disposait véritablement d'un rôle pour elle. Il a donc communiqué des photos de la comédienne à Feiffer, qui a réécrit certaines scènes et a inséré de petites touches supplémentaires au sujet de son personnage comme de celui de François-Éric Gendron.

Les deux premiers contrats signés, bien avant la préparation, sont cependant ceux d'Adolph Green et de Gérard Depardieu, qui entre-temps a donné son accord immédiat pour interpréter Christian Gauthier, le professeur au Collège de France, personnage à la fois secondaire et essentiel. Marin Karmitz réunit le financement, demande à Christian Ferry, qui se chargera notamment des contacts avec les artistes américains, d'être délégué de production, et engage un directeur de production d'autant plus proche du metteur en scène et des acteurs qu'il a lui-même été comédien, Yvon Crenn. Celui-ci estime le devis du film à quarante et un millions de francs, chiffre élevé pour le cinéma français d'aujourd'hui encore qu'il corresponde, compte tenu de l'inflation, à celui de *Providence*. L'équipe de tournage est importante : cinquante personnes. Les techniciens, qui avaient consenti des sacrifices financiers pour *Mélo,* sont cette fois rémunérés 20 % au-dessus du minimum syndical – sauf le directeur de production lui-même, qui ne s'accorde que 5 % en raison de son « manque d'expérience ».

L'atelier d'Alain Resnais, avec ce nouveau film, est marqué à la fois par une permanence et par une certaine évolution. Outre Florence Malraux, on retrouve à nouveau Jacques Saulnier, Catherine Leterrier, Sylvette Baudrot (Hélène Sebillotte passe son tour dans l'alternance des scriptes en raison du tournage en anglais) et Albert Jurgenson. L'insistance avec laquelle Resnais a tenu à ce que Catherine Leterrier supervise les costumes du film en dépit de son engagement sur une coproduction internationale de longue haleine indique bien que l'important à ses yeux est de retrouver les mêmes collaborateurs en amont (décors et costumes) et en aval (montage) du tournage, tandis que la composition de l'équipe de plateau pourra varier plus volontiers d'un film à l'autre. Le directeur de la photographie et le cadreur, Charlie Van Damme et Gilbert Duhalde, sont ceux de *Mélo.* Deux nouveaux venus [1], enfin, complètent cette équipe : Resnais s'est adressé, Pierre Gamet n'étant pas disponible, à l'ingénieur du son Jean-Claude Laureux, collaborateur de Louis Malle et Jacques Doillon, et a pris comme premier assistant Yann Gilbert, qui a travaillé avec Oshima, Altman et Malle et se destine à la réalisation. La séparation des tâches entre les deux premiers assistants réalisateurs, pendant la préparation comme sur le plateau, sera ici beaucoup plus marquée qu'avec Jean Léon : l'essentiel du travail habituel du premier assistant sera en fait accompli par Yann Gilbert, tandis que Resnais, pour désigner au générique le rôle de Florence Malraux, coordinatrice davantage qu'assistante, forgera l'expression d'*executive mentor* (« mentor exécutif »), une contradiction dans les termes.

Resnais donne à tous les comédiens et techniciens un ensemble de documents dont le contenu varie d'un colla-

1. Auxquels il faut ajouter la maquilleuse attitrée de Truffaut, Thi-Loan Nguyen, qui pourrait devenir celle de Resnais.

borateur à l'autre mais qui contient toujours, outre les notes biographiques déjà citées, une documentation importante sur les carrières respectives de Jules Feiffer, Adolph Green et Linda Lavin, ainsi que l'enregistrement du spectacle anthologique *A Party with Betty Comden and Adolph Green.* Laura Benson, sur qui se concentre le travail de préparation, a droit pour sa part à un matériau particulièrement abondant.

Le début du tournage est fixé de manière impérative à septembre 1988 par le calendrier de Gérard Depardieu, qui enchaîne plusieurs films coup sur coup. La version définitive du scénario ne parvient à la production que deux mois et demi avant cette date, alors que la préparation est déjà enclenchée et les principaux techniciens engagés. Il manque donc trois ou quatre semaines de préparation pour que tout soit vraiment mis en place. Première conséquence : Alain Resnais, pour l'unique fois de sa carrière, ne peut disposer des quelques jours nécessaires à l'établissement du découpage. Celui-ci sera donc établi pendant les répétitions et surtout au cours du tournage.

LA PRÉPARATION

Pendant les trois mois que dure la préparation, de juin à août 1988, l'organisation administrative du film se met en place tandis que le style visuel se dessine peu à peu à mesure des conversations entre Resnais et son équipe. Jacques Saulnier, comme de coutume, est le premier collaborateur à intervenir concrètement sur ce qui est désormais plus qu'un projet.

Resnais, dans l'idéal, aurait aimé construire pour chaque lieu deux décors différents qui correspondissent aux points de vue contradictoires des deux protagonistes : Paris aurait été exaltant pour Elsie et cauchemardesque pour Joey. L'idée sera aussitôt abandonnée car irréalisable financièrement, mais elle se retrouvera partiellement dans le choix de certains décors naturels, dicté par l'état d'esprit du personnage, et dans la lumière. Une partie importante du film sera tournée en studio. Le décor principal, l'intérieur du manoir « fin de siècle » de la mère de Gauthier, dans lequel Resnais doit tourner un tiers du film, est conçu en fonction de Micheline Presle, choisie entre-temps pour le rôle d'Isabelle et qui doit s'y sentir chez elle. Vu de l'intérieur, ce décor de 23 x 15 m, qui remplit les trois quarts d'un des plateaux d'Épinay-sur-Seine, ne se distingue en rien d'un vrai manoir. En le faisant visiter, Jacques Saulnier explique comment le moindre détail provient du scénario, est déterminé par une donnée dramaturgique précise.

Catherine Leterrier dessine les maquettes des costumes créés pour le film et conçoit le style d'ensemble, déléguant la recherche des costumes préexistants à ses deux assistantes : Aude Howard, à New York, s'occupe des vêtements destinés aux comédiens américains (il n'était pas question de les acheter en France), tandis qu'Hélène Robin, chargée des vêtements français et de la finition, suivra le tournage en l'absence de Catherine Leterrier. Le plus gros du travail concerne les costumes de bande dessinée pour la fête au manoir, quoique Resnais tienne à ce qu'il s'agisse de déguisements improvisés, qui puissent avoir été bricolés avec les moyens du bord. Les droits de certains personnages américains n'ayant pu être obtenus des éditeurs, Resnais, tout en faisant semblant d'être indécis, se montrera inébranlable sur le choix des solutions de remplacement, en se retranchant au besoin derrière son scénariste. Les couleurs primaires des costumes – le spectateur doit pouvoir reconnaître chacun d'entre eux du premier coup d'œil – ne seront volontairement pas harmonisées entre elles, de façon à favoriser les dissonances. Resnais donne pour cela à Catherine Leterrier une raison différente à chaque fois, mais une couleur, à nouveau, revient souvent : le rouge, notamment pour Micheline Presle.

Jacques Saulnier montre très tôt ses plans au directeur de la photographie Charlie Van Damme, qui vient régulièrement visiter les décors en construction. Le registre de base de la lumière sera en partie déterminé par les incrustations des personnages dessinés Hepp Catt et Sally Catt.

Resnais, à plus forte raison dans la mesure où il entamera le tournage de son film peu avant la sortie en France de *Qui veut la peau de Roger Rabbit*, tient à ce que ces deux chats évoquent toujours spécifiquement la bande dessinée et non le dessin animé (non seulement leur corps restera immobile quand ils bougeront les lèvres, mais leurs gestes et leurs changements d'expression seront décomposés, passant d'un dessin à un autre de façon discontinue). Alors que la comédie – puisque, rappelons-le, Resnais présente son film comme une pochade – appelle traditionnellement un éclairage neutre, qui permette de tout voir parfaitement et où rien ne vienne contrecarrer la lisibilité du jeu des comédiens, ces apparitions de personnages dessinés permettent donc, pour ne pas dire exigent, un travail de la lumière plus volontaire, plus décalé, d'autant que le film comportera aussi un certain nombre de prises de vues ouvertement truquées, de maquettes, de transparences dont certaines évoqueront le conte de fées. Après l'intrusion de la bande dessinée dans l'image, la fête au manoir, menaçante et quasi onirique, est l'autre donnée visuelle fondamentale du film : Resnais et Van Damme opteront pour des ombres projetées souvent anamorphosées et amplifiées, pour une sorte de distorsion expressionnisante. De plus, Resnais, comme il l'a fait dans plusieurs de ses films précédents en s'inspirant de la bande dessinée et en premier lieu de Milton Caniff, prendra la liberté de changer la lumière d'un plan à l'autre, de ne pas toujours s'en tenir à une continuité « réaliste » de l'image : dans la chambre d'Isabelle, par exemple, la couleur du papier peint changera selon que l'éclairage en accentuera tantôt la chaleur, tantôt la froideur. Après le prologue, dans lequel une maquette d'avion sera filmée devant un faux ciel bleu nuit, le style visuel du film devra donc trouver un équilibre entre des moments quotidiens, neutres, où les intentions de lumière ne se sentent pas, et d'autres où les déformations expressives seront plus accentuées. Le film n'est donc plus seulement une comédie, ou plutôt, comme le dit Charlie Van Damme : « *C'est une comédie, mais...* »

Les trois dernières semaines de préparation sont consacrées à des répétitions collectives. En présence de la

« mentor exécutif », du directeur de la photographie, du cadreur et de la scripte, Resnais répète avec Adolph Green, Linda Lavin et Laura Benson deux semaines en décors naturels ou dans les locaux de la FEMIS, où Jacques Saulnier a dessiné sur le sol son plan en dimensions réelles. Puis, quoique le décor ne soit pas tout à fait achevé, des répétitions plus approfondies réunissent en studio les principaux comédiens et une grande partie de l'équipe technique, perchman et chef machiniste compris. Le metteur en scène et son équipe voient ainsi les comédiens bouger dans le décor principal du film, mais aussi les entendent. Resnais, qui a choisi ses comédiens en fonction de la façon dont les différentes voix allaient jouer les unes avec les autres, a demandé comme de coutume à l'ingénieur du son Jean-Claude Laureux de retranscrire les voix dans leur spectre entier, d'être avant tout fidèle au grain des voix – d'être responsable, en d'autres termes, de la haute fidélité. Jean-Claude Laureux, qui travaille en bipiste, utilisera des micros électrostatiques Neumann souvent employés pour enregistrer les chanteurs d'opéra, dont l'inconvénient au cinéma est qu'ils sont relativement peu directionnels, mais dont la bande passante est exceptionnellement fidèle. Dans quelques scènes cependant, lorsque les conditions de travail et le décor excluront d'emblée que le son direct puisse être conservé, Laureux changera de micro afin d'obtenir un meilleur résultat provisoire : Resnais, à chaque fois, entendra la différence lors de la projection des rushes.

Entre-temps, la distribution a été complétée. Le rôle de l'écrivain Terry, quoique masculin dans le scénario, est confié à Geraldine Chaplin et devient un prolongement plus fébrile et plus âcre de la Nora Winkle de *La vie est un roman*. Resnais, la veille de sa première séance de travail avec la comédienne, a rédigé lui-même la biographie de son personnage, qui ne trouvera pourtant sa forme définitive qu'au tout dernier moment. Fondé au départ sur le critique dramatique anglais Kenneth Tynan, le rôle passera en effet par un état intermédiaire (Terry sera alors américaine et inspirée de Susan Sontag) avant que Resnais, le jour même du tournage de sa première scène, décide de revenir à la conception initiale et donc à l'accent anglais : en sus du français, l'anglais, comme dans *Providence*, interviendra en contrepoint de l'américain, le mélange des voix sera aussi celui des accents. Le changement de sexe de Terry (le prénom est aussi bien masculin que féminin) entraîne celui de sa « maîtresse haïtienne », qui devient un amant anglais dont le nom n'est jamais prononcé. Il sera joué par Georges Fricker, qui a suivi les cours d'art dramatique de John Strasberg et dont c'est le premier vrai rôle au cinéma. Faute de biographie rédigée, Resnais, au cours des répétitions, lui insufflera le passé et les aspirations du personnage par bribes, par petites touches de couleur de plus en plus précises. Quoique rien ne doive l'indiquer à l'écran, le compagnon de Terry est un écrivain fasciné par le cinéma et qui vient de consacrer un scénario à Wagner : son personnage, faible et fragile, se transformera en superhéros lors de la fête costumée où il se déguisera en Spider-Man. John Ashton, venu du théâtre et que Resnais a vu au cinéma dans *Le Flic de Beverly Hills* et *Midnight Run* de Martin Brest, interprète le metteur en scène Harry Dempsey, rôle pour lequel Resnais avait également pensé à Albert Finney et à Charles Durning. Réalisateur de série B dont la carrière déclina spectaculairement après son premier film à gros budget et qui, reconnu par les revues de cinéma françaises, s'est installé à Paris, Harry Dempsey représente pour le cinéma l'équivalent de Joey Wellman : l'artisan soudain considéré comme un artiste. Le film comporte enfin de nombreux petits rôles qui sont tous donnés à des comédiens de théâtre, dont certains ont déjà joué dans *Muriel*, *La guerre est finie* ou *Mélo*, et à qui Resnais a demandé comme une faveur s'ils accepteraient de venir tourner dans son film.

Le début du tournage, on l'a dit, est fixé depuis longtemps au 5 septembre. En raison des dates de Gérard Depardieu, il a fallu regrouper au début du plan de travail toutes les séquences dans lesquelles il joue et notamment celles du manoir, qui occuperont quatre des onze semaines de tournage prévues. Le film ne sera donc pas tourné en continuité. La séquence du vernissage de l'exposition de bande dessinée, sur le tournage de laquelle ce compte rendu s'attache plus particulièrement, n'est donc abordée qu'à la mi-octobre bien qu'elle se situe dans le premier acte. Tournée en décor réel, cette séquence nécessite la présence de cinquante-cinq figurants chargés d'incarner les invités du cocktail et les dessinateurs dont les œuvres sont exposées. Si elle ne permet pas d'observer Laura Benson au travail, elle met aux prises la quasi-totalité des personnages principaux du film : le spectateur découvrira dans cette scène un grand nombre de personnages qu'il retrouvera constamment par la suite.

DANS LE LABYRINTHE

Le décor de la galerie d'art a été « repéré » dès le mois de juin par Florence Malraux, qui a visité quelque soixante-cinq galeries parisiennes. La galerie du Marais finalement retenue l'a été en fonction de deux critères principaux : ses dimensions, et la présence d'un escalier intérieur nécessaire aux jeux de scène prévus par Resnais. Si cet escalier mène dans la réalité à un bureau surplombant la galerie, il représentera dans le film l'entrée de l'exposition : un rez-de-chaussée est ainsi transformé en sous-sol. La galerie est en outre parfaitement accessible pour les véhicules techniques, et moins bruyante que d'autres. Elle dispose pourtant d'une ambiance sonore à la fois réverbérante et très perméable aux sons extérieurs : elle présente un inconfort évident en comparaison du travail en studio, et le tournage sera souvent ralenti le temps de bloquer la circulation ou d'attendre le passage d'un bus.

Une fois rempli par l'« exposition » qu'ont aménagée Jacques Saulnier et l'ensemblier Philippe Turlure pendant que Resnais tournait les séquences du manoir, le rectangle de la galerie vide est devenu un labyrinthe plein de coins et de recoins et au centre duquel se trouve, seul élément régulier, un espace circulaire : les visiteurs décrivent un cercle complet pour faire le tour de l'exposition. Au centre de cet espace, renforçant cette disposition circulaire, trône une statue géante de Spider-Man, l'Homme-Araignée, construite par un sculpteur d'après une figurine rouge et bleue qu'on trouve dans le commerce. L'occiput de cette statue aux deux visages est recouvert d'un masque représentant Stan Lee, le créateur et scénariste de Spider-Man et d'autres superhéros torturés comme The Hulk et The Fantastic Four [1]. La statue tourne sur elle-même (dans le sens des aiguilles d'une montre) en cinquante-cinq secondes : sa rotation, qui obligera à une grande minutie, sera une donnée essentielle du tournage. L'exposition de bande dessinée, à en croire l'affiche apposée ici ou là, regroupe une vingtaine de dessinateurs, mais la salle où nous nous trouvons ne compte que neuf exposants : outre Joe E. Wellman, le seul dessinateur « factice », on relève les noms de Chaland, Crepax, Forest, Franquin, Mandryka, Mézières et Pratt, sans oublier Bilal, l'auteur des décors imaginaires de *La vie est un roman*. La sélection, qui ne correspond pas tant aux goûts personnels d'Alain Resnais qu'à un souci d'éclectisme et de crédibilité sociologique, a été délicate : il faudra s'excuser auprès des absents. Par souci d'équité, Resnais montrera à l'image les œuvres d'autres dessinateurs dans une scène précédente du film, celle des préparatifs de l'exposition, où le décor de la galerie a été planté pour le spectateur. L'exposition proprement dite (l'un des quatre côtés de la pièce est tenu par un bar que l'on ne verra pas à l'image) est donc composée de neuf stands répartis en cercle autour de la statue. A l'entrée de chacun d'eux, près d'un panneau frontal, d'une « façade » permettant d'identifier d'emblée les exposants, se trouve une sorte de petit bureau derrière lequel les dessinateurs, assis, pourront signer leurs albums. Loin d'être uniforme, chaque stand, fait de panneaux de contreplaqué, a sa caractéristique interne, son mode d'organisation propre. Celui de Joe E. Wellman lui-même, qui permettra au spectateur de faire rapidement connaissance avec sa série *Hepp Catt*, verra sa forme définitive

1. Stan Lee écrivit pour Resnais dans les années soixante-dix les scénarios non tournés de *The Monster Maker* et *The Inmates*, et enregistra la litanie des cours de la Bourse en voix *off* pour l'épisode de *L'An 01* réalisé par Resnais, dans lequel joue également Lee Falk, le scénariste de *Mandrake le magicien* et du *Fantôme*.

dictée par le mouvement d'appareil qui ouvrira la séquence : il devra communiquer avec le stand voisin, celui de Guido Crepax. Sur les cloisons de contreplaqué sont accrochés sous verre, mariant délibérément le noir et blanc et la couleur, des agrandissements photographiques des planches ou des cases retenues auxquels se mêlent quelques documents originaux prêtés par les dessinateurs.

Le mélange du noir et blanc et de la couleur, renforcé par le blanc des murs de la galerie et le noir des costumes que porteront certains comédiens, complique singulièrement la tâche du directeur de la photographie : les couleurs de la scène se situent aux extrêmes de la palette que peut rendre une pellicule. Resnais et Charlie Van Damme, pour concevoir la lumière de la scène, ont en quelque sorte adopté le point de vue de l'un des personnages du film, la directrice de la galerie. La solution la plus simple, qui aurait également facilité le travail de l'ingénieur du son, aurait consisté à éclairer le décor entier de manière uniforme, en aplat, de disposer de grands bacs d'ambiance projetant une lumière diffuse et sans ombre. La galerie, à l'inverse, est remplie de projecteurs, quoique en un sens, explique Charlie Van Damme, elle ne comporte qu'un seul axe de lumière : tout vient des dessins exposés, même si chacun d'entre eux doit être éclairé séparément. Certains des projecteurs, choisis également pour leur aspect esthétique, sont du reste intégrés au décor et se verront à l'image. Cependant il ne s'agit pas uniquement d'une exposition, mais aussi d'un cocktail : les invités sont venus autant pour se montrer que pour regarder des dessins, et la responsable du lieu ne peut qu'avoir décidé, comme vont le faire à sa suite Resnais et Van Damme, d'ajouter de la lumière d'ambiance. Les comédiens qui circuleront dans la galerie baigneront donc dans une lumière résiduelle suffisante pour que même dans les mouvements d'appareil les plus complexes ils soient toujours vus et suivis très nettement. En définitive, chaque panneau, chaque position de comédien exigera un éclairage spécifique – et la place accessible à la perche en sera d'autant plus réduite, alors même que la configuration du décor et la présence d'une importante figuration conduiront Jean-

Claude Laureux à utiliser dans cette scène un micro plus directionnel et donc plus difficile à « percher ». On sait d'emblée, dans cette scène comme dans d'autres, qu'une proportion importante du dialogue devra être doublée : après deux films, *L'Amour à mort* et *Mélo*, où des conditions de tournage proches de l'idéal avaient permis de conserver la quasi-totalité du son direct, Resnais revient avec *I Want to Go Home* aux conditions de travail qui ont été celles de la plupart de ses films.

MERCREDI 12 : DANS LA MAIN DE SPIDER-MAN

La scène du vernissage est tournée du mercredi 12 au lundi 17 octobre 1988 : huit pages du scénario seront tournées en quatre jours. Le thème central de la scène n'est pas sans faire songer à la chanson *No Life* de *Sunday in the Park with George*, la comédie musicale de Stephen Sondheim, où un couple, au Salon de 1884, se gausse de *La Baignade à Asnières* devant Seurat et décrète que ce tableau ne possède aucune vie.

Joey Wellman, qui a déjà subi de nombreuses vexations depuis son arrivée à Paris et n'a toujours reçu aucun signe de vie de sa fille Elsie, l'attend en compagnie de Lena à l'exposition de bande dessinée dont il n'est que l'invité de dernière minute (son nom a été ajouté sur l'affiche *in extremis*) et où personne ne s'intéresse à son œuvre. Se mêlant à la foule, il entend une série de remarques mortifiantes à son endroit et, excédé, quitte la galerie avec Lena. A peine sont-ils dehors que surgit Christian Gauthier, qui reconnaît Joey et les entraîne à nouveau dans la galerie. A l'intérieur, Gauthier professe son admiration pour Joey et *Hepp Catt* et, après lui avoir présenté ceux-là mêmes qui l'avaient outragé sans le connaître, l'invite chez lui tandis que Lena restera sur place pour attendre Elsie. Scène de comédie ? Peut-être. Mais vue par les yeux de Joey – Adolph Green jouera le rôle avec une grâce touchante et désarmante –, elle est amère et cruelle. La scène du vernissage se prête aux mêmes différences d'interprétation que le film entier : les comédiens français le voient comme une comédie, alors qu'Adolph Green et Linda Lavin (ainsi que Florence Malraux) sont beaucoup plus sensibles à l'aspect noir et grinçant qui se dégage du scénario.

Puisque, on l'a dit, Resnais n'a pu établir de découpage écrit, ces quatre jours de tournage correspondent sur le papier non pas à un certain nombre de plans mais à trois scènes ou « numéros » du scénario : la scène 24 montre Joey et Lena dans la galerie, la scène 25 (qui sera tournée à l'extérieur de la galerie à la fin du quatrième jour) l'arrivée de Christian Gauthier qui les intercepte au moment où ils sortent, la scène 26 leur retour dans la galerie puis le départ, sans Lena, de Joey et Gauthier. La première journée de travail, consacrée à la première moitié de la scène 24, consiste à appliquer un découpage décidé au préalable, à tourner trois plans longuement répétés la veille au soir dans le décor. Les horaires de tournage sont de 12 h à 19 h 30. Lorsqu'on fait entrer, en début d'après-midi, les figurants sur le plateau, l'éclairage et la mise en place du premier plan sont achevés : il ne reste plus qu'à intégrer la figuration dans le décor. Les neuf « dessinateurs » sont choisis avec un souci de ressemblance minimale. La sélection opérée ensuite pour les figurants qui participeront au premier plan de la journée déterminera les déplacements de figuration dans la suite de la séquence.

Une fois la galerie remplie d'une centaine de personnes – comédiens, équipe technique et figurants –, la disposition des lieux fait davantage encore penser, le bourdonnement d'ambiance aidant, à une ruche d'abeilles. La complexité du décor contraint l'équipe technique à des contorsions, et dicte un cloisonnement. Pendant la préparation du premier plan, la caméra se trouve ainsi dans un stand, une « alvéole » avec le metteur en scène, le directeur de la photographie et le cadreur tandis que l'ingénieur du son est dans une autre « cage » et le perchman dans une troisième, de telle sorte que les deux premiers plans de la séquence seront préparés et tournés comme à l'insu du reste de la galerie. Florence Malraux et Sylvette Baudrot observeront donc leur mise en place dans un écran vidéo 8 mm qui fait partie du matériel de l'ingénieur du son Jean-Claude Laureux. Celui-ci est en effet assis devant un petit chariot qui, outre le magnétophone et la console de mixage, contient un moniteur vidéo de dimensions réduites qui, couplé à la caméra, permet de voir et d'enregistrer les répétitions et les prises, et donc de suivre les déplacements de la perche dans la « réserve » située autour du cadre proprement dit. Pendant la préparation du plan, Jean-Claude Laureux, qui dispose d'un micro d'ordre sur son magnétophone, communique avec le perchman Nicolas Naegelen pour affiner les déplacements de la perche en fonction du cadre précis qu'il a sous les yeux, ou regarde avec lui l'enregistrement des répétitions. Cet équipement n'empêche pas l'ingénieur du son de se placer autant que possible de façon à voir les répétitions « en direct » et dans l'axe, en passant constamment des comédiens en train de jouer à l'indication de la perche sur l'écran vidéo. C'est la première fois que Resnais dispose de cette installation sur son plateau : réticent au départ, il l'a acceptée d'abord à l'essai puis définitivement. Si Resnais ne s'en servira lui-même que très rarement, lorsqu'il lui sera impossible de se placer à proximité de la caméra (le risque évident de cet appareil, pour un metteur en scène, est de perdre le contact direct avec les comédiens), cet écran servira fréquemment à Sylvette Baudrot, Florence Malraux et surtout Yann Gilbert à qui il permettra de régler avec une plus grande précision la place de la figuration dans le cadre. Le magnétoscope, cependant, ne servira jamais de vérification immédiate des qualités ou des défauts d'une prise tournée, et les cassettes seront effacées au fur et à mesure.

Dans le plan que l'on répète, la caméra, montée sur un chariot-grue maniable et léger qui permet d'évoluer avec souplesse dans les décors, s'avance le long du « couloir » qui relie le stand consacré à Guido Crepax au stand Wellman où Joey lui-même (Adolph Green), seul, vêtu d'un costume de gabardine beige classique et banal, regarde ses propres dessins comme un visiteur anonyme et fait mine de découvrir la signature; pendant ce temps, la caméra a tourné à angle droit sur sa droite pour déboucher sur le reste de la galerie qui, lui, est noir de monde :

on voit alors Lena (Linda Lavin), derrière qui l'on distingue la statue de Spider-Man, venir à la rencontre de Joey et lui tendre un verre. Les motifs végétaux, pareils à du feuillage, de son chemisier noir et blanc et de son châle de soie damassé annoncent les vêtements et bijoux que porteront Laura Benson et Micheline Presle au manoir dans le deuxième acte. Le châle est d'un rouge profond et intense : c'est la seule vraie tache de couleur de cette scène volontairement dépourvue de dominante.

Yann Gilbert règle la figuration, ses déplacements mais aussi son niveau sonore. Resnais tient en effet à ce que les mouvements de figuration soient aussi spontanés et détendus que possible, et se refuse donc à demander aux figurants de faire semblant de parler pour pouvoir mieux enregistrer le texte des comédiens. Il ne s'occupera jamais en personne de la figuration : c'est à ses yeux la responsabilité exclusive du premier assistant. Ses indications à Yann Gilbert tiennent souvent en un ou deux mots précis, que l'assistant répercute à la figuration de façon beaucoup plus détaillée et explicite. Économe de paroles, Resnais, à mi-voix, parle en anglais, aux comédiens américains bien sûr, mais aussi aux membres de son équipe à chaque fois qu'Adolph Green ou Linda Lavin peuvent l'entendre. Son « *Répétition : action!* » rituel est remplacé par « *Rehearsal : action!* ». Les points d'exclamation sont à vrai dire superflus : Resnais ne donne pas d'ordres. Il cache son angoisse sous l'apparence de la quiétude, sa ténacité sous un semblant d'indécision qui ne l'empêche pas, en feignant de marquer un temps d'hésitation, de répondre sur-le-champ à la moindre question de ses collaborateurs et de donner en permanence l'impression d'être disponible.

La première prise de la journée – on sait que sur un tournage la majeure partie du temps se passe à attendre l'installation des plans – est lancée une heure après l'arrivée des figurants sur le plateau. La statue de Spider-Man est mise en branle : après chaque prise, il faudra arrêter sa rotation et la remettre dans sa position de départ. Resnais, très droit, suit tranquillement, impassiblement la caméra dans son trajet. Une fois parvenue dans le stand Wellman, l'équipe caméra disparaît aux yeux des autres techniciens.

Six prises seront faites de ce plan, les trois dernières, également bonnes mais où Adolph Green donne des nuances sensiblement différentes, seront tirées. Une fois la dernière prise achevée, Sylvette Baudrot prend un Polaroïd de la position exacte des comédiens, puis le photographe de plateau Jacques Prayer officie à son tour, sans avoir à respecter strictement la mise en scène du plan : Resnais, lors de leur première rencontre, l'a encouragé à agir en toute liberté et à s'éloigner de ce qui ne serait sinon que l'équivalent d'un photogramme. Au moment du choix cependant, Resnais, qui dispose par contrat d'un droit de regard sur les photos diffusées dans la presse, opérera comme à son habitude une sélection impitoyable, rejetant en particulier toutes les photos où il se trouvera l'air trop grave et sérieux.

Le décor de l'exposition, pendant les quatre journées de tournage dans la galerie, sera continuellement démonté et remonté à chaque nouvel axe de caméra. Les machinistes déplacent donc cadres, dessins et panneaux pour préparer le plan suivant, un raccord dans l'axe sur Linda Lavin : tandis que Spider-Man, à l'arrière-plan, seul élément mobile dans ce plan fixe, continue à tourner sur son socle, Lena, de face, adresse un sourire compatissant à Joey qui se trouve hors champ. Après les premières répétitions, une fois que les éclairages ont été réglés (à partir de la structure de base qu'il a élaborée avec Resnais, Charlie Van Damme corrige de plan à plan pour donner l'illusion de la même lumière), Yann Gilbert et le second assistant Philippe Dussau remettent les figurants dans leur position précédente et leur demandent de reprendre l'action qu'ils avaient interrompue. Sobre et parfaitement régulière dans son jeu, gardant de bout en bout une ligne extrêmement précise, Linda Lavin n'en varie pas moins imperceptiblement son interprétation en fonction des indications que Resnais, loin de l'équipe, lui donne à l'oreille entre les prises. Quand la caméra tourne, Resnais, plus encore que dans d'autres plans où l'attention est partagée entre plusieurs comédiens, regarde Linda Lavin avec un œil naïf et enfantin, prêt à s'émerveiller. Les quatre prises de ce plan plus simple seront toutes tirées. La statue de Spider-Man, malgré la minutie avec laquelle on règle son déplacement, n'a pas exactement la même position d'une prise à l'autre, mais la marge d'« erreur » du raccord avec le plan précédent passera inaperçue au montage puisque le regard du spectateur sera dirigé sur Linda Lavin. Le choix entre les quatre prises se fera donc uniquement en fonction des jeux de physionomie de la comédienne.

Puis c'est le plan le plus complexe et le plus long de la scène, et dont le tournage, commencé en fin d'après-midi, se poursuivra le lendemain. Joey, après s'être attardé dans le stand consacré à Bilal, fait le tour de l'exposition pour mieux écouter sans en avoir l'air les propos de cinq personnages qui exposent en anglais des points de vue divergents sur la bande dessinée : l'une des fonctions de ce plan d'une minute et demie est précisément de nous faire rencontrer, pour la première fois et d'une seule coulée, ces cinq personnages importants.

Lionel (François-Éric Gendron), le critique d'art au sourire crispé dont on devinera qu'il est l'ami d'enfance de Christian Gauthier, correspond d'emblée à l'image qui est donnée de lui dans le scénario : un petit furet. Son esprit de contradiction lui faisant jeter sur chacun et sur toutes choses, à commencer par la bande dessinée, un regard de dérision, il sera continuellement en décalage vis-à-vis des autres personnages, encore qu'il faille en réalité affirmer cela de chacun d'eux : de façon plus ou moins prononcée, aucun n'est à sa place parmi les autres, et cette discordance ira s'accentuant lors de la fête costumée. La romancière Terry (Geraldine Chaplin), la principale cible des attaques de Lionel, est un personnage que Resnais a dès le départ imaginé entièrement vêtu de noir. Afin de compenser le côté deuil de ses vêtements et d'ajouter de la lumière, elle porte des boucles d'oreille en strass semblables à des bijoux russes anciens, qui ne font paradoxalement que renforcer son air sinistre et menaçant. Son compagnon (Georges Fricker), dont la veste de lainage écossais, comme d'autres vêtements et bijoux dans cette scène, appartient au comédien, est visiblement l'élément dominé du couple, et le seul de ces personnages à ne pas être en représentation. Tonitruant et désabusé, véritable force de la nature, Harry Dempsey (John Ashton), le réalisateur de série B installé en France, renie la culture américaine en paroles mais l'affiche ostensiblement dans ses vêtements, du stetson aux bottes texanes en passant par une boucle de ceinture en argent incrustée de corail et de turquoise que John Ashton avait fait faire par des Indiens. Dora Dempsey, enfin (Caroline Sihol), porte un ensemble à mi-chemin entre le rose pâle et le sable, qui « prolonge » naturellement le teint doré et les cheveux blonds de la comédienne. Feiffer n'ayant pas écrit de biographie au sujet de ce personnage, Resnais a donné à lire à Caroline Sihol le livre d'une ancienne trapéziste de cirque qui fut l'une des égéries d'Éluard et qui représentait l'équivalent du « passé caché » de Dora Dempsey. Encore que Caroline Sihol n'ait pas de réplique dans cette scène, elle forme une complémentarité parfaite avec le « baryton » John Ashton par sa voix assez perchée et cristalline à la fois : à eux deux, côte à côte, ils couvrent un spectre sonore important, ils se complètent et se répondent sans se recouvrir. Entre tous ces personnages, à travers des gestes, des intonations, des regards furtifs, on entrevoit dans ce seul plan des relations complexes qui n'étaient en rien manifestes à la lecture du scénario, et qui proviennent des hypothèses de travail apportées par Resnais ou par les comédiens eux-mêmes : que Lionel, pour ne donner qu'un exemple, ait eu autrefois une liaison avec Terry modifie sensiblement la nature de leurs continuelles prises de bec et justifie la jalousie diffuse que l'on perçoit chez le compagnon de Terry. Resnais ayant en outre supprimé au cours des répétitions plusieurs répliques éclairant les relations de Terry et de son amant, celles-ci font partie à leur tour du soubassement des interprétations de Geraldine Chaplin et Georges Fricker, qui feront passer dans leur jeu ce qui auparavant était explicité par le dialogue.

Le plan que l'on s'apprête à tourner consiste en un chassé-croisé de ces différents personnages : ce sera un long mouvement tournant à 210° au cours duquel la caméra cadrera successivement, à l'arrière-plan, les différents stands de l'exposition pendant que le dialogue se déroulera de façon continue. La caméra, sans la statue de Spider-Man, aurait vraisemblablement pu être placée n'importe où. Mais cette statue ne représente pas seulement le centre du décor, elle constitue le pivot qui déclenche de façon toute naturelle un style de découpage caractérisé par des mouvements circulaires, des arrondis, et jusqu'à la forme que prend la déambulation des comédiens. Resnais et le cadreur Gilbert Duhalde prennent donc la décision de faire déboucher les personnages de derrière cette masse colorée en mouvement : la caméra partira de la main de Spider-Man en amorce pour suivre les comédiens, elle épousera en quelque sorte le point de vue de l'Homme-Araignée – ou plutôt le point de vue inverse, puisque la caméra tournera dans le sens contraire des aiguilles d'une montre – pour faire le tour de la galerie, la main de Spider-Man tournant un instant au premier plan enveloppant le mouvement d'appareil comme par un phénomène d'attraction magnétique. Les entrées et sorties de champ des comédiens seront constantes tout au long du plan avant que celui-ci ne se conclue sur une position de caméra fixe. Tandis que Joey, qui tend discrètement l'oreille à leur conversation, apparaît à plusieurs reprises devant la caméra pour disparaître aussitôt comme un ludion, Terry engage avec Lionel une polémique sur la valeur artistique de la bande dessinée, mais, son compagnon la tirant à lui, elle est continuellement en tenaille entre les deux hommes. Pendant ce temps la caméra, et Lionel avec elle, rejoint le couple Dempsey qui l'« attend » depuis le début du plan. Harry Dempsey s'en prend alors à la culture américaine (« *Notre peinture est morte, notre théâtre est mort, notre musique est morte, notre cinéma est mort* ») avant de s'accuser à son tour et de conclure en montrant les reproductions de *Hepp Catt*, alors que Joey se tient derrière lui à l'écouter : « *Je suis aussi mort que ces dessins de merde !* »

Le plan, qui joue sur la vitesse des déplacements, comporte aussi pour la figuration un grand nombre d'entrées et sorties de champ à régler tout au long du mouvement d'appareil. Yann Gilbert fait en sorte que les déplacements des principaux figurants raccordent parfaitement avec ceux du plan précédent, puis, après avoir ajouté de nouveaux « invités » dans le reste de la galerie, organise en liaison avec Gilbert Duhalde des déplacements de figuration qui s'accordent avec le rythme du mouvement de caméra et la découverte progressive, stand après stand, du décor presque entier. La figuration sert ici de fond, est située plutôt derrière les comédiens que devant eux. Resnais, au moins dans cette séquence, tient en effet à la compréhension et à la « lisibilité » immédiate du cadre et du jeu des comédiens. Si complexe que soit le mouvement d'appareil, les comédiens, qui ne se cachent pas non plus les uns les autres, sont bien exposés par rapport à la caméra, leurs déplacements sont clairs et compréhensibles. S'ils disposent d'un certain nombre de repères (la composition de l'image, au moment où ils prononcent certaines répliques, doit être impérativement respectée), cela ne signifie pas pour autant qu'ils aient des marques au sol, que leurs déplacements soient fixés avec une rigidité absolue. A l'intérieur du cadre prédéfini de manière globale, ils disposent en effet d'une grande souplesse, d'une marge de manœuvre certaine : c'est ce qui permet aux comédiens, même dans les mouvements d'appareil les plus élaborés, les plus labyrinthiques des films de Resnais, d'avoir l'impression de la plus grande liberté.

La complexité du plan rejaillit nécessairement sur le travail de l'ingénieur du son. Jean-Claude Laureux ajoute une seconde perche tenue par un stagiaire, et, puisqu'il lui faut faire ressortir le dialogue des comédiens, prend le parti de dissimuler dans leurs vêtements des microcravates, micros de proximité sans fil médiocres pour capter le timbre et qui n'impliquent nullement de prendre moins de risques avec la perche, qui reste prioritaire. Or, pour des raisons tout à fait contingentes (des policiers, particulièrement nombreux dans les rues avoisinantes où se déroule une manifestation, émettent sur les mêmes fréquences que les microcravates), ces instruments d'appoint se montreront vite inutilisables. Si l'ensemble du film, pour des raisons liées à l'ambiance sonore des décors mais aussi à une volonté de retoucher l'accent des comédiens

(Gérard Depardieu, en particulier, doublera la quasi-totalité de son texte), devra être postsynchronisé en auditorium dans une proportion de 50 %, la scène du vernissage devra l'être à plus de 80 %.

Dix prises se succéderont : les deux premières le jour même, les huit autres le lendemain, après de nouvelles répétitions et des modifications d'éclairage. Si certaines prises seront arrêtées en raison d'un problème technique ou d'une erreur d'un comédien, la principale difficulté est ici le réglage du déplacement sinueux d'Adolph Green, de ses apparitions et disparitions de l'image. La toute fin du plan – qui est aussi son moment le plus cruel –, où l'on voit Joey prêter l'oreille, juste derrière lui, aux propos de Dempsey et suivre son regard pour s'apercevoir qu'il s'en prend à ses propres dessins, connaîtra pour ainsi dire autant de versions qu'il y aura de prises : une épaule un peu plus à gauche ou plus à droite et le plan ne se « lit » plus de la même façon. Si les prises 6 et 8 sont jugées « bonnes » et même « très bonnes », seule la dixième et dernière sera tirée. Ce n'est pourtant tout à fait la meilleure ni sur le plan du rythme du mouvement d'appareil ni sur celui de la disposition des personnages à l'intérieur du cadre, mais c'est celle dont l'interprétation satisfait le plus le metteur en scène : la qualité du jeu des comédiens, pour Resnais, prime sur la perfection du travail de caméra. Le souci du confort des comédiens se retrouve dans les commentaires que Resnais, ici comme ailleurs, fait après les prises de vues. Un comédien commet-il une erreur de texte ou de déplacement, Resnais l'assure que « *le début était très bon* », que « *c'est le meilleur début que nous ayons jamais eu* », ou bien prétend devoir refaire le plan pour des raisons purement techniques. Son appréciation des différentes prises sera ainsi une escalade, souvent contradictoire, dans le compliment collectif : après avoir dit d'une prise qu'elle est « *parfaite* », il dira de la suivante qu'elle la dépasse et qu'elle est « *la première bonne* », avant de considérer une autre encore comme la meilleure et d'essayer malgré tout d'avoir... « *deux meilleures* ».

JEUDI 13 : LUCIENNE HAMON ET LE CONCOMBRE MASQUÉ

Cette première journée de travail dans le décor de la galerie a donc consisté à tourner trois plans longuement répétés au préalable. Le lendemain, après la poursuite du plan circulaire à 210°, Resnais aborde le découpage de la fin de la scène 24, qui nous fait revenir à notre point de départ, le stand de Joe E. Wellman, toujours vide de visiteurs mais où les cinq personnages avec qui nous venons de faire connaissance vont entrer tour à tour. Après avoir décrété, dans le plan précédent, que l'œuvre de Wellman était morte, Harry Dempsey explique qu'il aimait cette bande dessinée étant enfant mais que plus personne ne la lit aujourd'hui, et demande à la cantonade – toujours devant Joey – pourquoi on n'a pas plutôt invité Charles Schulz, l'auteur de *Peanuts*. Madame Roget, la directrice de la galerie, lui répond que ni Schulz ni d'autres grands dessinateurs américains n'étaient disponibles. Joey, ulcéré, prétexte l'abondance de fumée pour entraîner Lena vers la sortie.

Le spectateur connaît déjà le personnage de madame Roget (interprétée par Lucienne Hamon, qui jouait Juliette Watelet, la « sœur du curé », dans *La vie est un roman*) pour l'avoir vue éconduire Joey, son invité, pendant les préparatifs de l'exposition. Vêtue d'un tailleur noir et d'un chemisier blanc (elle s'était également habillée en noir et blanc, mais en salopette, pour s'occuper de l'accrochage), c'est un personnage à la fois mondain et béotien qui semble cependant ici très éloigné du personnage caricatural et tout d'une pièce du scénario. Resnais, qui porte sur les personnages et les situations un regard parfois moins féroce et acide que celui de Feiffer, a en effet émis l'hypothèse que madame Roget avait été aidée pour organiser cette exposition par quelqu'un qui au tout dernier moment lui a fait défaut : elle est obligée de se débrouiller seule dans un univers, la bande dessinée, auquel elle ne connaît rien, d'où son angoisse et sa nervosité qui atténuent sa grossièreté à l'égard de Joey.

Resnais, à l'origine, envisageait de traiter cette partie

de la scène en un plan unique, qui aurait duré une minute et demie et se serait enchaîné au long mouvement circulaire qui vient d'être tourné. Après avoir commencé à régler la scène avec Gilbert Duhalde en changeant constamment la place des comédiens dans l'alvéole Wellman, il renonce cependant à l'idée du plan long parce qu'il ne peut résister – du moins est-ce la seule raison qu'il donne à haute voix – à un de ces détails fortuits qui font partie des surprises du tournage : le profil gauche de Lucienne Hamon se découpant sur une reproduction en couleurs du Concombre masqué (les stands Wellman et Mandryka sont contigus). Placer madame Roget en retrait, à la lisière des deux stands, permet en outre de conserver une disposition plus aérée à l'intérieur de l'alvéole Wellman, cette impasse étroite sur les parois de laquelle venaient déjà buter six personnages, ainsi que de renforcer une notation qui, si discrète, si ténue soit-elle, contribue à la mise en évidence du décalage des différents personnages les uns par rapport aux autres : madame Roget n'est jamais en contact avec les gens importants. Ce choix de mise en scène – qui donne lieu au plan le plus rapproché sur un comédien, et ce pour un personnage secondaire – dictera le reste du découpage, Resnais se servant de ce plan sur Lucienne Hamon (en réalité le premier de deux plans au cadrage identique) pour faire un saut dans l'axe et se rapprocher du groupe de comédiens dialoguant devant les reproductions de *Hepp Catt*. Une proposition de John Ashton, enfin, achève de donner sa forme à la scène. Le comédien suggère en effet, lorsque Dempsey se présente à Joey qu'il a finalement reconnu, d'ajouter la phrase énigmatique par laquelle se termine chacune des planches de *Hepp Catt* et qui sert de cri de ralliement à ses admirateurs : «*Ain't that the berries*[1] *?* » Resnais donne aussitôt son accord, mais choisira un peu plus tard de placer cette réplique lorsque Joey et Lena sortent du champ pour quitter la galerie : la caméra restera ainsi

1. L'expression familière « *It's the berries* », couramment employée au sens de « *C'est épatant* » dans les années vingt et au début des années trente, a depuis lors totalement disparu.

sur Dempsey qui lève le bras dans leur direction et lance bruyamment sa réplique, qui conclura la scène 24.

La partie de la scène située dans le stand Wellman est alors tournée en continuité avec tous les comédiens, puis on tourne les deux contrechamps sur Lucienne Hamon et le Concombre masqué qui viendront s'insérer dans son déroulement. Deux prises, toutes les deux tirées, sont faites du premier plan, et quatre du second. On tourne enfin, avec toute la figuration, une grande plongée sur l'ensemble de la galerie qui prendra place au tout début de la scène de façon à situer le décor. Le tournage est terminé pour la journée – mais non le travail, car une répétition s'annonce. On congédie les figurants, les électriciens éteignent les projecteurs : *« On a besoin de tous les acteurs. »* Et le spectacle commence : Gérard Depardieu, entre-temps, est arrivé.

L'OURAGAN DEPARDIEU

L'atmosphère sur le plateau, pendant ces deux jours de tournage, était à la fois concentrée et détendue, propice à l'humour et au sourire. Comme le dira Geraldine Chaplin, ce climat de confort et de sérénité est propre à Resnais quelle que soit l'équipe : Resnais crée sa propre ambiance dès le premier jour de tournage. Son impassibilité attentive, sa froideur chaleureuse sont communicatives. C'est le règne d'une courtoisie sans apprêt, de mœurs policées sensibles dans les belles formules d'excuse que trouvent spontanément les comédiens qui se trompent dans leur texte. La complicité générale est silencieuse, feutrée (en quatre jours, on n'entendra jamais parler Charlie Van Damme), les signes plus importants que les paroles. Il n'est pas rare d'entendre Resnais rire tranquillement, à chaque répétition puis à l'issue de chaque prise, à telle ou telle réplique, et entraîner l'équipe dans son rire. Le plateau est une cour de récréation où l'on travaille en s'amusant. Les comédiens qui ne jouent pas dans la scène sont du reste les bienvenus sur le tournage, et trouvent leur interlocutrice privilégiée en Florence Malraux, dont le rôle sur le plateau, diffus, strictement invisible de l'extérieur, est peut-être d'assurer la liaison entre les comédiens et le metteur en scène (on la verra souvent prendre à part un comédien pendant que Resnais converse avec le chef opérateur ou le cadreur), mais est surtout d'être responsable, à parité avec Resnais, du climat d'harmonie qui préside au travail de l'atelier.

Mais aussitôt que Depardieu a fait irruption sur le tournage, c'est lui qui donne le tempo, qui impose son rythme. Son dynamisme électrise tout le plateau, il entraîne l'équipe dans son tourbillon : vitesse accrue des déplacements, débit parfois précipité. Resnais, qui vouvoie la plupart de ses collaborateurs y compris certains des plus anciens, tutoie Depardieu qui ignore le vouvoiement. La rapidité de réaction de Depardieu à ses indications, dont la plupart, contrairement à celles destinées aux autres comédiens, sont prononcées à voix haute, est fulgurante. A peine Resnais émet-il une suggestion qu'elle se trouve aussitôt matérialisée par le comédien, qui passe d'une humeur à l'autre dans le même mouvement, sans transition apparente, avec un plaisir évident à jouer. Depardieu voit tout, entend tout. Tandis que Resnais parle devant lui du « *cerveau insensé d'Umberto Eco* » (l'un des « modèles » du personnage de Gauthier) qui accomplit trois opérations mentales simultanées en un contrepoint perpétuel, de ces gens capables d'entendre jusqu'à six voix distinctes à la fois ou des *Suites pour violoncelle* de Bach dans lesquelles l'on croit entendre quatre instruments quand il n'y en a qu'un seul, Depardieu lui-même, tout en l'écoutant, suit deux autres conversations simultanées et enregistre successivement du regard une multitude d'informations de tous ordres. Pendant les répétitions, il éprouve une sorte de jubilation à s'approprier le texte, qu'il parsème, aussi bien en anglais qu'en français, d'accentuations excentriques, comme pour faire ressortir le plaisir que lui procure chaque syllabe. S'il bute systématiquement, dans son texte anglais, sur le seul mot adopté par la langue française, *remake,* c'est comme pour s'inventer une difficulté, un prétexte pour contredire son aisance. Il ajoute des mots qu'il enlèvera le lendemain pendant le tournage mais qui lui permettent de préserver la fraîcheur et la spontanéité de la première prise, reportant alors l'accentuation sur une autre syllabe pour donner une nouvelle vie à la phrase. Contrairement aux apparences, pourtant, Depardieu, qui prend ses places instinctivement et sait à la perfection ce que le moindre détail technique signifie, sera un comédien très facile à suivre pendant les prises : sans doute est-il incapable de jouer deux fois de la même façon ou, plus vraisemblablement, ne tient-il pas à le faire, mais le chef machiniste et le cadreur sentent la nouvelle direction que va prendre son jeu, lorsqu'il ne l'indique pas lui-même explicitement entre deux répétitions ou deux prises.

Cette vitalité, cette énergie recoupent celles du personnage, avec qui cette scène nous fait également faire connaissance (auparavant, on l'aura seulement vu traverser en trombe un bureau du Collège de France). Étourdissant de rapidité, toujours en mouvement, Christian Gauthier ne cesse de tirer, d'entraîner à sa suite, d'arracher les uns aux autres, de haranguer en un flux verbal incessant tous ceux qui se trouvent à sa portée. Sa fonction, à un moment où toutes les données du film semblaient avoir été posées, est celle d'un catalyseur : il réunit des gens qui n'ont rien de commun et qui vont se retrouver ensemble pendant la majeure partie du film. Il n'en sera pas moins évident que Depardieu, une fois canalisé, « ressortira » moins à l'écran qu'il ne le fait sur le plateau : Gérard Depardieu se meut dans un espace à sa mesure, la galerie tout entière, Christian Gauthier sera confiné dans un cadre. Quel que soit le brio, le panache de Depardieu sur le tournage, la caméra mettra davantage en valeur les comédiens plus concentrés que sont Adolph Green et Linda Lavin, ne serait-ce que parce que leurs rôles l'exigent : le film est fait pour eux, et pour Laura Benson.

C'est pourtant bien la trajectoire de Christian Gauthier dans la galerie qui donne sa ligne directrice à la deuxième partie de la séquence du vernissage, le « numéro » 26 du scénario, que Gérard Depardieu est donc venu répéter avec toute l'équipe. Après la fausse sortie de Joey et Lena, Gauthier les précipite dans la galerie qu'ils venaient de quitter tout en les noyant de compliments sur *Hepp Catt* et sur l'Amérique, interpelle bruyamment Harry Dempsey qu'il présente à Joey, conduit ce dernier dans son propre stand en vantant son style à Lionel qu'il a happé au passage. Dans la foulée, il invite tout le monde chez lui *(« Ceux qui ne connaissent pas l'adresse ne sont pas invités »)* et entraîne Joey vers la sortie tandis que Lena attendra Elsie.

La scène est d'abord répétée d'un bout à l'autre, puis décomposée en fragments qui sont mis en place successivement et dans lesquels il faut constamment faire sentir au spectateur que le personnage de Gauthier est en position dominante. Resnais corrige doucement les déplacements de Depardieu; les indications, les retouches se succèdent. Gauthier « précipite » littéralement Joey dans la galerie. Mais, selon Resnais, il descend trop tôt. Tout en continuant à discourir, il doit d'abord faire un tour d'horizon, son œil, sans jamais se fixer un seul instant, doit enregistrer instantanément ce que contient l'exposition et ceux qui s'y trouvent : il s'agit d'un seul et unique mouvement continu, qui durera toute la séquence. Gauthier doit d'autant moins se presser de descendre que les propos qu'il tient sont destinés au moins autant à l'assistance tout entière qu'à Joey. Pour la même raison, le « *Hello, Harry !* » adressé à Dempsey doit être lancé du haut des marches (on voit ici l'une des fonctions de l'escalier intérieur réclamé par Resnais) et non pas au bas de l'escalier. Les Dempsey s'approchent de lui : non, c'est Gauthier qui doit prendre l'initiative et les rejoindre en traînant Joey. La partie de la scène où Gauthier présente l'un à l'autre les deux Américains connaîtra successivement trois emplacements différents. Après les avoir mis en contact, Gauthier ne doit pas rester avec eux à les écouter mais poursuivre son inspection de l'exposition « *à la Malraux* » (Resnais, en 1958, vit André Malraux, qu'il ne connaissait pas, visiter au pas de course la Scuola San Rocco, s'arrêtant à peine devant chaque Tintoret et en retenant le moindre détail), puis revenir, toujours au pas de charge, à son point de départ que Wellman et Dempsey n'ont pas quitté.

Comment, pendant toute cette mise en place, quitter Gérard Depardieu-Christian Gauthier de l'œil une seconde? L'important, toutefois, n'était pas là. En vingt minutes, Resnais vient d'établir son découpage : la scène comportera huit plans. La journée de travail est cette fois terminée. Les deux jours qui suivront, le vendredi et le lundi, seront l'application, la mise en œuvre de ce qui vient d'être décidé.

VENDREDI 14 - LUNDI 17 : VERS LA STYLISATION

La répétition à laquelle on vient d'assister l'a résumé éloquemment : dans le découpage de la scène, tout, pour Resnais, est d'abord une question de mouvement. La séquence est réglée comme sur une scène de théâtre, dans un décor entier dont bien des éléments ne se verront pas à l'image. Resnais fait surgir devant lui non le contenu préétabli d'un certain nombre de plans mais une action réelle et continue dans laquelle il sélectionne, en l'infléchissant d'une répétition à l'autre, ce que la caméra en retiendra. Puis, une fois la ligne générale donnée, la scène est à nouveau l'objet de multiples aménagements, apparemment négligeables considérés isolément (un pas de plus ou de moins, une marche plus haut ou plus bas, telle est désormais la préoccupation principale d'Alain Resnais), mais dont l'addition progressive conduit fréquemment Resnais et Gilbert Duhalde, entre lesquels on observe une grande connivence, à concevoir le déroulement du plan de façon tout à fait différente sans que jamais les comédiens aient l'impression d'avoir effectué une modification considérable ou qu'on leur ait imposé une façon de jouer. Alors même qu'il paraît ne s'inquiéter dans un premier temps que des déplacements des comédiens, Resnais, qui ne perd jamais de vue au tournage ce que sera son montage, garde constamment en tête la question du rythme de la scène et, au-delà, du film entier. Les deux dernières journées de tournage dans le décor de la galerie consisteront par conséquent à donner aux nouveaux plans la même cadence qu'à ceux tournés précédemment.

Le plan le plus complexe et le plus significatif de la scène 26 est celui ou Christian Gauthier présente Wellman et Dempsey l'un à l'autre, les quitte pour faire le tour de l'exposition au pas de charge puis les rejoint en réintervenant aussitôt dans la conversation comme s'il ne l'avait jamais quittée, et où Resnais doit faire sentir que Gauthier continue à mener le bal même lorsqu'il n'est pas à l'image : la caméra reste en effet sur les deux Américains, pendant qu'une réplique de Dempsey sur sa conception du *remake*, ajoutée quelques jours avant le tournage de la scène, permet à Gauthier de s'échapper hors champ sans qu'il y ait de temps mort dans le dialogue. La caméra a beau être fixe dans la majeure partie du plan, on retrouve ici de façon inversée la sinuosité du déplacement de Joey dans le long mouvement à 210° : Gauthier sort du champ par la gauche, apparaît discrètement au fond pour traverser le cadre latéralement, puis, après avoir fait hors champ le tour de la galerie, reparaît brusquement de dos au premier plan, à l'endroit où on l'attend le moins. Il semble donc que ces entrées et sorties de champ à la fois discrètes et insistantes, ces jeux de cache-cache avec la caméra – qui répondent aux chassés-croisés des personnages dans toute la fête au manoir ou aux apparitions et disparitions par essence imprévisibles de Hepp Catt et Sally Catt – soient, au-delà de la scène du vernissage, l'une des constantes stylistiques de *I Want to Go Home*. De plus, le caractère labyrinthique du décor trouve ici sa finalité dans des déplacements annexes, en fond de plan, de Terry et son compagnon, de Lionel ou de Dora Dempsey qui entrent ou sortent tout naturellement d'un stand pendant que l'attention est centrée sur Joey ou Gauthier au premier plan, autant de déplacements « invisibles », à la limite de l'arbitraire, qui trouveront leur entière cohérence une fois les différents plans assemblés. Autrement dit, si toutes les décisions, sur le plateau, semblent provenir du scénario et de l'histoire, si tout paraît être l'application de solutions concrètes à des problèmes concrets, sans volonté prédéterminée apparente, Resnais, pendant tout le tournage de cette scène, n'a cessé de justifier avec des arguments d'ordre réaliste, psychologique ou sociologique solidement étayés ce qui sur l'écran va devenir, sinon foncièrement irréaliste, du moins profondément stylisé. Resnais n'avait pas procédé autrement avec *L'Année dernière à Marienbad* où, contre le gré de Robbe-Grillet, il avait introduit de la psychologie sur le plateau et avait justifié chaque jeu de scène, chaque réplique avec les comédiens.

Resnais vient donc de tourner en quatre jours une séquence qui durera à l'écran 6 mn 30 environ. Le film entier demandera cinquante-neuf jours de tournage – sept jours de plus que ne le prévoyait le plan de travail, et un jour de moins que ce que Resnais (qui considère que ses films, *Mélo* mis à part, ne peuvent être tournés en moins de soixante jours) avait souhaité à l'origine. Ce dépassement du plan de travail – qui correspond cependant à un rythme de tournage, 1 mn 50 par jour, parmi les plus rapides d'Alain Resnais [1] – n'entraînera aucun dépassement du devis, par des mécanismes relevant de la compétence du directeur de production.

Albert Jurgenson, comme il le fait depuis *L'Amour à mort*, ne commencera à travailler sur le film qu'une fois le tournage achevé, et terminera le montage image début mars 1989. La scène du vernissage, pour s'en tenir à elle, offre peu de marge de manœuvre au montage : elle contient des plans relativement longs, qui ne peuvent se prêter à de multiples combinaisons. C'est cependant nécessairement une fois montée qu'elle trouve sa véritable forme.

DANS LA SALLE DE MONTAGE

S'il est courant que l'important et le secondaire échangent leurs places en passant du tournage à l'écran, ce sont ici des dizaines de décisions patientes – auxquelles Resnais et son équipe ont apporté de la réflexion et du temps en dotant chacune d'entre elles, encore une fois,

---

1. Si Resnais, comme l'a déjà fait remarquer Jean Léon, aime faire accroire qu'il tourne tous ses films strictement à la même vitesse, il reste que le chiffre de 1 mn 47 avancé est représentatif : son rythme de tournage varie entre 1 mn 32 et 1 mn 57 (la moyenne de *Mélo*, pour des raisons évoquées à différents endroits de ce livre, est pour sa part de 4 mn 34).

d'une crédibilité psychologique et sociologique – qui passent à l'arrière-plan. Lorsque Resnais, pour ne citer qu'un exemple, sachant que la caméra cadrerait un point précis du mur de l'escalier, a fait remplacer des affiches de bande dessinée par d'autres de peinture afin d'accentuer le côté galerie d'art, ce détail aura beau être indéniablement présent à l'écran, il risque fort de passer inaperçu du spectateur au moins à la première vision. De manière plus générale, si, sur le tournage, la lumière mais aussi les axes et déplacements de caméra étaient en grande partie dictés par le décor, à l'arrivée, malgré les plongées sur la galerie, celui-ci s'efface derrière les personnages, et cela jusqu'à Spider-Man auquel, dépossédé de sa position centrale, on prête à peine attention à l'arrière-plan. Sans négliger les influences plus souterraines qu'elle aura dans ce film comme dans d'autres, la bande dessinée, élément dominant du tournage de la scène, n'est en réalité qu'une toile de fond. Mais l'important ne l'est-il pas *grâce au reste*? La densité et la richesse visuelles de la scène sont précisément dues à l'obstination d'Alain Resnais à pourvoir d'une signification précise le moindre détail de chacun de ses plans. Une telle rigueur, une telle méticulosité ne sont aucunement gratuites. Par le courrier qu'il reçoit, les remarques qui lui sont faites, Resnais a eu l'occasion de constater que chacune des intentions de ses films (pour ne pas parler de tout ce qui est involontaire ou inconscient) a été relevée et déchiffrée par ne serait-ce qu'un seul spectateur, que chaque détail, même le plus infime, trouve ainsi sa justification. Tout est perçu, tout se remarque, s'entend et se comprend : c'est cette conviction qui guide en permanence l'exigence d'Alain Resnais envers lui-même et envers ses collaborateurs.

D'autre part, alors que, considérés isolément, les différents plans qui la composent pouvaient parfois donner une impression de lenteur, la scène, une fois chaque pièce du puzzle venue prendre sa place dans l'ensemble de la trame, donne une impression de fluidité et d'aisance parfaite, autant pour chaque plan que pour l'enchaînement des plans « montés » sur place dans l'esprit d'Alain Resnais. Le long mouvement à 210° est à cet égard exemplaire : fluidité des entrées et sorties de champ continuelles, fluidité du « passage de relais » entre le trio initial (Lionel, Terry et son compagnon) et le couple Dempsey en fin de plan, fluidité, aussi, de l'enchaînement des répliques. Car on perçoit mieux ici comment le rythme du dialogue détermine découpage et jeux de scène. Bien des décisions prises sur le plateau répondaient en effet à cette exigence : une succession sans chevauchement ni temps mort des répliques. Resnais, à en juger par cette scène, semble poursuivre dans *I Want to Go Home* ce qu'il avait déjà cherché à accomplir (ses modèles en la matière étant *Citizen Kane* et *La Règle du jeu*) dans plusieurs de ses films précédents : une bande sonore quasi radiophonique, qui s'écoute en continu et où les différents sons se relaient sans cesse.

Les principales modifications apportées à la scène au montage vont dans le sens de cette fluidité. Ainsi, dans le mouvement à 210°, l'émotion, sur le plateau, était donnée par la surprise choquée de Joey à la réplique « *Je suis aussi mort que ces dessins de merde!* », sur laquelle se concluait le plan. Au montage, cette réaction n'apparaît pas, ou plutôt c'est au spectateur de la ressentir à la place de Joey Wellman : la fin de la réplique de Dempsey, en vertu de la règle selon laquelle il vaut mieux suggérer que montrer, a été placée en voix *off* sur le plan suivant, où la caméra cadre le panneau *Hepp Catt* et se rapproche du stand Wellman. D'autres passages au *off* illustrant eux aussi ce rôle de raccourcissement du montage étaient pour leur part impliqués par le matériau tourné : la scène est montée pour ainsi dire telle qu'elle avait été découpée et tournée [1].

---

1. Les deux seules autres modifications réelles apportées à la scène sont en réalité le fait de Jules Feiffer, puisque si le scénariste, chez Resnais, n'assiste jamais au tournage, il est régulièrement tenu informé de l'avancement des travaux, et, surtout, il réintervient à la vision du premier montage. Jules Feiffer, en l'occurrence, a donc proposé d'une part de remplacer par les mots « *Dead, pal, we're all dead!* » le «*Ain't that the berries?* » tonitruant que Dempsey lançait à Joey au moment de la fausse sortie de celui-ci (mais qui s'ajoutait à d'autres emplois de cette expression au cours du film), et d'autre part de supprimer le moment où Dempsey, dans le stand Wellman, finit par reconnaître Joey et se présente à lui : cet allégement sera d'autant plus aisé à pratiquer que dans la

Si, sans sous-estimer l'importance du mixage, la séquence du vernissage de l'exposition est pour sa part virtuellement achevée, deux dernières étapes donneront sa forme finale à *I Want to Go Home*. D'une part, l'animation des deux chats dessinés est réalisée parallèlement au montage, les voix de Hepp Catt et Sally Catt, enregistrées par Adolph Green, ne résonnant encore que dans le vide. D'autre part, le compositeur ayant entre-temps été choisi, il reste à enregistrer la partition musicale.

LES VALSES DE LA MORT ROUGE

Pour Resnais, le compositeur de *I Want to Go Home* devait impérativement être un compositeur de comédies musicales américaines : après être passé dans les mains d'un metteur en scène français, le scénario de Jules Feiffer retrouve ainsi son identité américaine. John Kander, le compositeur de *Cabaret, Chicago* et *The Rink*, a immédiatement donné son accord après que Resnais (qui avait écouté ou réécouté toute son œuvre) et Albert Jurgenson lui eurent montré la copie de travail à New York en février 1989. S'il a composé les chansons originales de Liza Minnelli pour *Nina* de Vincente Minnelli et *New York New York* de Martin Scorsese, *I Want to Go Home* est sa première partition de long métrage importante. John Kander, qui se situe tout à fait dans la lignée de Kurt Weill et Sondheim, écrit une musique à la fois légère et grinçante, dont le sens de l'angoisse répond rigoureusement à celui de Feiffer. En homme de spectacle, il écrit avant tout en fonction des personnages, ce qui est ici d'autant plus important que la conception et la répartition des interventions musicales souhaitées par Resnais achève – conjointement à la suppression de la plupart des scènes « imaginaires » d'Elsie qui figuraient dans le scénario – de recentrer le film sur le seul personnage de Joey, alors que le scénario ménageait un plus grand équilibre entre le père et la fille. La quasi-totalité de la musique émanera de Joey

---

suite de la scène, lorsque Gauthier demande à Dempsey et Wellman s'ils ont été présentés, ni l'un ni l'autre ne donnent de réponse affirmative.

et sera destinée à « colorer » son personnage : ce sera une musique que Joey Wellman a déjà entendue, ou plutôt ce sera un mélange de différents types de musique qu'il aura pu entendre au spectacle ou à la radio. Resnais a en particulier demandé à John Kander de composer, pour tout le premier acte, un grand nombre de transitions ou ponctuations musicales de quelques secondes, à la façon des vieilles émissions de l'âge d'or de la radio américaine, lorsque Bernard Herrmann, dans les années trente ou quarante, composait ou arrangeait de la musique pour les dramatiques du *Mercury Theatre on the Air* d'Orson Welles ou d'autres séries plus tardives comme *Suspense* de William Spier, ces émissions que John Kander (né en 1927) connaît pour les avoir entendues à leur époque, dont Resnais collectionne les enregistrements (des mises en ondes du *Port de l'angoisse* et d'*Une étoile est née* figuraient du reste dans le matériau préparatoire de Laura Benson), et que Joe E. Wellman écoutait sans doute le soir en travaillant à ses planches. Sans que la partition musicale joue un rôle de premier plan comme dans *La vie est un roman* et *L'Amour à mort*, le film sera recouvert de quelque quarante minutes de musique dont la partie la plus importante concernera le troisième acte, la fête au manoir. Après les séances de travail préliminaire à New York, John Kander est resté en contact téléphonique avec Resnais, et lui a envoyé sur cassette des « maquettes » des différents morceaux. Puis, fin mars, John Kander et son orchestrateur et chef d'orchestre Michael Gibson viennent enregistrer la musique dans un studio parisien.

A New York, rapporte Albert Jurgenson, Resnais avait demandé à John Kander, presque timidement, comme par crainte d'un refus catégorique, s'il était possible qu'un passage de son film fût accompagné d'une valse, ce que le compositeur avait aussitôt accepté avec enthousiasme. De fait, pendant les deux journées d'enregistrement, les valses tombent les unes après les autres : *Valse mystérieuse, Valse furieuse, Valse-ragtime, Valse-accordéon* et bien d'autres. Autrement dit, la partition quasi entière, cette fois, est fondée sur la valse, au point qu'Alain Resnais demandera en plaisantant s'il ne faut pas voir en *I Want to Go Home* son testament. Les différents morceaux rappellent du reste constamment d'autres musiques d'Alain Resnais, à commencer par celles de *Stavisky...* et de *La vie est un roman* auxquelles pourraient appartenir des titres comme *Valse en majeur-mineur* ou *Romance aigre.* Sachant que Resnais, qui avait envisagé de répéter les scènes de la fête costumée au son des orchestrations grinçantes et acides de valses de Strauss par Schönberg, Berg et Webern, est avant tout sensible au caractère inquiétant et morbide de la valse, on sait que le film est loin de n'être qu'une comédie. Après que John Kander aura lui-même interprété au piano, en une seule prise, le générique d'ouverture, Resnais se montrera satisfait : « *La folie et l'amertume sont là.* » Les mots « angoisse » et « anxiété » reviennent constamment dans les notes établies par Kander après ses conversations préliminaires avec Resnais. Le côté limonaire, danse macabre que la musique comporte par moments dans le troisième acte ne peut que rapprocher davantage encore la fête au manoir de *I Want to Go Home* de la fête au château de *La Règle du jeu*, d'autant que Resnais a remplacé l'un des masques prévus dans le scénario, celui de Bugs Bunny, par celui du Spectre : ce personnage costumé, emblématique du film entier, que l'on retrouve dans différentes pièces sans souci de raccord direct évoque à la fois le *Masque de la Mort rouge* d'Edgar Poe, déjà présent en filigrane dans l'épisode Forbek de *La vie est un roman*, et les costumes de squelette de *La Règle du jeu* qui annoncent la fin d'un monde. La musique de la fête, au reste, d'après ce que l'on peut saisir dans la cabine d'enregistrement (les séquences devant comporter de la musique sont diffusées sur un écran vidéo qui permet de contrôler le synchronisme), participe elle aussi de ces jeux de cache-cache irrationnels qu'on a évoqués à propos de l'image : elle semble provenir d'un orchestre invisible dont on n'a jamais vu arriver les instrumentistes, peut-être installés dans une salle de bal qu'on entrevoit fugitivement au détour d'un seul plan où dansent des couples eux aussi venus de nulle part. L'évolution de la musique (au fur et à mesure que la nuit s'avance, que tout se désagrège, l'orchestration se raréfie) est parallèle à celle de la tonalité des éclairages, de plus en plus funèbres et fantomatiques.

Qu'est devenue la comédie annoncée? Sans doute n'a-t-elle pas disparu, mais il semble bien qu'elle soit le fond sur lequel se détachent une agressivité, une rage sinon une sauvagerie qui avaient peu trouvé à s'employer avant cette danse macabre, et que Resnais a accentuées par rapport au scénario de Feiffer. Des scènes tournées dans le rire et la bonne humeur laissent le spectateur livide. L'armature même du film a été infléchie par la suppression des deux apparitions de Hepp Catt en haut-de-forme chantant *I'll Build a Stairway to Paradise*, dont la seconde concluait le scénario sur une note d'exaltation. Mais Alain Resnais, une fois de plus, a fait en sorte de ne connaître le résultat de son travail – et de ne le faire découvrir – qu'à la toute fin du processus de fabrication de l'œuvre. De même que *Mon oncle d'Amérique* ou *L'Amour à mort* prirent leur sens lorsque Resnais, retournant sa dernière carte dans la salle de montage, ajouta aux images de la fiction le discours de Laborit ou la musique de Henze, de même les incrustations des deux chats de bande dessinée donneront sa forme et son ton définitifs à *I Want to Go Home*. Agréables, plaisants, comme semblent l'indiquer les dessins de Feiffer qui figurent dans le scénario, Hepp Catt et Sally Catt rééquilibreraient en effet le film vers la comédie, fût-elle douce-amère; grinçants, âpres, ainsi que paraissent le suggérer leurs voix, ils infléchiraient au contraire le film entier vers l'angoisse et le malaise. La vision du film confirmant cette seconde hypothèse, et Alain Resnais n'ayant jamais conçu la chose autrement, il faut alors se rendre à l'évidence : Alain Resnais, qui pendant des mois n'a eu que les mots de comédie et de pochade à la bouche, a fait semblant de tourner un film pour mieux en tourner un autre.

FILMOGRAPHIE

La présente filmographie est à la fois moins complète et plus complète que celles parues précédemment : moins complète dans la mesure où elle ne mentionne, pour les longs métrages, que les titulaires des principaux postes techniques, ceux que Sylvette Baudrot appelle les « cadres » de l'atelier Resnais et auxquels cet ouvrage est en grande partie consacré; plus complète en ce sens qu'y figurent de nombreuses informations nouvelles, y compris quelques titres jusqu'ici inconnus.

Plusieurs incertitudes demeurent cependant au sujet des films antérieurs au *Van Gogh* de 1948 ainsi que des films d'autres metteurs en scène auxquels Resnais a collaboré. Certains courts métrages, comme une visite à l'atelier de Giacometti, n'ont été qu'ébauchés, et le film que Resnais, selon Frédéric de Towarnicki, tourna sur la rencontre de ce dernier avec Heidegger en 1945 n'a pas dépassé le premier plan, la caméra s'étant mystérieusement bloquée. Alain Resnais et Paul Renty s'attribuent mutuellement la réalisation de *L'alcool tue*, Resnais affirmant n'avoir été responsable que de l'image, du montage et du découpage. Resnais aurait été opérateur et monteur de *La Clé des songes*, émission TV de Chris. Marker qui pourrait dater de 1954. Il n'aurait fait que quelques suggestions amicales pour *Une visite* de François Truffaut (1954) et *Broadway by Light* de William Klein (1957), courts métrages au générique desquels il est mentionné respectivement comme monteur et comme conseiller technique, et il affirme n'être pour rien dans *Tournée Boussac en Afrique noire* (1949) ni dans *La Blanquette* de Florence Allier.

Signalons par ailleurs que Resnais a écrit dans les années cinquante le scénario d'un film publicitaire sur le parapluie ainsi qu'un premier scénario – refusé parce que « trop violent » – du *Mystère de l'atelier quinze*, qu'il a fait de la figuration dans un certain nombre de films dont *Les Visiteurs du soir* de Marcel Carné (1942), *Roger-la-Honte* d'André Cayatte (1945) et un court métrage de Roger Leenhardt, et qu'en mai 1982, quelques mois après la proclamation de l'« état de guerre » en Pologne, il a supervisé pour la série TV *Portrait imaginaire* produite par André Waksman un film de montage d'une dizaine de minutes consacré à Andrzej Wajda et auquel ont également travaillé Florence Malraux, Albert Jurgenson et Jean-Pierre Besnard.

Les génériques des films de Resnais donnant fréquemment aux personnages des noms qui n'apparaissent à aucun moment dans le film lui-même, nous avons rectifié chaque fois qu'il était nécessaire. L'ordre dans lequel sont mentionnés ici les comédiens ne tient pas non plus compte du générique des films, tributaire le plus souvent d'obligations contractuelles, mais de l'importance relative des personnages.

La présente filmographie, qui a bénéficié du concours d'Alain Resnais et de Florence Malraux, est redevable aux travaux de Francis Lacassin (*L'Avant-Scène cinéma* nº 61-62) et de Gaston Bounoure (*Alain Resnais*, Seghers, 1962) pour la filmographie « privée » ou « amicale », et bien sûr aux génériques publiés dans les numéros de *L'Avant-Scène cinéma* consacrés aux films de Resnais, auxquels on se reportera pour une liste complète de l'équipe technique des longs métrages [1].

1. En revanche, une première version de la présente filmographie, publiée en 1985 dans la revue franco-allemande *CICIM*, ayant été reproduite sans mention d'origine, coquilles comprises, dans le livre de Jean-Daniel Roob paru aux éditions La Manufacture, on comprendra que nous ne devons rien à celui-ci.

COLLABORATIONS

1945 LE SOMMEIL D'ALBERTINE (CM de Jean Leduc)
Image (16 mm, N&B) et montage. Inachevé.

1947 PARIS MIL NEUF CENT (Nicole Védrès)
Assistant à la réalisation.

1948 JEAN EFFEL (CM de Sylvain Dhomme)
Image (16 mm, N&B) et montage.
MALFRAY (CM de Robert Hessens)
Montage.

1949 VERSAILLES ET SES FANTÔMES (Jean Béranger)
Opérateur du générique.
HAUSSMANN ET LA TRANSFORMATION DE PARIS (CM de Pierre Mignot et Jean Leduc)
Effets spéciaux et générique.

1950 TRANSFO TRANSFORME L'ÉNERGIE DU PYRIUM (Remo Forlani)
Film publicitaire de 55 secondes.
Image (35 mm, N&B) et montage.

LE LAIT NESTLÉ (Remo Forlani)
Deux films publicitaires d'une minute.
Image (35 mm, N&B) et montage.

LA LAMPE ÉVAP (Remo Forlani)
Film publicitaire.
Image (35 mm, N&B) et montage.

1951 LA CHANSON DU PAVÉ (CM de Jean Béranger)
Stagiaire monteur.

1952 SAINT-TROPEZ, DEVOIR DE VACANCES (CM de Paul Paviot)
Montage : Alain Resnais et Andrée Salignac.

1953 AUX FRONTIÈRES DE L'HOMME (CM de Nicole Védrès)
Montage.

1955 LA POINTE-COURTE (Agnès Varda)
Montage.

1957 L'ŒIL DU MAÎTRE (CM de Jacques Doniol-Valcroze)
Montage.

1958 PARIS À L'AUTOMNE (CM de François Reichenbach).
Montage.

FILMS « PRIVÉS »

Sauf exception signalée, ces films sont en 16 mm, en noir et blanc et muets. Ils n'ont jamais connu de distribution commerciale et, à l'exception de *La Bague, Hans Hartung, Christine Boomeester* et *Portrait de Henri Goetz*, sont désormais invisibles. Cependant, contrairement à ce qu'a parfois prétendu Resnais, seul *Journée naturelle* serait définitivement perdu.

1935 FANTÔMAS (3')
8 mm. Inachevé.

1936 L'ÉTRANGE AVENTURE DE GUY (10')
8 mm. D'après un scénario de Gaston Modot.

1946 SCHÉMA D'UNE IDENTIFICATION (30')
Int. : Gérard Philipe (un viveur), François Chaumette (un prolétaire), Noël Sandri (un officier), Lise Strybich.

OUVERT POUR CAUSE D'INVENTAIRE (90')
Int. : Danièle Delorme, Pierre Trabaud et Michel Auclair, ainsi que Nadine Alari, Roland Dubillard, Remo Forlani, Daniel Gélin, Marie Mergey, Yves Péneau, Gérard Philipe, Simone Signoret.

LA BAGUE
Int. : Marcel Marceau.

1947 PORTRAIT DE HENRI GOETZ

HANS HARTUNG

CÉSAR DOMELA

FÉLIX LABISSE

ANDRÉ MARCHAND (inachevé)

LUCIEN COUTAUD

CHRISTINE BOOMEESTER
OSCAR DOMINGUEZ (inachevé)

JOURNÉE NATURELLE (inachevé)
Court métrage sur Max Ernst. Couleur.

L'ALCOOL TUE (15')
Scén. : Remo Forlani, Roland Dubillard. *Prod.* : Films de la Roue (Christiane Renty). *Int.* : Roland Dubillard, Remo Forlani (les deux ivrognes), Robert Mendigal (l'ouvrier sobre), Claude Charpentier (le prêtre), Paul Renty (le contremaître), Colette Renty, Christiane Renty (les épouses).

VAN GOGH
Conception : Robert Hessens, Gaston Diehl. *Prod.* : Les Amis de l'art (Gaston Diehl).

1948 LES JARDINS DE PARIS
Scén. : Roland Dubillard. *Assist.* : Colette Renty. *Prod.* : Films de la Roue (Christiane Renty, Paul Renty).

VERSAILLES (5')
Kodachrome. *Prod.* : Ciné Grimm.

FILMOGRAPHIE « OFFICIELLE »

VAN GOGH (1948)

Réal. : Alain Resnais. *Conception* : Robert Hessens, Gaston Diehl. *Texte* : Gaston Diehl, *dit par* Claude Dauphin. *Image et eff. spéc.* : Henry Ferrand (N&B). *Son* : Studios Saint-Maurice. *Mont.* : Alain Resnais. *Mus.* :

Jacques Besse. *Dir. de prod.* : Claude Hauser. *Prod.* : Panthéon Production (Pierre Braunberger).
Durée : 20'.

PAUL GAUGUIN (1950)
Réal. : Alain Resnais. *Conception* : Gaston Diehl. *Texte emprunté aux écrits de Gauguin, dit par* Jean Servais. *Image et eff. spéc.* : Henry Ferrand (N&B). *Son* : Pierre-Louis Calvet. *Mont.* : Alain Resnais. *Mus.* : Darius Milhaud. *Prod.* : Panthéon Production (Pierre Braunberger).
Durée : 12'.

GUERNICA (1950)
Réal. : Alain Resnais, Robert Hessens. *Texte* : Paul Éluard, *dit par* Maria Casarès *et* Jacques Pruvost. *Image et eff. spéc.* : Henry Ferrand (N&B). *Cadr.* : André Dumaître, William Novik. *Son* : Pierre-Louis Calvet. *Mont.* : Alain Resnais. *Mus.* : Guy Bernard, *dir. par* Marc Vaubourgoin. *Dir. de prod.* : Claude Hauser. *Prod.* : Panthéon Production (Pierre Braunberger).
Durée : 12'.

LES STATUES MEURENT AUSSI (1950-1953)
Réal. : Alain Resnais. *Conception* : Chris. Marker. *Texte* : Chris. Marker, *dit par* Jean Negroni. *Image* : Ghislain Cloquet (N&B). *Son* : Studios Marignan. *Mont.* : Alain Resnais. *Mont. son* : Henri Colpi. *Mus.* : Guy Bernard. *Prod.* : Tadié Cinéma, Présence africaine.
Durée : 29'.

NUIT ET BROUILLARD (1955)
Réal. : Alain Resnais. *Texte* : Jean Cayrol, *dit par* Michel Bouquet. *Conseil. hist.* : Henri Michel, Olga Wormser. *Assist.* : André Heinrich, Chris. Marker, Jean-Charles Lauthe. *Image* : Ghislain Cloquet, *ass.* Sacha Vierny (Eastmancolor, archives en N&B). *Eff. spéc.* : Henry Ferrand. *Son* : Studios Marignan. *Mont.* : Alain Resnais, Anne Sarraute. *Mont. son* : Henri Colpi, Jasmine Chasney. *Mus.* : Hanns Eisler, *dir. par* Georges Delerue. *Dir. de prod.* : Édouard Muszka. *Prod.* : Argos Films (Anatole Dauman, Philippe Lifchitz), Como Films (Samy Halfon).
Durée : 32'.

TOUTE LA MÉMOIRE DU MONDE (1956)

Réal. : Alain Resnais. *Texte* : Remo Forlani, *dit par* Jacques Dumesnil. *Assist.* : Jean-Charles Lauthe, André Heinrich. *Image* : Ghislain Cloquet, *ass.* Pierre Goupil (N&B). *Son* : Studios Marignan. *Mont.* : Alain Resnais, Anne Sarraute, Claudine Merlin. *Mus.* : Maurice Jarre, *dir. par* Georges Delerue. *Prod.* : Films de la Pléiade (Pierre Braunberger).

Figuration : François-Régis Bastide, Paulette Borker, Benigno Caceres, Juliette Caputo, Monique Le Porrier, Dominique Raoul-Duval, Joseph Rovan, Agnès Varda.

Durée : 22'.

LE MYSTÈRE DE L'ATELIER QUINZE (1957)

Réal. : André Heinrich, Alain Resnais. *Conception* : Remo Forlani. *Texte* : Chris. Marker, *dit par* Jean-Pierre Grenier. *Conseil. techn.* : Georges Smagghe, André Vallau. *Assist.* : Fernand Marzelle. *Image* : Ghislain Cloquet, *ass.* Sacha Vierny (N&B). *Son* : Studios Marignan. *Mont.* : Anne Sarraute. *Mus.* : Pierre Barbaud, *dir. par* Georges Delerue. *Prod.* : Films Jacqueline Jacoupy.

Int. : Jean Burgot (Renard), Yves Péneau (le médecin du travail).

Durée : 18'.

LE CHANT DU STYRÈNE (1958)

Réal. : Alain Resnais. *Texte* : Raymond Queneau, *dit par* Pierre Dux. *Assist.* : Martin-Pierre Hubrecht. *Image* : Sacha Vierny (Eastmancolor, Dyaliscope). *Eff. spéc.* : Roland Pointoizeau. *Son* : Studios Marignan. *Mont.* : Alain Resnais, Claudine Merlin. *Mus.* : Pierre Barbaud, *dir. par* Georges Delerue. *Prod.* : Films de la Pléiade (Pierre Braunberger) pour la société Péchiney.

Figuration : Sacha Vierny (l'ouvrier).

Durée : 19'.

HIROSHIMA MON AMOUR (1959)

Réal. : Alain Resnais. *Scén. et dial.* : Marguerite Duras. *Conseil. littéraire* : Gérard Jarlot. *Déc.* : Esaka, Mayo, Petri. *Maq.* : R. Toioda, Alexandre Marcus. *Assist.* : I. Shirai, Jean Léon. *Scripte* : Sylvette Baudrot. *Dir. photo.* : Takahashi Michio (Japon), Sacha Vierny

(France) (N&B). *Cadr.* : Watanabe, Ioda, Sacha Vierny. *Son* : Yamamoto, Pierre Calvet. *Mix.* : René Renault. *Mont.* : Henri Colpi, Jasmine Chasney. *Mus.* : Giovanni Fusco. *Mus. addit.* : Georges Delerue. *Dir. de prod.* : Sacha Kamenka, Shirakawa Takeo. *Prod. dél.* : Samy Halfon. *Prod.* : Argos Films, Como Films, Daïeï, Pathe Overseas.

Int. : Emmanuelle Riva (« Nevers-en-France »), Eiji Okada (« Hiroshima »), Bernard Fresson (l'amour de jeunesse allemand), Stella Dassas (la mère de Nevers), Pierre Barbaud (son père).

Durée : 1 h 31.

L'ANNÉE DERNIÈRE À MARIENBAD (1961)

Réal. : Alain Resnais. *Scén. et dial.* : Alain Robbe-Grillet. *Déc.* : Jacques Saulnier. *Cost.* : Chanel, Bernard Évein. *Maq.* : Alexandre Marcus. *Assist.* : Jean Léon. *Scripte* : Sylvette Baudrot. *Dir. photo.* : Sacha Vierny (N&B, Dyaliscope). *Cadr.* : Philippe Brun. *Son* : Guy Villette. *Mix.* : Jean Neny. *Mont.* : Henri Colpi, Jasmine Chasney. *Mus.* : Francis Seyrig, *dir. par* André Girard (*orgue* : Marie-Louise Girod). *Dir. de prod.* : Léon Sanz. *Prod. dél.* : Pierre Courau, Raymond Froment. *Prod.* : Terra-Film, Société nouvelle des films Cormoran, Argos Films, Tamara, Cinetel, Pre-Ci-Tel, Silver-Films, Como Films, Cineriz (Rome).

Int. : Delphine Seyrig, Giorgio Albertazzi et Sacha Pitoëff, ainsi que Pierre Barbaud, Françoise Bertin, Wilhelm von Deek, Luce Garcia-Ville, Héléna Kornel, Jean Lanier, Gérard Lorin, Davide Montemuri, Gilles Quéant, Françoise Spira, Karin Toeche-Mittler, Gabriel Werner.

Durée : 1 h 33.

MURIEL OU LE TEMPS D'UN RETOUR (1963)

Réal. : Alain Resnais. *Scén., dial. et lyrics* : Jean Cayrol. *Déc.* : Jacques Saulnier. *Maq.* : Alexandre Marcus. *Assist.* : Jean Léon. *Scripte* : Sylvette Baudrot. *Dir. photo.* : Sacha Vierny (Eastmancolor). *Cadr.* : Philippe Brun. *Son* : Antoine Bonfanti. *Mix.* : Jean Neny. *Mont.* : Kenout Peltier. *Mus.* : Hans Werner Henze (*soprano* : Rita Streich). *Mus. addit.* : Georges Delerue. *Dir. de prod.* : Philippe Dussart. *Prod. dél.* : Anatole Dauman.

Prod. : Argos Films, Alpha Productions, Éclair, Films de la Pléiade, Dear Films (Rome).

Int. : Delphine Seyrig (Hélène Aughain), Jean-Pierre Kérien (Alphonse Noyard), Jean-Baptiste Thierrée (Bernard Aughain), Nita Klein (Françoise), Jean Champion (Ernest), Laurence Badie (Claudie), Claude Sainval (Roland de Smoke), Philippe Laudenbach (Robert), Martine Vatel (Marie-Do), Julien Verdier (le loueur de chevaux), Jean Dasté (l'homme à la chèvre), Catherine de Seynes (Angèle), Gaston Joly (Antoine), Jean-Jacques Lagarde (l'employé du casino), Gérard Lorin (Marc), Yves Péneau (le chef de gare), Nelly Borgeaud et Yves Vincent (le couple d'acheteurs), Françoise Bertin (Simone), Wanda Kérien (la cliente), Paul Chevallier (le croupier au restaurant), Laure Paillette (cliente dans la rue), Robert Bordenave et Éliane Chevet (le couple de voyageurs).

Durée : 1 h 56.

LA GUERRE EST FINIE (1966)

Réal. : Alain Resnais. *Scén. et dial.* : Jorge Semprun. *Déc.* : Jacques Saulnier. *Maq.* : Alexandre Marcus. *Assist.* : Jean Léon, Florence Malraux. *Scripte* : Sylvette Baudrot. *Dir. photo.* : Sacha Vierny (N&B). *Cadr.* : Philippe Brun. *Son et mix.* : Antoine Bonfanti. *Mont.* : Éric Pluet. *Mus.* : Giovanni Fusco. *Dir. de prod.* : Alain Queffeléan. *Prod. dél.* : Gisèle Rébillon, Catherine Winter. *Prod.* : Sofracima, Europa-Films (Stockholm).

Int. : Yves Montand (Diego Mora), Ingrid Thulin (Marianne), Geneviève Bujold (Nadine Sallanches), Jean Dasté (le chef du réseau clandestin), Paul Crauchet (Roberto), Dominique Rozan (Jude), Jacques Rispal (Manolo), Jean Bouise (Ramon), Yvette Étiévant (sa femme), Roland Monod (Antoine), Gérard Lartigau (chef du Groupe d'action révolutionnaire), José-Maria Flotats (Miguel), Jean Larroquette et Martine Vatel (membres du groupe), Michel Piccoli (inspecteur des douanes), Françoise Bertin (Carmen), Bernard Fresson (« André Sarlat »), Marcel Cuvelier (inspecteur), Annie Fargue (Agnès), Gérard Séty (Bill), Catherine de Seynes (Jeanine), Anouk Ferjac (Marie Jude), Laurence Badie (Bernadette Pluvier), Claire Duhamel et Antoine Bourseiller (le couple du wagon-restaurant), Pierre Leproux (fabricant de faux papiers), Jean Bolo (agent de police), René-Jean Chauffard (le clochard), Jacques Wallet (un CRS), Fylgie Zadig (l'hôte de la réunion clandestine), Pierre Decazes (employé SNCF), Antoine Vitez (employé Pan-Am), Jacques Robnard (Pierrot), Laure Paillette (la vieille dame dans l'escalier), Roger Pelletier (un inspecteur), Jean-François Rémi (Juan), Marie Mergey (Mme Lopez), Sissi Kaiser (une militante espagnole), Pierre Barbaud (client d'un café) et la voix de Jorge Semprun (le narrateur).

Durée : 2 h 01.

LOIN DU VIÊT-NAM (1967)

Réal. : Jean-Luc Godard, Joris Ivens, William Klein, Claude Lelouch, Alain Resnais (séquence « Claude Ridder »), Agnès Varda. *Coordination* : Chris. Marker, Jacqueline Meppiel, Andréa Haran. *Prod.* : SLON (Chris. Marker).

Épisode Resnais :

Scén. : Jacques Sternberg. *Assist.* : Florence Malraux. *Scripte* : Sylvette Baudrot. *Dir. photo.* : Denys Clerval [1]. *Son* : Antoine Bonfanti. *Mont.* : Colette Leloup. *Int.* : Bernard Fresson (Claude Ridder), Karen Blanguernon (la jeune femme).

Durée : 15'.

JE T'AIME JE T'AIME (1968)

Réal. : Alain Resnais. *Scén. et dial. :* Jacques Sternberg. *Déc. :* Augusto Pace (la sphère), Jacques Dugied. *Maq. :* Alexandre Marcus. *Assist. :* Florence Malraux, Jean Lefèvre. *Scripte :* Sylvette Baudrot. *Dir. photo. :* Jean Boffety (Eastmancolor). *Cadr. :* Christian Guillouet. *Son :* Antoine Bonfanti. *Mix. :* Jean Neny. *Mont. :* Albert Jurgenson, Colette Leloup. *Mus. :* Krzysztof Penderecki.

---

1. Après avoir tourné une première fois cet épisode avec le directeur de la photographie Jean Boffety, Resnais, en raison d'une caméra défectueuse, a dû le refaire, cette fois avec Denys Clerval. Précisons par ailleurs qu'à l'origine le monologue de Claude Ridder ne devait pas former un épisode autonome, mais être divisé en fragments qui seraient intervenus tout au long de ce film collectif, interrompant les autres séquences.

Mus. addit. : Jean-Claude Pelletier, Jean Dandeny. *Dir. de prod. :* Philippe Dussart. *Prod. dél. :* Mag Bodard. *Prod. :* Parc-Film, Fox Europa.

Int. : Claude Rich (Claude Ridder), Olga Georges-Picot (Catrine), Anouk Ferjac (Wiana), Van Doude (le chef du Centre de recherches de Crespel), Alain Mac Moy (le technicien qui vient chercher Ridder), Dominique Rozan (le médecin de Crespel), Yves Kerboul (le technicien au tableau noir), Vania Vilers (le technicien-chauffeur), Ray Verhaege (le technicien aux souris), Georges Jamin (le chirurgien de la clinique), Pierre Barbaud (Levino, le technicien à lunettes), Carla Marlier (Nicole), Bernard Fresson et Irène Tunc (un couple d'amis), Jean Michaud (le directeur de la maison de diffusion), Annie Fargue (la jeune femme qui sait dire non), Marie-Blanche Vergne (la fille du tramway et des escaliers), Ian McGregor et Allan Adair (inspecteurs écossais), Jean-Louis Richard (l'homme du wagon-restaurant), Sylvain Dhomme (l'homme qui invite Ridder à dîner), Ben Danou (le médecin du rêve), Francis Lacassin, Jean Martin, Bernard Valdeneige, Georges Walter (responsables d'édition), René Bazart, Billy Fasbender, Bernard Trout (employés d'édition), Yvette Étiévant (la confidente au bureau), Michèle Blondel (une secrétaire), Pierre Motte (l'homme aux faux papiers), François-Régis Bastide (l'hôte de la réception), Alain Robbe-Grillet (l'attaché de presse), Jacques Doniol-Valcroze (un responsable d'édition), Catherine Robbe-Grillet (sa secrétaire), Gérard Lorin (le dentiste), Walter Plinge [1] (l'employé sur l'échelle), Hélène Callot (infirmière de la clinique), Jean Perré (un rédacteur flamand), Annie Bertin (la jeune femme à la trompette), Guylène Péan (jeune femme dans un bar), Michel Choquet (l'homme au masque), Michèle Daniel, Michèle Manceaux, Jean-Claude Romer, Jorge Semprun, Alain Tercinet, Anne-Marie de Vilaine (invités de la réception).

---

1. Dans le théâtre anglais, Walter Plinge est le nom que prend un comédien lorsqu'en sus du rôle pour lequel il apparaît à l'affiche il interprète un rôle secondaire. Dans la version française de *Providence*, Walter Plinge est ainsi Gérard Depardieu, et dans *L'Amour à mort* Pierre Arditi. Le Walter Plinge de *Je t'aime je t'aime* n'est pas identifié.

Durée : 1 h 31.

CINÉ-TRACT (1968) [1]

16 mm, N&B, muet. Durée : 4′43.

L'AN 01 (1972)

Réal. : Jacques Doillon, ainsi qu'Alain Resnais (« séquence de New York ») et Jean Rouch. *Scén. :* Gébé. *Mont. :* Noëlle Boisson. *Prod. :* UZ Production (Anne-Marie Prieur). N&B.

Épisode Resnais :

Int. : Lee Falk (le banquier), David Pascal (le vendeur de journaux), Frederic Tuten et la voix de Stan Lee (le speaker). *Dir. de prod. :* Michael Hausman. Avec le concours de Florence Malraux, Pat Churchill et de techniciens américains. Durée : 3′57.

STAVISKY... (1974)

Réal. : Alain Resnais. *Scén. et dial. :* Jorge Semprun. *Déc. :* Jacques Saulnier. *Cost. :* Jacqueline Moreau, Yves Saint Laurent. *Maq. :* Charly Koubesserian. *Assist. :* Florence Malraux, Jean Léon. *Scripte :* Sylvette Baudrot. *Dir. photo. :* Sacha Vierny (Eastmancolor). *Cadr. :* Philippe Brun. *Son :* Jean-Pierre Ruh, Bernard Bats. *Mix. :* Jacques Maumont. *Mont. :* Albert Jurgenson. *Mus. :* Stephen Sondheim, *dir. par* Carlo Savina *et* Jacques Mercier. *Orchestration :* Jonathan Tunick. *Dir. de prod. :* Alain Belmondo. *Prod. dél. :* Alexandre Mnouchkine, Oscar Dancigers. *Prod. :* Cérito Films, Les Films Ariane, Euro International (Rome).

Int. : Jean-Paul Belmondo (« Alexandre aux mille noms »), Charles Boyer (baron Raoul), François Périer (Albert Borelli), Anny Duperey (Arlette), Van Doude (inspecteur principal Gardet), Marcel Cuvelier (inspecteur Boussaud), Michael Lonsdale (Dr. Mézy), Silvia Badesco (Erna Wolfgang), Jacques Spiesser (son compagnon),

1. A la demande de Chris. Marker, Alain Resnais réalisa anonymement, sous la forme de documents photographiques montés à la prise de vues, l'un des nombreux ciné-tracts diffusés en mai-juin 1968 dans le prolongement des états généraux du cinéma. Le film de Resnais, au style de montage reconnaissable, fait alterner des images des événements avec le texte d'un poème d'étudiant daté du 23 mai 1968.

Claude Rich (Bonny), Pierre Vernier (maître Grammont), Roberto Bisacco (Juan Montalvo), Maurice Jacquemont (Gauthier), Jacques Eyser (Véricourt), Daniel Lecourtois (président de la commission d'enquête parlementaire), Michel Beaune (journaliste de *La Bonne Guerre*), Nike Arrighi (Édith Boréal), Raymond Girard (professeur Pierre), Guido Cerniglia (Laloy), Fernand Guiot (Van Straaten), Gérard Depardieu (l'inventeur du Matriscope), Yves Brainville (M. de La Salle), Gigi Ballista (Gaston, l'associé d'Alexandre à l'Empire), Samson Fainsilber (employé du fichier), Jean Michaud (l'ancien préfet de police), Gabriel Cattand (un député), Imelde Marani (la provinciale cultivée), Guy Piérauld (le receveur), Roland Bertin (gardien du cimetière), Vicky Messica (régisseur de l'Empire), Yves Péneau (Léon Trotski), Catherine Sellers (Natalya Trotski), Niels Arestrup (secrétaire de Trotski), Dominique Rollin (compagnon des Trotski), Lucienne Legrand (secrétaire du professeur Pierre), Paul Ville (huissier), Georges Yacoubian (valet de chambre du Claridge), Lionel Vitrant (un convive), François Leterrier (André Malraux), Jean-Michel Charlier (le commissaire divisionnaire) et la voix de Jean Davy (« Coriolan »).

Durée : 1 h 55.

PROVIDENCE (1976)

Réal. : Alain Resnais. *Scén. et dial. :* David Mercer. *Déc. :* Jacques Saulnier. *Cost. :* Catherine Leterrier. *Maq. :* Marie-Hélène Yatschenkoff. *Assist. :* Florence Malraux, Reynald Lampert. *Scripte :* Marie-José Guissart. *Dir. photo. :* Ricardo Aronovich (Eastmancolor). *Cadr. :* Philippe Brun. *Son :* René Magnol. *Mix. :* Jacques Maumont. *Mont. :* Albert Jurgenson. *Mus. :* Miklós Rózsa (National Philharmonic Orchestra dirigé par le compositeur). *Effets électroacoustiques :* Jean Schwarz. *Dir. de prod. :* Michel Choquet, Antoine Gannagé. *Prod. dél. :* Yves Gasser, Klaus Hellwig, Yves Peyrot. *Prod. assoc. :* Lise Fayolle, Jürgen Hellwig. *Prod. :* Action Film, SFP, FR3, Citel Film (Genève).

Int. : sir John Gielgud (Clive Langham), Dirk Bogarde (Claud Langham), Ellen Burstyn (Sonia Langham), David Warner (Kevin Woodford), Elaine Stritch (Molly

Langham et « Helen Wiener »), Denis Lawson (Dave Woodford), Cyril Luckham (Mark Edington), Samson Fainsilber (le vieillard loup-garou), Peter Arne (Nils), Anna Wing (Karen), Tanya Lopert (miss Lister), Kathryn Leigh-Scott (miss Boon), Milo Sperber (le tailleur), Joseph Pittoors (le vieillard au carrefour), Souki (passagère de l'avion)[1].

Durée : 1 h 50.

MON ONCLE D'AMÉRIQUE (1980)

Réal. : Alain Resnais. *Scén. et dial.* : Jean Gruault, *inspiré par les travaux du professeur* Henri Laborit. *Déc.* : Jacques Saulnier. *Cost.* : Catherine Leterrier. *Maq.* : Marie-Hélène Yatschenkoff. *Assist.* : Florence Malraux, Jean Léon. *Scripte* : Hélène Sebillotte. *Dir. photo.* : Sacha Vierny (Eastmancolor). *Cadr.* : Philippe Brun. *Son* : Jean-Pierre Ruh. *Mix.* : Jacques Maumont. *Mont.* : Albert Jurgenson. *Mus.* : Arié Dzierlatka, *dir. par* Harry Rabinovidz. *Dir. de prod.* : Michel Fauré. *Prod. dél.* : Philippe Dussart. *Prod.* : Philippe Dussart SARL, Andrea Films, TF1.

Int. : Roger Pierre (Jean Le Gall), Nicole Garcia (Janine Garnier), Gérard Depardieu (René Ragueneau), professeur Henri Laborit (lui-même), Pierre Arditi (le représentant de la direction générale à Paris), Nelly Borgeaud (Arlette Le Gall), Marie Dubois (Thérèse Ragueneau), Gérard Darrieu (Léon Veestrate), Philippe Laudenbach (Michel), Héléna Manson (la logeuse), Jacques Rispal (l'homme bousculé), Laurence Badie (Mme Veestrate), Jean Dasté (monsieur Louis), Albert Médina (Bauzon-Montrieux), Max Vialle (Jean-Marie Laugier), Brigitte Roüan (l'amie comédienne), Laurence Roy, Bernard Malaterre, Alexandre Rignault (la mère, le père, le grand-père de Jean Le Gall), Véronique Silver, Jean Lescot (la

1. Alain Resnais a supervisé lui-même la version française de *Providence*, dont le texte a été établi par Anne et Georges Dutter. Les voix de cette version française sont les suivantes : Claude Dauphin (Clive), François Périer (Claud), Nelly Borgeaud (Sonia), Gérard Depardieu (Kevin Woodford), Suzanne Flon (« Helen Wiener »), Walter Plinge (Dave Woodford), Daniel Lecourtois (Edington), Dominique Rozan (Nils), Nane Germon (Karen), Marie-Hélène Breillat (miss Boon), Guy Piérauld (le tailleur). Samson Fainsilber et Tanya Lopert se doublent eux-mêmes.

mère, le père de Janine Garnier), Geneviève Mnich, Maurice Gautier, Bertrand Lepage, Gaston Vacchia (la mère, le père, le frère Maurice, l'oncle Henri de René Ragueneau), Guillaume Boisseau (Jean enfant), Damien Boisseau (Jean adolescent), Jean-Philippe Puymartin (Jean jeune homme), Ina Bédard (Janine enfant), Stéphanie Lousteau (Janine adolescente), Ludovic Salis (René enfant), François Calvez (René adolescent), Catherine Frot (Arlette jeune fille), Valérie Dréville (Thérèse jeune fille), Isabelle Ganz (Josyane), Liliane Gaudet (Mme Arnal), Maria Laborit (la troisième secrétaire de Jean Le Gall), Gilette Barbier (Mme Landais), Jean-Bernard Guillard et Yves Péneau (les comédiens), Serge Feuillard (le médecin des urgences), Anne-Christine Joinneau et Sébastien Drai (les enfants de Jean Le Gall), Carène Ferrey et Sabine Thomas (les filles de René Ragueneau), Michel Muller (le garde-chasse), Laurence Février (une comédienne), Charlotte Bonnet (secrétaire de monsieur Louis), Marjorie Godin (secrétaire de l'usine), Monique Mauclair (l'institutrice), Dominique Rozan (le sénateur), Catherine Serre (la secrétaire de la direction générale).

Durée : 2 h 05.

LA VIE EST UN ROMAN (1983)

Réal. : Alain Resnais. *Scén., dial. et lyrics :* Jean Gruault. *Déc. :* Jacques Saulnier, Enki Bilal. *Cost. :* Catherine Leterrier. *Maq. :* Ronaldo Ribeiro de Abreu. *Assist. :* Florence Malraux, Jean Léon. *Scripte :* Sylvette Baudrot. *Dir. photo. :* Bruno Nuytten (Eastmancolor et Fujicolor). *Cadr. :* Philippe Brun. *Son :* Pierre Lenoir. *Mix. :* Jacques Maumont. *Mont. :* Albert Jurgenson. *Mus. :* M. Philippe-Gérard. *Orchestration et dir. mus. :* Jean-Michel Defaye, M. Philippe-Gérard. *Dir. de prod. :* Jean Lara. *Prod. dél. :* Philippe Dussart. *Prod. :* Philippe Dussart SARL, Soprofilms, Films A2, Fideline Films, Les Films Ariane, Filmedis.

Int. : Ruggero Raimondi (Michel Forbek), Sabine Azéma (Élisabeth Rousseau), Vittorio Gassman (Walter Guarini), Geraldine Chaplin (Nora Winkle), Robert Manuel (Georges Leroux), Pierre Arditi (Robert

Dufresne), Martine Kelly (Claudine Obertin), Véronique Silver (Nathalie Holberg), Fanny Ardant (Livia), Samson Fainsilber (le père de Forbek), André Dussollier (Raoul), Guillaume Boisseau (Frédéric), Rodolphe Schacher (Pierre), Sabine Thomas (Marie), Flavie Ducorps (la fille de Nora Winkle), Jean-Michel Dupuis (Laplaud, le maître de maternelle), Philippe Laudenbach (l'éducateur ennemi de la rêverie gratuite), Michel Muller (Bertin), Jean-Louis Richard (père Jean Watelet), Lucienne Hamon (Juliette Watelet), Jean-Claude Arnaud (le conducteur de la camionnette), Hélène Patarot (Thi Lan), Jean-Claude Corbel (le héros légendaire), Cathy Berberian (la nourrice) et quatre-vingt-trois « participants » crédités au générique [1]. *Play-back Élisabeth :* Fabienne Guyon.

Durée : 1 h 51.

L'AMOUR À MORT (1984)

Réal. : Alain Resnais. *Scén. et dial. :* Jean Gruault. *Déc. :* Jacques Saulnier. *Cost. :* Catherine Leterrier. *Maq. :* Dominique de Vorges. *Assist. :* Florence Malraux. *Scripte :* Hélène Sebillotte. *Dir. photo. :* Sacha Vierny (Eastmancolor). *Cadr. :* Philippe Brun. *Son :* Pierre Gamet. *Mix. :* Jacques Maumont. *Mont. :* Albert Jurgenson. *Mus. :* Hans Werner Henze, *int. par* The Fires of London. *Dir. de prod. :* Michel Choquet. *Prod. dél. :* Philippe Dussart. *Prod. :* Philippe Dussart SARL, Les Films Ariane, Films A2.

Int. : Sabine Azéma (Élisabeth Sutter), Pierre Arditi (Simon), Fanny Ardant (Judith), André Dussollier (Jérôme), Jean Dasté (docteur Rozier), Geneviève Mnich (la veuve d'André Jourdet), Jean-Claude Weibel (le spécialiste), Louis Castel (l'ami des Jourdet), Françoise Rigal (une collègue d'Élisabeth), Françoise Morhange (madame Vigné), Walter Plinge (l'homme du

1. On relèvera parmi ces « participants » les noms de comédiens ayant joué dans *Je t'aime je t'aime* (Guylène Péan), *Mon oncle d'Amérique* (Charlotte Bonnet, Valérie Dréville, Serge Feuillard, Marjorie Godin), *L'Amour à mort* (Françoise Morhange, Françoise Rigal, Jean-Claude Weibel) et *I Want to Go Home* (François-Éric Gendron, Caroline Sihol, Nicolas Tronc et à nouveau Charlotte Bonnet), ainsi que ceux de Francine Bergé, Yann Dedet, Bernard-Pierre Donnadieu et Marie Rivière.

torrent), et les voix de Jean Champion (le père de Simon), Bernard Malaterre (un collègue de Simon, Bernard Favre), Yvette Étiévant (madame Yvonne), Lumir [1] (la fille des pasteurs).

Durée : 1 h 32.

MÉLO (1986)

Réal. : Alain Resnais. *Scén. :* d'après la pièce d'Henry Bernstein. *Déc. :* Jacques Saulnier. *Cost. :* Catherine Leterrier. *Maq. :* Dominique de Vorges. *Assist. :* Florence Malraux. *Scripte :* Sylvette Baudrot. *Dir. photo. :* Charlie Van Damme (Agfa-Gevaert). *Cadr. :* Gilbert Duhalde. *Son :* Henri Morelle. *Mix. :* Jacques Maumont. *Mont. :* Albert Jurgenson. *Mus. :* M. Philippe-Gérard. *Dir. de prod. :* Catherine Lapoujade. *Prod. dél. :* Marin Karmitz. *Prod. :* MK2, Films A2.

Int. : Sabine Azéma (Romaine), Pierre Arditi (Pierre Belcroix), André Dussollier (Marcel Blanc), Fanny Ardant (Christiane), Jacques Dacqmine (le docteur Rémi), Hubert Gignoux (le prêtre), Catherine Arditi (Yvonne).

Durée : 1 h 52.

I WANT TO GO HOME (1989)

Réal. : Alain Resnais. *Scén. et dial. :* Jules Feiffer. *Déc. :* Jacques Saulnier. *Cost. :* Catherine Leterrier. *Maq. :* Thi-Loan Nguyen. *Mentor exéc. :* Florence Malraux. *Assist. :* Yann Gilbert. *Scripte :* Sylvette Baudrot. *Dir. photo. :* Charlie Van Damme (Eastmancolor). *Cadr. :* Gilbert Duhalde. *Son :* Jean-Claude Laureux. *Mix. :* Jean-Paul Loublier. *Mont. :* Albert Jurgenson. *Mus. :* John Kander. *Orchestration et dir. mus. :* Michael Gibson. *Eff. spéc. :* Excalibur (Hepp Catt et Sally Catt créés par Jules Feiffer). *Dir. de prod. :* Yvon Crenn. *Prod. dél. :* Marin Karmitz. *Dél. de prod. :* Christian Ferry. *Prod. :* MK2, Films A2, La SEPT, Soficas Investimage, Sofinergie et Sofima.

Int. : Adolph Green (Joe E. Wellman, et les voix de Hepp Catt et Sally Catt), Laura Benson (Elsie Wellman), Linda Lavin (Lena), Gérard Depardieu (Christian

---

1. Lumir est la fille de Fanny Ardant.

Gauthier), Micheline Presle (Isabelle Gauthier), John Ashton (Harry Dempsey), François-Éric Gendron (Lionel), Geraldine Chaplin (Terry), Caroline Sihol (Dora Dempsey), Georges Fricker (le compagnon de Terry), Lucienne Hamon (madame Roget), Nicolas Tronc (jeune homme dans l'avion), Emmanuelle Chaulet (la secrétaire de Gauthier), Jean Champion (chauffeur de taxi), Charlotte Bonnet (chauffeur de taxi), Pierre Decazes (le garagiste), Catherine Arditi (la boulangère), Isabelle Habiague (la jeune femme qui chante), Françoise Bertin (la cliente de la marchande de légumes), Patrick Bonnel (le boucher), Anne Roussel (la jeune femme fatiguée), Anne Teyssèdre (jeune femme dans le bureau de Gauthier), Albert Ben Chamoul, Jean Prévôt (les vieux villageois), Ludivine Sagnier (la petite fille de la place du village), Agnès Seelinger (la domestique du manoir), Raphaëline Goupilleau, Alain Fromager (étudiants dans l'appartement de Gauthier).

Durée : 1 h 45.

BIBLIOGRAPHIE

La présente bibliographie (dont une première version a paru dans le n° 13/14 de la revue *CICIM*) ne recense que les propos tenus par Alain Resnais et ses collaborateurs, et les textes qu'ils ont écrits.

Rappelons cependant que *L'Avant-Scène cinéma* a publié les découpages de *Guernica* (n° 38, 15 juin 1964), *Hiroshima mon amour, Van Gogh* et *Le Mystère de l'atelier quinze* (n° 61-62, juillet-septembre 1966), *Je t'aime je t'aime* (n° 91, avril 1969), *Stavisky...* (n° 156, mars 1975), *Providence* (n° 195, 1er novembre 1977), *Mon oncle d'Amérique* (n° 263, 1er mars 1981) et *Mélo* (n° 359, avril 1987).

I – ENTRETIENS AVEC ALAIN RESNAIS

Contrairement à sa légende, Resnais n'est pas avare d'interviews : il accepte d'être enregistré pourvu qu'on ne le filme pas, et d'être filmé tant qu'il ne parle pas. Cette liste ne prend donc en compte que les principaux entretiens qu'il a accordés : ceux d'une certaine longueur, et, parmi les plus courts, ceux qui présentent un caractère inédit en raison de leur thème ou des réponses apportées.

COURTS MÉTRAGES

Arts, 22 février 1956 (François Truffaut) : sur *Nuit et Brouillard.*

Les Lettres françaises, 18 avril 1957 (Yvonne Baby) : sur *Toute la mémoire du monde.*

Premier Plan n° 18, octobre 1961 : sur *Guernica, Les statues meurent aussi* et *Nuit et Brouillard* (entretien datant de 1956) [1].

Abécédaire des films sur l'art moderne et contemporain (1905-1984), Centre Georges Pompidou/Centre national des arts plastiques, 1985 (Gisèle Breteau) : sur la série de visites d'atelier réalisées en 1947.

Richard Raskin, *Nuit et Brouillard*, Aarhus University Press, Aarhus, Danemark, 1987.

HIROSHIMA MON AMOUR

Carrefour, 7 mai 1959 (J.-C. Jaubert).

Le Monde, 9 mai 1959 (Yvonne Baby).

Les Lettres françaises, 14 mai 1959 (Michèle Firk).

Cinéma n° 38, juillet 1959 (Michel Delahaye).

Film Quarterly, Berkeley, Ca., printemps 1960 (Noel Burch).

Image et Son n° 128, février 1960 (Max Égly).

Téléciné n° 88, mars-avril 1960 (Pierre Wildenstein).

« *Tu n'as rien vu à Hiroshima!* », Éditions de l'Institut de sociologie, Bruxelles, 1962 : débat.

L'ANNÉE DERNIÈRE À MARIENBAD

Télérama, 23 avril 1961 (Jean Collet).

Les Lettres françaises, 10 août 1961 (Hubert Juin) : entretien avec Alain Resnais et Alain Robbe-Grillet.

---

1. Ce numéro de *Premier Plan* réalisé par Bernard Pingaud reproduit également des entretiens répertoriés plus loin dans la présente bibliographie et publiés dans *Cinéma* et *Image et Son* (sur *Hiroshima mon amour*), *Le Monde* et les *Cahiers du cinéma* (sur *L'Année dernière à Marienbad*), *Esprit, Clarté* et *Cinémonde* (sur des sujets divers).

France Observateur, 28 août 1961 (Nicole Zand) : entretien avec Alain Resnais et Alain Robbe-Grillet.

Le Monde, 29 août 1961 (Yvonne Baby).

Cahiers du cinéma n° 123, septembre 1961 (André S. Labarthe, Jacques Rivette) : entretien avec Alain Resnais et Alain Robbe-Grillet.

Entr'acte n° 6-7, novembre-décembre 1961 (Claude Ollier) : entretien avec Alain Resnais et Alain Robbe-Grillet).

Cinéma n° 61, décembre 1961 (Pierre Billard) : entretien avec Alain Resnais et Alain Robbe-Grillet.

Granta n° 1213, Cambridge, décembre 1961 (Peter Graham).

Image et Son n° 148, février 1962 (Pierre Uytterhoeven).

MURIEL

Les Lettres françaises, 21 février 1963 (Marcel Martin).

Les Lettres françaises, 30 septembre 1963 : conférence de presse d'Alain Resnais et Jean Cayrol.

Le Monde, 5 octobre 1963 (Nicole Zand).

Film n° 6, Munich, février-mars 1964 (Peter Michel Ladiges).

Chaplin n° 53, Stockholm, 1965 (Ulla Swedberg).

LA GUERRE EST FINIE

Arts, 4 mai 1966 (Anne Capelle).

Les Lettres françaises, 5 mai 1966 (Jean-Louis Pays) : entretien avec Alain Resnais et Yves Montand.

Le Monde, 11 mai 1966 (Yvonne Baby).

Image et Son n° 196, juillet 1966 (Guy Gauthier).

Positif n° 79, octobre 1966 (Robert Benayoun, Michel Ciment, Jean-Louis Pays).

LOIN DU VIÊT-NAM

Cinéma n° 122, janvier 1968 : débat.

JE T'AIME JE T'AIME

Le Monde, 28 avril 1968 (Yvonne Baby).
Jeune Cinéma n° 131, mai 1968 (Luce Sand).
L'Avant-Scène cinéma n° 91, avril 1969 (Philippe Labro).

STAVISKY...

Le Figaro littéraire, 9 février 1974 (Claude Baignières).
Film Comment, Brookline, Mass., mars-avril 1974 (Jonathan Rosenbaum).
Séquences n° 76, Montréal, avril 1974.
Image et Son n° 284, mai 1974 (Françoise Pieri, Aldo Tassone).
Le Nouvel Observateur, 13 mai 1974 (Christiane Duparc, Michel Grisolia).
Cinématographe n° 8, juin-juillet 1974 (Dominique Maillet, Denis Offroy).
Écran n° 27, juillet 1974 (Claude Beylie).
Filmmakers Newsletter, Ward Hill, Mass., décembre 1974 (Win Sharples, Jr.).
Gaston Bounoure, *Alain Resnais*, Seghers, 3e éd., 1974.
Film Comment, Brookline, Mass., juillet-août 1975 (Richard Seaver). Repris et augmenté dans *Stavisky...*, Lorrimer, Londres, 1975.

PROVIDENCE

Écran n° 55, février 1977 (Claude Beylie).
Positif n° 190, février 1977 (Robert Benayoun).
L'Express, 7 février 1977 (Michel Delain, Claude Heymann).
Télérama, 9 février 1977 (Alain Rémond).
Les Nouvelles littéraires, 10 février 1977 (Marc Terrasse).
Jeune Cinéma n° 101, mars 1977 (Jean Delmas, Fabian Gastellier).
Thousand Eyes, New York, mars 1977 (Dan Yakir).
La Libre Belgique, 15 avril 1977 (Fr. M.).
Lumière du cinéma n° 1, 1977 (Alain Begramian).
Positif n° 244-245, juillet-août 1981 (Bertrand Borie) : sur la partition musicale de Miklós Rózsa.

MON ONCLE D'AMÉRIQUE

Le Quotidien de Paris, 29 novembre 1979 (Anne de Gasperi).
Première n° 39, mai 1980 (Dominique Maillet).
Les Nouvelles littéraires, 15 mai 1980 (Michel Boujut).
Révolution, 16 mai 1980 (Luce Vigo).
Télérama, 21 mai 1980 (Christine de Montvalon).
Le Monde, 22 mai 1980 (Jacques Siclier).
La Croix, 23 mai 1980 (Paul-Bernard Chevillard).
Cinématographe n° 58, juin 1980 (Jean-Claude Bonnet, Emmanuel Decaux, Bruno Villien).
Positif n° 231, juin 1980 (Robert Benayoun).
Cinéma n° 259-260, juillet-août 1980 (Mireille Amiel, Jacques Petat).
Monthly Film Bulletin, Londres, décembre 1980 (Tom Milne).
Jean Gruault, *Mon oncle d'Amérique*, Albatros, 1980 (Madeleine Chapsal).
Autrement n° 30, mars 1980 (Dario Coen, Michel David, Françoise Laborie).
L'Avant-Scène cinéma n° 263, mars 1981 (Claude Beylie).

LA VIE EST UN ROMAN

Cinématographe n° 88, avril 1983 (Philippe Carcassonne).
Les Nouvelles littéraires, 21 avril 1983 (Michel Boujut).
Cahiers du cinéma n° 347, mai 1983 (Serge Daney, Danièle Dubroux).
Filmfaust n° 36, Francfort, octobre-novembre 1983 (Andrea Grunert, Brigitte Hervo).
Conséquences n° 1, automne 1983 (Mireille Calle-Gruber).
Cine cubano n°107, La Havane, 1983 (Manuel Pereira).
Jean-Marc Thévenet, *Images pour un film : les décors d'Enki Bilal pour « La vie est un roman » d'Alain Resnais*, Dargaud, 1983.
Robert Benayoun, *Alain Resnais : arpenteur de l'imaginaire*, 2e éd., Ramsay, 1986.

L'AMOUR À MORT

La Revue du cinéma n° 397, septembre 1984 (Danièle Parra).
Le Matin, 17 septembre 1984 (Michel Pérez).
Jeune Cinéma n° 161, octobre 1984 : conférence de presse.
Positif n° 284, octobre 1984 (Alain Masson, François Thomas).
Télérama, 10 octobre 1984 (Gilbert Salachas).
Esprit, décembre 1984 (Claire Blatchley, Delphine Virnot).
Cinema Papers n° 49, Richmond, Australie, décembre 1984 (Kieran Finnane).
Herald Tribune, New York, 18 septembre 1984 (Mary Blume).
Robert Benayoun, *Alain Resnais : arpenteur de l'imaginaire*, 2e éd., Ramsay, 1986.

MÉLO

Le Nouvel Observateur, 29 août 1986 (Françoise Giroud).
Cahiers du cinéma n° 387, septembre 1986 (Alain Philippon, Serge Toubiana).
Positif n° 307, septembre 1986 (François Thomas).
Le Monde, 3 septembre 1986 (Danièle Heymann).
Télérama, 3 septembre 1986 (Jean-Luc Douin).
Jeune Cinéma n° 177, novembre-décembre 1986 : conférence de presse.
Robert Benayoun, *Alain Resnais : arpenteur de l'imaginaire*, 2e éd., Ramsay, 1986.

AUTRES ENTRETIENS

Sont répertoriés ici les entretiens ne prenant pas prétexte d'un film précis, qu'ils traitent de sujets généraux ou qu'ils portent sur un thème particulier, lequel est alors indiqué.

Les Lettres françaises, 27 février 1958 (Simone Dubreuilh) : sur la censure.
Les Lettres françaises, 12 mars 1959 (Anne Philipe).
Esprit, juin 1960 (Jean Carta, Michel Mesnil).
Clarté n° 33, février 1961 (Sylvain Roumette).

Cinémonde, 14 mars 1961 (Gilbert Guez).
Les Lettres françaises, 30 novembre 1961 (Michel Capdenac, Georges Sadoul) : entretien avec Henri Colpi, Armand Gatti, Alain Resnais et Agnès Varda.
Script n° 2, Bruxelles, janvier 1962 (Gisèle Frumkin, Dan A. Cukier, Jo Gryn, Marc Lobet).
Connaissance du cinéma n° 1, mars 1962 (Jean Médam, François Porcile).
Cine cubano n° 5, La Havane, 1962 (Raul Molina).
Positif n° 50-52, mars 1963 (Robert Benayoun) : « En attendant Harry Dickson. »
Arts, 20 mars 1963 (Claude Edelman).
Image et Son n° 161-162, avril-mai 1963 (Guy Gauthier) : sur Chris. Marker.
La Cinématographie française, août-septembre 1964 (Alain Le Bris, Michel Caen).
Cinéma n° 91, décembre 1964, et n° 92, janvier 1965 (Marcel Martin) : « Discours de la méthode » et « Critique du jugement ».
Cahiers internationaux de symbolisme n° 9-10, 1965-1966 : table ronde autour de *L'Immortelle* d'Alain Robbe-Grillet.
Cinéma n° 106, mai 1966 (Monique Vernhes) : sur la science-fiction.
Film et Vie n° 31, octobre 1966 (R.-M. Arlaud).
Films and Filming, Londres, octobre 1966 (Adrian Maben).
Revue d'esthétique, avril-septembre 1967 (Olivier Revault d'Allonnes).
Young/Jeune Cinema & Theatre n° 1, Prague, 1967 (Martin Broz).
L'Arc n° 31, 1967 (Bernard Pingaud).
Les Lettres françaises, 2 mai 1968 (Patrick Bureau).
Téléciné n° 145, septembre 1968.
Études cinématographiques n° 64-68, 1968 (Jacques Belmans).
John Gruen, *Close-Up*, Viking Press, New York, 1968.
Sight and Sound, Londres, été 1969 (Richard Roud) : « Memories of Resnais » (sur ses goûts cinématographiques).
Léon Barsacq, *Le Décor de film*, Seghers, 1970 (rééd. Veyrier, 1985) : « Réalisme et plastique. »
Film Comment, Brookline, Mass., juillet-août 1975 (James Monaco).
Kino n° 143, Varsovie, novembre 1977 (Anna Fuksiewicz).
Les Nouvelles littéraires, 24 août 1978 (Annie Daubenton).
Culture et Communication n° 11, novembre 1978 (France Bequette).

(A suivre) n° 17, juin 1979 (Marc Voline) : « Les bandes dessinées d'Alain Resnais. »

Télérama, 9 janvier 1980 (Gilbert Salachas).

Le Monde de la musique n° 28, novembre 1980 (Louis Dandrel).

Cahiers de l'Herne n° 38, 1980 (François Truchaud) : sur *Les Aventures d'Harry Dickson.*

Cinématographe n° 69, juillet 1981 (Didier Goldschmidt) : sur Sacha Vierny.

(A suivre), spécial Hergé, avril 1983 (Alain Dugrand) : « Un climat d'étrangeté. »

Cinématographe n° 88, avril 1983 (Didier Goldschmidt, Jérôme Tonnerre; Didier Goldschmidt, Philippe Le Guay).

Caméra/Stylo n° 3, « Scénario », septembre 1983 (Sylvie Blum, Jérôme Prieur) : « La commande libre. »

Flavio Vergerio, *I film di Alain Resnais*, Gremese, Rome, 1984.

Cinéma, spécial Sacha Guitry, supplément au n° 311, novembre 1984 (Alain Carbonnier) : « Quand jouons-nous la comédie? »

Le Technicien du film et de la vidéo n° 344, 15 février 1986 (Thierry Wetzel) : sur le décor de film.

CICIM n° 16-17, Munich, juillet 1986 (François Thomas) : « Les musiques d'Alain Resnais » (repris et augmenté dans le présent ouvrage).

Jean-Daniel Roob, *Alain Resnais*, La Manufacture, Lyon, 1986.

Thierry Smolderen, *Milton Caniff : Images de Chine*, Gilou/ Schlirf, 1986 : « Amour, lumière et profondeur de champ. »

Dominique de Vorges, *Le Maquillage*, Dujarric, 1986 : « Le maquillage vu par Alain Resnais. »

Libération, 30 janvier 1987 (François et Max Armanet) : sur Milton Caniff.

Vertigo n° 1, 1987 (Jacques Gerstenkorn) : « Alain Resnais ou l'art de la composition. »

Esteve Riambau, *La cienca y la ficción : el cine de Alain Resnais,* Editorial Lerna, Barcelone, 1988.

II – TEXTES ET PROPOS DIVERS D'ALAIN RESNAIS

Bien que certains propos tenus par Alain Resnais aient paru sous forme d'articles, Resnais n'a écrit lui-même aucun texte destiné à la publication. Ainsi, l'article « Une expérience » (1948), qui porte sa signature, aurait été rédigé collectivement avec la collaboration entre autres du compositeur Jacques Besse. Nous répertorions cependant ici tous les textes et propos d'Alain Resnais ne se présentant pas sous la forme d'un entretien, d'une conférence de presse ou d'un débat.

Ciné-Club, décembre 1948 : « Une expérience », par Alain Resnais. Reproduit dans Gaston Bounoure, *Alain Resnais*, Seghers, 1962.

La strada : un film de Federico Fellini, Seuil, 1955 : « Les routes de *La strada* » (entretiens avec Federico Fellini et Giulietta Masina), anonyme.

Cahiers du cinéma n° 55, 67, 79, 92, 104, 116 et 128, rubrique « Les dix meilleurs films de l'année » : Alain Resnais livre ses préférences pour les années 1955 à 1961.

Anne Philipe, Claude Roy, *Gérard Philipe*, Gallimard, 1960 : témoignage.

Le Point, Souillac, Mulhouse, 1962 : « Le serpent et le caducée », par Alain Resnais. Traduit dans Mary Lea Bandy (ed.), *Rediscovering French Film*, Museum of Modern Art, New York, 1983.

Cinéma n° 88, juillet-août 1964 : réponse à une enquête sur « Dix ans de cinéma français ».

Giff-Wiff n° 12, décembre 1964 : « Notes sur un voyage aux U.S.A. » et « Entretien avec Lee Falk, à propos du style de Phil Davis », par Alain Resnais.

Francis Lacassin, *Louis Feuillade*, Seghers, 1964 : témoignage.

Cahiers du cinéma n° 161-162, janvier 1965 : enquête sur le cinéma français.

Jeune Cinéma n° 16, juin-juillet 1966 : témoignage sur la censure.

L'Avant-Scène cinéma n° 61-62, juillet-septembre 1966 : lettre d'Alain Resnais à André Heinrich sur *Le Mystère de l'atelier quinze*.

Giff-Wiff nº 21, août 1966 : « Dick Tracy ou l'Amérique en 143 visages », par Alain Resnais, assisté d'Alain Tercinet. Télégramme de Resnais au sujet de ce « reportage critique » sur Chester Gould.

Giff-Wiff nº 23, mars 1967 : « Entretien avec Al Capp », par Alain Resnais.

L'Arc nº 45, 1971 : « Deux questions d'Alain Resnais » (à Federico Fellini).

Graphis nº 159-164, Zurich, 1972-1973 (David Pascal) : « Film et bande dessinée. »

The Most Important and Misappreciated American Films since the Beginning of the Cinema, Cinémathèque de Bruxelles, 1978 : Alain Resnais est invité à sélectionner trente films qui lui paraissent les plus importants du cinéma américain, ainsi que des films oubliés ou mésestimés en lesquels il voit pourtant des œuvres marquantes.

Tay Garnett, *Portraits de cinéastes : un siècle de cinéma*, Hatier, 1981 : Alain Resnais répond à vingt-trois questions « essentielles auxquelles tout metteur en scène doit répondre par lui-même avant, pendant et après le tournage d'un film ».

(A suivre) nº 47, décembre 1981 : déclaration sur Enki Bilal.

Claude Beylie, Philippe Carcassonne (eds.), *Le Cinéma*, Bordas, 1983 : « Une fin qui n'en finit pas » (propos sur le montage, le mixage, la musique).

Jean Champion, *Troisième Couteau*, Librairie Séguier, 1989 : préface.

III – TÉMOIGNAGES DE COLLABORATEURS D'ALAIN RESNAIS

SCÉNARISTES

CAYROL, Jean :

L'Écran français, 9 février 1956 : sur *Nuit et Brouillard*.

Les Lettres françaises, 30 septembre 1963 : conférence de presse d'Alain Resnais et Jean Cayrol.

France Observateur, 10 octobre 1963.

Jeune Cinéma nº 20, février 1967 (Luce Sand).

DURAS, Marguerite :

France Observateur, 31 juillet 1958.

Sight and Sound, Londres, hiver 1959-1960 (Richard Roud).

Image et Son n° 128, février 1960 (Jacques Chevallier, Max Égly).
Le Monde, 9 novembre 1972.
GRUAULT, Jean :
Film Comment, Brookline, Mass., septembre-octobre 1980 (Annette Insdorf).
Christian Salé, *Les Scénaristes au travail*, Hatier, 1981.
Visuel n° 8, Turin, septembre 1983 (Mireille Calle-Gruber).
Cinéma n° 310, octobre 1984 (Christian Blanchet, Jacques Kermabon, Fabrice Revault d'Allonnes).
MERCER, David :
Jeune Cinéma n° 100, février 1977 (Claude Hardwick).
Positif n° 190, février 1977 (Robert Benayoun).
ROBBE-GRILLET, Alain :
Les Lettres françaises, 10 août 1961 (Hubert Juin) : entretien avec Alain Resnais et Alain Robbe-Grillet.
France Observateur, 28 août 1961 (Nicole Zand) : entretien avec Alain Resnais et Alain Robbe-Grillet.
Le Monde, 29 août 1961 (Yvonne Baby).
Cahiers du cinéma n° 123, septembre 1961 (André S. Labarthe, Jacques Rivette) : entretien avec Alain Resnais et Alain Robbe-Grillet.
Entr'acte n° 6-7, novembre-décembre 1961 (Claude Ollier) : entretien avec Alain Resnais et Alain Robbe-Grillet.
Cinéma n° 61, décembre 1961 (Pierre Billard) : entretien avec Alain Resnais et Alain Robbe-Grillet.
A.R.-G., *L'Année dernière à Marienbad*, Minuit, 1961 : Introduction.
La Cinématographie française, 22 décembre 1962 (Guy Allombert).
Cinématographe n° 107, février 1985 (Jacques Fieschi).
SEAVER, Richard :
Robert Benayoun, *Alain Resnais : arpenteur de l'imaginaire*, Stock, 1980 : sur le projet *Délivrez-nous du bien.*
SEMPRUN, Jorge :
Arts, 6 octobre 1965 (Paul Gilles).
Jeune Cinéma n° 16, juin-juillet 1966 (Andrée Tournès).
Positif n° 79, octobre 1966 (Jean-Louis Pays).
Écran n° 27, juillet 1974 (Claude Beylie).
J.S., *Le « Stavisky » d'Alain Resnais*, Gallimard, 1974 : Introduction.
Dan Georgakas, Lenny Rubenstein (eds.), *The Cineaste Interviews*, Lake View Press, Chicago, 1983 (Theo Blomquist).

STERNBERG, Jacques :
L'Avant-Scène cinéma n° 91, avril 1969 (Sylvain Dhomme).
J.S., *Je t'aime je t'aime*, Le Terrain vague, 1969 : Avant-propos.

AUTRES COLLABORATEURS

BAUDROT, Sylvette :
Segno cinema n° 10, Vicence, novembre 1983 (Flavio Vergerio).
BILAL, Enki :
Les Cahiers de la bande dessinée n° 53, 1982 (Jean Léturgie).
BOGARDE, Dirk :
Jeune Cinéma n° 100, février 1977 (Fabian Gastellier).
Écran n° 56, mars 1977 (Claude Beylie).
Cinématographe n° 25, mars 1977 (Bruno Villien).
D.B., *An Orderly Man*, Chatto and Windus, Londres, 1983.
BRUN, Philippe :
Segno cinema n° 10, Vicence, novembre 1983 (Flavio Vergerio).
BURSTYN, Ellen :
Take One, Montréal, mars 1977 (Ying Ying Wu).
COLPI, Henri :
Sight and Sound, hiver 1959-1960.
Téléciné n° 99, novembre 1961.
Cinéma n° 70, novembre 1962 (Raymond Bellour, Maurice Frydland).
DUSSOLLIER, André :
L'Avant-Scène cinéma n° 356, janvier 1987 (Catherine Schapira, Mireille Touret).
DZIERLATKA, Arié :
Cinéma n° 263, novembre 1983 (Alain Jomy, Dominique Rabourdin).
FORLANI, Remo :
L'Avant-Scène cinéma n° 61-62, juillet-septembre 1966 : sur *L'alcool tue*.
Robert Benayoun, *Alain Resnais : arpenteur de l'imaginaire*, Stock, 1980.
GIELGUD, sir John :
An Actor and His Time, Penguin, 1981.
HEINRICH, André :
L'Avant-Scène cinéma n° 61-62, juillet-septembre 1966 : sur *Le Mystère de l'atelier quinze*.

JURGENSON, Albert :
Cinématographe nº 108, mars 1985 (Philippe Le Guay, Bertrand Philbert).
LABORIT, Henri :
Le Quotidien de Paris, 21 mai 1980 (Anne de Gasperi).
Jean Gruault, *Mon oncle d'Amérique*, Albatros, 1980 (Madeleine Chapsal).
Le Figaro, 24 mai 1980.
MONTAND, Yves :
Les Lettres françaises, 5 mai 1966 (Jean-Louis Pays) : entretien avec Yves Montand et Alain Resnais.
QUENEAU, Raymond :
« Le chant de la sirène : Resnais et le styrène », *Alain Resnais*, Cinémathèque française, septembre 1963.
RIVA, Emmanuelle :
Gaston Bounoure, *Alain Resnais*, Seghers, 1962.
RÓZSA, Miklós :
M.R., *Double Life*, Hippocrene Books, New York, 1982.
SAULNIER, Jacques :
Positif nº 307, septembre 1986 (Jean-Pierre Berthomé).
Positif nº 329-330, juillet-août 1988 (Jean-Pierre Berthomé).
SEYRIG, Delphine :
Sight and Sound, Londres, automne 1969 (Rui Nogueira).
VAN DAMME, Charlie :
Le Matin, 4 septembre 1986 (Marie-Élisabeth Rouchy).
VIERNY, Sacha :
Gaston Bounoure, *Alain Resnais*, Seghers, 1962.
Cinématographe nº 69, juillet 1981 (Didier Goldschmidt).
Positif nº 302, avril 1986 (Hubert Niogret).

ENSEMBLES DE TÉMOIGNAGES

Les Lettres françaises nº 895, 5 octobre 1961.
Entretiens avec Henri Colpi, Jacques Saulnier, Francis Seyrig et Sacha Vierny au sujet de *L'Année dernière à Marienbad* (Hubert Juin).
L'Arc nº 31, 1967.
Témoignages de Pierre Barbaud, Sylvette Baudrot, Philippe Brun, Jean Cayrol, Ghislain Cloquet, Jean Dasté, Éric Pluet, Alain Quefféléan, Jacques Saulnier, Jorge Semprun, Delphine Seyrig, Francis Seyrig, Jacques Stern-

berg, Frédéric de Towarnicki (Bernard Pingaud, Pierre Samson).

Cinéma n° 259-260, juillet-août 1980.
Entretiens avec Gérard Depardieu, Yves Montand, Claude Rich, Delphine Seyrig (Mireille Amiel), Henri Colpi (Gaston Haustrate, Jacques Petat), Jean Gruault (Mireille Amiel, Gaston Haustrate), Sacha Vierny (Jacques Petat, Dominique Rabourdin).

Jean-Marc Thévenet, *Images pour un film : les décors d'Enki Bilal pour « La vie est un roman » d'Alain Resnais*, Dargaud, 1983.
Entretiens avec Enki Bilal, Louis Lapeyre, Jacques Saulnier et Jean-Marie Vives. Texte de Bruno Nuytten.

Cinématographe n° 88, avril 1983.
Propos d'Enki Bilal, Jean Gruault, Albert Jurgenson, Pierre Lenoir, Florence Malraux, Bruno Nuytten, M. Philippe-Gérard, Jacques Saulnier (Philippe Carcassonne) et Vittorio Gassman (Pierre-André Boutang) sur *La vie est un roman.*

La Revue du cinéma n° 397, septembre 1984.
Entretiens avec Fanny Ardant, Pierre Arditi, Sabine Azéma, André Dussollier et Jean Gruault au sujet de *L'Amour à mort* (Danièle Parra).

CICIM n° 13-14, Munich, novembre 1985.
Entretiens avec Gérard Lorin et Jacques Maumont, et, repris et augmentés dans le présent volume, avec Philippe Brun, Pierre Gamet, Albert Jurgenson, Jean Léon, Catherine Leterrier et Jacques Saulnier (François Thomas).

Jean-Daniel Roob, *Alain Resnais*, La Manufacture, Lyon, 1986.
Propos de Pierre Arditi, Sabine Azéma, Jean Gruault, Florence Malraux, Roger Pierre et Emmanuelle Riva.

INDEX

TABLE DES MATIÈRES

TABLE DES MATIÈRES

Crédits photographiques

Sylvette Baudrot (1 à 4, 8). Jean-Pierre Berthomé (15). Nicole Lala (12). Catherine Leterrier (19). Alain Resnais (13, 14). Cinémathèque française (5, 6, 9, 10). National Film Archive, Londres (7, 11). Jürgen Vollmer/Sygma (17, 18, 20 à 22). Étienne George/Sygma (23 à 25). Jacques Prayer/Gamma (26 à 29).

Cet ouvrage a été réalisé sur
Système Cameron
par la SOCIÉTÉ NOUVELLE FIRMIN-DIDOT
Mesnil-sur-l'Estrée
pour le compte des Éditions Flammarion
le 26 août 1989

Imprimé en France
Dépôt légal: septembre 1989
N° d'édition : 12204 – N° d'impression : 10460